BEIRT BHAN MHISNIÚLA

Beirt Bhan Mhisniúla

Pádraig Ó Siadhail

Cló Iar-Chonnacht
Indreabhán
Conamara

An chéad chló 2011
© Cló Iar-Chonnacht 2011

ISBN 978-1-905560-74-5

Dearadh clúdaigh: Abigail Bolt
Dearadh: Deirdre Ní Thuathail

Foras na Gaeilge

Tá Cló Iar-Chonnacht buíoch de Fhoras na Gaeilge
as tacaíocht airgeadais a chur ar fáil.

Faigheann Cló Iar-Chonnacht cabhair airgid
ón gComhairle Ealaíon.

Tá an t-údar buíoch de Chlár na Leabhar Gaeilge (Foras na Gaeilge) as coimisiún a
thabhairt dó faoi Scéim na gCoimisiún.

Clóchur: Cló Iar-Chonnacht, Indreabhán, Co. na Gaillimhe.
Teil: 091-593307 **Facs:** 091-593362 **r-phost:** cic@iol.ie
Priontáil: Brunswick Press, Baile Átha Cliath.

I gcuimhne ar Sheán seo againne
óir ba é an Conaireach a laoch liteartha fosta

Intreoir

"Sé do bheatha, a Mhuire . . ." Bhraith sí an Choróin Mhuire ag sleamhnú síos as a lámha. Bhuail taom scaoill í amhail is go raibh an t-aon rud crua fisiciúil a bhí fágtha aici caillte aici.

Ach ní raibh an neart ina dhá lámh aici chun an Choróin Mhuire a ardú.

D'fhéach sí lena tarraingt féin aníos sa leaba. In ainneoin an mhoirfín, chuaigh ríog phéine trína cabhail gur thit sí siar ar shlat a droma.

Chrom sí ar an phaidir arís eile. "Sé do bheatha, a Mhuire . . ." Ach bhí ag teip uirthi na focail eile a tharraingt aniar óna cuimhne.

Tháinig múisiam codlata uirthi faoi dheireadh . . .

D'airigh sí glór. Ba dhócha gurbh í Lauretta í. Nó Cornelia. Chuala sí cogar mogar. Mhothaigh sí lámh ag gearradh fhíor na croise ar chlár a héadain, síodúlacht thais na hOla Déanaí fuar ar a craiceann.

"Sé do bheatha, a Mhuire, atá lán de ghrásta . . ."

Bhí na focail ag teacht ina dtáinrith.

"Tá an Tiarna leat . . ."

Ach ní hise a bhí ag rá na paidre. Ní hise . . . ní hise . . .

Níorbh fhada uaithi anois é, a thuig sí. Ní raibh sí in ann a dhath eile a dhéanamh. Bhí a dícheall déanta aige troid ina choinne go dtí an bomaite deiridh seo. Níorbh fhéidir cluain a chur ar an bhás a thuilleadh.

Ní raibh aon eagla uirthi roimhe. Bhí a creideamh aici. Creideamh é nár chaill sí riamh.

An creideamh a buachloch. Ba é a dhearbhaigh i gcónaí nach raibh an streachailt in aisce. Go mbuailfeadh sí lena ndeachaigh roimpi. Lena muintir. Leis na fíréin. Le Dia na Glóire agus lena Mháthair Bheannaithe féin.

"Sé do bheatha, a Mhuire . . ."

An t-aon ní anois ná díriú ar an íomhá sin, ligean di a hanam a líonadh is gach rud eile a dhíbirt as a haigne.

Sé do bheatha, a Mhuire.

Sé do bheatha, a Mhuire.

Sé do bheatha, a Mhuire.

Sé do bheatha . . .

Cuid a hAon

An Ghé Fhiáin

A Priest-friend, whose friendship I still possess, but from whom I am divided as wide as the poles in regard to Irish aspirations, wrote me on the occasion of her death—"Poor Catherine [*sic*] Hughes has passed away; she died lonely, and her funeral was remarkable for the number absent from it. Surely she deserved more, and from the Republicans, too." Yes, my Priest-friend was right, she did deserve more respect than was offered on that occasion by the Republicans of New York; and, just as certainly, she deserved the best that any Irishman, or Irishwoman, or anyone that ever did anything for the cause of Ireland, could do to respect her and her memory . . . I told my Priest-friend a wholesome truth, namely, that there was not a member of the Clan-na-Gael organised or re-organised, not a member of the Friends of Irish Freedom, not a member of the American Association for the Freedom of Ireland, not a Cumann na mBan girl corporated or uncorporated, not a member of any Gaelic Society but should have been there.

P. E. Magennis, "Catherine Hughes—A Memory," *The Catholic Bulletin* 15 (Baile Átha Cliath, 1925) 1047-8.

Caibidil a hAon

-I-

Ba go deifreach a thuirling Mary Morrison den traein faoi thalamh. Rinne sí a slí go mífhoighdeach míchéadfach trí shluaite adhmhaidine Dé Luain ón ardán go dtí an tslí aníos. Ba leor sracfhéachaint ar an bhrú daoine timpeall na n-ardaitheoirí le cur ar a súile di nárbh fhiú moilliú ansin. Ba dhoiligh do Mary cur suas le haer leamh múchtach an stáisiúin faoi thalamh agus leis na soilse geala ann. Chas sí i dtreo an staighre suas. Ar an drochuair, sáinníodh í idir seanlánúin stadach Ghiúdach os a comhair agus triúr fear gnó cabanta taobh thiar di. Ba ar mallchéim a dhreap sí an staighre gur lig osna dhomhain faoisimh nuair a tháinig sí amach ar Broadway ag Park Place. Stop Mary le cóip den *New York Times* a cheannach ón mhangaire nuachtán, Clem, agus ansin bhrostaigh i dtreo a hoifige in Áras Woolworth.

Ní raibh sé ach ag tarraingt ar a hocht a chlog ach bhí fothram an lae tosaithe cheana. Bhí geonaíl bhonnáin gluaisteán agus díoscán choscáin tramanna ag meascadh le búiríl inneallra ón láthair thógála trasna an bhóthair ar Broadway. Ba ann a bhí teach spéire nua á thógáil, teach spéire eile a chaolódh ar an chandam sin den fhirmimint a d'fheicfeadh pobal Manhattan ó leibhéal na sráide. Ba mhinic óna hoifig anuas a rinne Mary iontas den díorma cruachfheisteoirí Mohawk a théadh i gcontúirt laethúil a n-anama ar chreatlach an tí spéire. B'iúd iad crochta san aer na céadta troigh ón talamh slán thíos fúthu ach shiúlaidís go cosdaingean dásachtach ar na cearchaillí cruaiche amuigh, dála gleacaithe siorcais ar mhaide luascáin. Ach amháin nach mbíodh aon líontán sábhála faoi na gleacaithe seo. Sula raibh sí cróilí, mhínigh a cara Caitlín, agus í ar cuairt lá, gur de gheasa do na hIndiaigh chéanna gan breathnú síos ar an talamh fúthu. Ba leor do Mary amharc anuas ar na Mohawk chun meadhrán a chur ina ceann. Tharraingíodh sí siar ó fhuinneog na hoifige i gcónaí, dhruideadh na dallóga is deireadh paidir bheag nach mbainfí dá chothrom aon duine acu. Ar ndóigh, tharlaíodh timpistí. B'fhearr le Mary léamh fúthu sa *Times* ná amharc orthu ag tarlú os a comhair.

Ach bhíodar ann i gcónaí ar an chosán sráide a dhéanadh aer is iontas de radharc amháin nó de radharc eile. Mar ba ghnách ar mhaidin gheal i dtosach an earraigh, bhí daoine cruinn cheana os comhair Áras Woolworth agus iad ag baint lán na súl as an fhoirgneamh. Meascán a bhí ann, a thabharfadh Mary buille faoi thuairim de réir fhianaise bhlasanna na nguthanna is déanamh na n-éadaí, de chuairteoirí eachtracha is d'imircigh úra a bhí i ndiaidh teacht isteach trí Oileán Ellis le cúpla lá anuas is a bhí ag tapú na chéad deise sin blaiseadh d'iontais Manhattan.

Agus ní hiontas go núíosach! arsa Mary léi féin agus í ag brú thart leis an bhaicle stadach ar an chosán. An té a bhíonn ag obair is ag luain in Áras Woolworth cúig go leith lá sa tseachtain—nó ina cás féin, sé lá sa tseachtain le tamall—b'fhurasta dó dearmad a dhéanamh ar na fíricí sin a chuir súile na gcuairteoirí is na n-imirceach ag bolgadh: is éard a bhí san ardteampall tráchtála seo, a shín na trí scór urlár, nó 792 throigh agus aon orlach stairiúil amháin, suas san aer, is éard a bhí ann an bloc oifige ab airde ar domhan ó tógadh é dosaen blianta roimhe sin i mbliain ár dTiarna 1913.

B'fhurasta, cinnte, ach amháin nuair a bhí na hardaitheoirí as feidhm.

Bhí forhalla an Árais ciúin go fóill nuair a bhí Mary ag tarraingt ar an tsraith ardaitheoirí.

"Mora duit ar maidin, Miss Morrison," arsa an giolla, Max, léi agus í a dul ar bord ardaitheoir uimhir a deich.

Agus í ar an bhealach suas go dtí a hoifig ar an 53ú hurlár, thug Mary spléachadh ar na ceannlínte sa nuachtán.

Urlár a deich . . .

. . . Toghadh an Mharascail Von Hindenberg ina Uachtarán ar an Ghearmáin . . .

Urlár a fiche . . .

. . . An doirteadh fola sa Ghearmáin le déanaí . . .

Urlár a fiche is a seacht . . .

. . . Go raibh 1909 duine dúnmharaithe i Nua-Eabhrac le seacht mbliana anuas . . .

Urlár daichead is a trí . . .

. . . Go raibh feachtas an Mhéara Hylan go n-athroghnófaí mar iarrthóir ar son an Pháirtí Dhaonlathaigh é faoi lánseol . . .

Urlár caoga is a haon . . .

. . . Gur bhain nathair nimhe greim as ógchailín in aice le Suffern thuas ar an Hudson . . .

Ó tharla go mbeadh lá grithealánach oibre i ndán di, ní bhfaigheadh sí an dara hamharc ar an nuachtán go dtí an tráthnóna, arsa Mary léi féin. Sin buntáiste a bhain le teacht isteach go luath go raibh an seans beag deireanach seo aici cúpla bomaite a bheith aici di féin, a céad chupán caife agus an chéad toitín dá ciondáil lae a bheith aici.

"Bíodh lá deas agat, Miss Morrison," arsa Max.

Ba dhoiligh di a shamhlú cad é mar a chuir Max suas le

huaireanta fada ag taisteal suas agus anuas. Suas agus anuas. Ar nós an donáin sin ó mhiotaseolaíocht na Gréige ar thit sé de chrann air carraig mhór a bhrú anuas mala cnoic go Lá an Luain. Ar ór ná ar airgead Rockefeller, ní fhéadfadh Mary cuimhneamh ar a ainm. Is ar éigean a bheadh a seanmhúinteoir, an tSiúr Bosco, buíoch di tar éis di blianta fada a chaitheamh ag féachaint le blúiríní den Léann Clasaiceach a bhrú isteach i gcinn chipín an chlochair. Na laethanta seo, arsa Mary léi féin, lán a bhí a cloigeann le hairteagail is le fasach dlí, le breitheanna cúirte agus le cásanna achomharctha. Ach chuimhneodh sí ar an ainm mallaithe Gréagach luath nó mall. Agus maidir le Max, bhíodh cuma shuaimhneach air i gcónaí. Ach seachas malartú bheannachtaí na maidine is an ardtráthnóna, ní raibh a dhath ar eolas aici faoi. A bhuí le Dia, murab ionann is formhór na ndaoine a bhíodh ar na hardaitheoirí, ní fhéachadh sé le mionchomhrá a choinneáil léi.

Nuair a bhí sí ag siúl ón ardaitheoir go dtí a hoifig ag bun an dorchla, chuaigh Mary siar ina haigne ar liosta na gcoinní a bhí socair aici don lá. Ar a naoi a chlog, bheadh sí ag bualadh leis na hailtirí a bhí ag dearadh an dá stór nua de chuid an chomhlachta i gceantar Albany. In ainneoin gurbh é an Domhnach a bhí ann, ba go mall a d'oibrigh sí féin agus a rúnaí, Gertrude, tráthnóna beag aréir chun mionsonraí fánacha a bhain leis an chead pleanála a réiteach. Ar a dó dhéag inniu, bheadh cruinniú aici leis an bhainisteoir pearsanra chun cás cúirte a phlé. Ar a leathuair i ndiaidh a trí, bheadh sí féin agus a comhaturnae Jeffrey Taylor ag bualadh le dlíodóirí óga Áras an chomhlachta le leanúint dá dtraenáil inoifige. Cruinnithe, cruinnithe, cruinnithe, ní raibh aon éalú ag aturnaetha uathu. Agus bhí réimsí fada comhad idir lámha aici ar ghnéithe eile d'obair mhórchomhlacht Woolworth.

Ní bheadh sí sa bhaile go luath anocht ach oiread chun tráthnóna deas ciúin a bheith aici. Bhí sí i ndiaidh gealltanas a thabhairt d'Oliver go mbuailfeadh sí leis-sean le haghaidh an tsuipéir.

Ar an drochuair, a dúirt Mary léi féin mar a bhain sí doras a hoifige amach, ar nós na hoíche aréir fosta, ní bhfaigheadh sí seans anocht dul go dtí an Bronx le cuairt a thabhairt ar Chaitlín bhocht. Amárach nó arú amárach, gan teip, nuair a bheadh carn na gcomhad ar a deasc íslithe aici agus stiúir níos cinnte curtha aici ar chúrsaí dlí impireacht F. W. Woolworth.

-II-

I lár an dara cruinniú a bhí Mary nuair a bhuail Gertrude go ciúin ar ghloine dhoras sheomra an bhoird. D'fhéach Mary ina treo go géar míshásta. Ba mhaith a bhí a fhios ag a rúnaí nár chóir di cur isteach ar chruinniú mar seo. Tháinig Gertrude isteach is labhair le Mary de chogar.

"Tá glao práinneach ann duit, Miss Morrison."

Níorbh í an bhéim ar an fhocal "práinneach" ach an dreach a bhí ar aghaidh Gertrude ba mhó a bhain siar as Mary.

Ghabh sí a leithscéal leis an bhainisteoir pearsanra is rinne ar oifig an rúnaí amuigh. Thóg Mary glacadóir an ghutháin ina láimh. Bhí go leor discréide ag Gertrude—agus go leor céille ceannaithe aici—imeacht as raon cluas.

"Haileo, Mary Morrison ag labhairt." Bhí eagla a craicinn uirthi go raibh rud éigin cearr lena hathair, ach labhair sí go húdarásach chun an neirbhís a cheilt.

"Mary, Oliver anseo . . ."

Ar aithint an ghlóir di ar an taobh eile den líne theileafóin agus ar thuiscint di nár dhócha gur dhrochscéala faoina hathair é, mhothaigh Mary an mhífhoighde ag borradh inti. Caithfidh go raibh Oliver i ndiaidh bob a bhualadh ar Gertrude . . . nó tathant uirthi briseadh isteach ar an chruinniú.

"Oliver, beidh daor . . ."

"Tá aiféala orm faoi chur isteach ar an chruinniú, Mary, ach cheap mé gur cheart fios a bheith agat gan mhoill. Tá Caitlín bhocht ar shlí na fírinne. Fuair sí bás aréir . . . Mary, an bhfuil tú ann go fóill? An bhfuil tú i gceart?"

"Tá . . ." Ba dheacair di a raibh á rá ag Oliver a scagadh ina haigne. "Féach, Oliver, ní thig liom labhairt leat anois. Cuirfidh mé glao ort ar ball."

Mhothaigh sí féin fuaire ina guth nár thaitin léi de réir mar a chuir sí an glacadóir síos. Fuaire ghairmiúil an aturnae a thugadh Oliver air ar na hócáidí eile sin nuair a bhraitheadh sí gur chall di a mothúcháin féin a choinneáil faoi smacht. Níorbh é seo an t-am le stiúir cheart uirthi féin a chailliúint. Bhí lá oibre le cur isteach aici go fóill.

"Ná cuirtear isteach orm arís, Gertrude," ar sise go dúr diongbháilte leis an rúnaí a bhí i ndiaidh scor dá cuid oibre ar an taobh eile den oifig agus fanacht go ndéarfadh Mary rud éigin.

Rinne Mary ar sheomra an bhoird athuair.

-III-

Faoi a sé a chlog bhí an cruinniú deireanach thart. Ba ar éigean a bhí seans ag Mary greim gasta a alpadh siar i rith an lae. Nó éalú sách fada chun cupán caife is toitín suaimhneach eile a bheith aici. Nó smaoineamh ar Chaitlín mórán, a thuig Mary. Thóg sí an sreangscéal a bhí fágtha ag

Gertrude ar dheasc Mary is d'athléigh go mall é. "KATIE AR SHLÍ NA FÍRINNE. STOP. SHÍOTHLAIGH GO CIÚIN ARÉIR. STOP. LAURETTA." Ní raibh a dhath ag deirfiúr Chaitlín ann faoi na socruithe sochraide. Rug Mary ar an ghlacadóir is d'iarr ar an oibritheoir uimhir árasán Oliver a dhiailiú. Níorbh fhiú triail a bhaint as uimhir na scoile ag an am sin den tráthnóna. Chuala Mary cloigín an ghutháin ag clingeadh. B'fhollas faoin chúigiú cling nach raibh sé sa bhaile. Thabharfadh sí buille faoi thuairim go raibh Oliver imithe suas go dtí an Bronx cheana. Ar an drochuair, ní raibh teileafón ag Lauretta. D'iarr Mary ar an oibritheoir uimhir an Athar Albert ag Teach na Sagart ag Séipéal San Síomón Stock in Fordham a dhiailiú. D'fhreagair an bhean tí agus dúirt go raibh an sagart amuigh ar ghlaoch ola.

"Ar mhaith leat labhairt leis an Athair Tadhg?" ar sise.

"Níor mhaith liom, go raibh maith agat," arsa Mary go teann. Chuir sí an glacadóir uaithi go tapa ar eagla go dtiocfadh an sagart eile ar an líne. Tharraing sí a cóta mór uirthi is bhailigh le chéile cáipéisí a bhí le tabhairt abhaile aici léi. Bhí tuirse uirthi, bhí ocras uirthi, bhí tinneas cinn ag teacht uirthi, bhí a thuilleadh oibre le críochnú aici ach ba cheart di imeacht suas go dtí an Bronx.

Bhí oifig Gertrude amuigh folamh dorcha. Ba dhócha go raibh an rúnaí crosta léi. Bhí a fhios ag Mary go raibh sí i ndiaidh a bheith garbh léi ar ball. Ní raibh neart ag Gertrude air go raibh sí féin chomh gnóthach sin . . . nó go raibh Oliver i ndiaidh glaoch leis an drochscéala. Ach, i ndáiríre, ba é Oliver an t-aon duine amháin a bheadh in ann tabhairt ar Gertrude an dianriail a choilleadh is briseadh isteach ar chruinniú.

"Dá mbeinn scór bliain níos óige ná mar atáim," a deireadh an rúnaí minic go leor, "sciobfainn an Oliver sin uait, Mary. Fear breá stuama é. Déan fear pósta de, sula bhfuadaíonn bean éigin eile é . . . nó go n-athraím m'aigne!"

Lig Mary osna chléibh agus í ag siúl i dtreo na n-ardaitheoirí. Róbhroidiúil a bhí sí ar na mallaibh chun Oliver a fheiceáil go minic gan trácht ar fhear pósta a dhéanamh de. Agus maidir le Gertrude, ba cheart di a chinntiú go bhfaigheadh an rúnaí bónas speisialta as ucht na ragoibre ar fad.

Faoi mar a bhíodh sé nuair a thagadh sí isteach go moch ar maidin, bhíodh na hardaitheoirí anuas ciúin go mall sa tráthnóna.

"Oíche mhaith, Miss," arsa Max, "agus slán abhaile."

B'fhéidir gurbh é an t-aiféaltas faoi Gertrude é, ach stop Mary nuair a tháinig sí amach as an ardaitheoir ar leibhéal na sráide agus chas sí chuig an ghiolla ardaitheora.

"Caithfidh go bhfuil lá fada oibre curtha isteach agat, Max. Cén t-am a mbeidh tú críochnaithe anocht?"

"Ar a naoi a chlog, Miss."

"Sin lá fada, ceart go leor."

"Ceithre lá ag obair anseo, trí lá ar shiúl, Miss. Téann tú i dtaithí an ghnáthaimh."

"Bhuel, bíonn do shos trí lá tuillte agat."

"Ó, téim ag obair amuigh i gceap árasán ar Long Island dhá lá eile sa tseachtain. Mar ghiolla ardaitheora ansin."

"Caithfidh nach bhfeiceann do mhuintir thú in aon chor."

"Níl ann ach mé féin, Miss. Go dtí go mbeidh go leor airgid i dtaisce agam chun mo chailín a thabhairt anall ó Thalamh an Éisc."

"An as Talamh an Éisc duit?"

"Is ea."

Nuair a bhí sí ag imeacht uaidh, bhraith Mary náire de shaghas uirthi gur thóg sí—cá mhéad bliain?—is ea, breis is trí bliana—thóg sé breis is trí bliana uirthi bunrudaí mar sin a fháil amach faoi Max. B'fhéidir nach raibh an ceart ag Oliver go raibh fuaire phroifisiúnta an aturnae inti. B'fhéidir go raibh sí inti ó dhúchas.

Caibidil a Dó

D'aimsigh Mary suíochán folamh sa charráiste, bhuail fúithi is las toitín.

Gan ach leathshúil aici ar na paisinéirí eile a bhí ag teacht is ag imeacht de réir mar a stopadh an traein ag na stáisiúin i lár Manhattan ar an bhealach aneas go dtí an Bronx, bhí seans ag Mary den chéad uair an lá sin smaoineamh ar Chaitlín. Ba é an feall go raibh an créatúr bocht marbh roimh a ham. Ní raibh an leathchéad bliain féin slánaithe aici, fiú mura raibh Mary cinnte faoi aois chruinn Chaitlín riamh. Ach níorbh aon ionadh mór an drochscéala. Nárbh í Caitlín a bhí ag éileamh le hachar fada, í ina cual cnámh creimthe criathraithe ag an ailse agus í i bpian chráite choscrach in ainneoin an mhoirfín? Le tamall féin, ba bheag éifeacht a bhí leis na piollaí sin. Ba dheacair di iad a choimeád síos ina bolg. Ar go leor bealaí, b'fhearr an fhulaingt a bheith thart.

Trí seachtaine glana a bhí ann ó bhí cuairt tugtha ag Mary ar Chaitlín. Mar ba ghnách, bhí an gramafón Victrola, a bhí láimh leis an tolg, ar siúl ag Caitlín ar dhul isteach sa seomra do Mary, agus carn beag 78í ag a thaobh. Amhráin le John McCormack ba mhó a thaitníodh le Caitlín, Moore's Melodies ar nós "The Last Rose of Summer" agus "The Harp that Once Through Tara's Halls" is móramhráin Éireannacha eile amhail "The Croppy Boy" agus "Eileen Aroon." Ba mhinic a chas Caitlín seanamhrán eile le McCormack, "Annie Laurie," cé go raibh an ceirnín féin caite is go léimeadh an tsnáthaid.

"Ba é sin ainm mo mháthar," a mhínigh Caitlín. "Annie Laurie O'Brien."

Le déanaí bhí Caitlín i ndiaidh dúil a chur in amhránaí agus in amhráin de chineál eile ar fad.

"Éist leis seo," ar sise le Mary oíche. "Nach ainglí an glór atá aige?"

Fear gorm ba ea é a bhí ag rá amhrán spioradálta. Thóg Mary clúdach an 78. "I'm Gonna Tell God All o' My Troubles" ainm an amhráin. Fear darbh ainm Paul Robeson an t-amhránaí.

"Sin ceol a leáfadh an croí is crua amuigh," arsa Caitlín.

An oíche dheireanach sin, bhí Mary i ndiaidh "Joshua Fought the Battle of Jericho," ceirnín nua le Robeson a bhí feicthe aici i bhfuinneog shiopa ceoil gar d'Áras Woolworth, a thabhairt léi go dtí an Bronx. Tháinig loinnir i súile na mná eile nuair a chonaic sí cad a bhí ann. Chuir sí "The Bard of Armagh" le McCormack as is chuir an ceirnín nua ar siúl.

Murarbh ionann is oícheanta eile, nuair a chuireadh Caitlín as an gramafón is chromaidís ar an obair gan mórán moille, ba go mall a thosaigh siad ar an dréachtú scríbhinne an oíche sin mar gheall ar an cheirnín nua.

Tar éis dóibh obair uair an chloig a chur isteach, ba dhoiligh do Chaitlín, a bhí sínte ar an tolg agus cúpla cúisín lena droim, díriú ar an dréachtú. B'fhollas fosta go raibh drogall uirthi éirí as. Ba go héadrom a luaigh Mary gur cheart dóibh briseadh beag a thógáil. Ba go diongbháilte a dhearbhaigh Caitlín gurbh fhearr léi leanúint leis an obair. Díol trua ba ea an bhean sin a bhíodh chomh lúthmhar fuinniúil sin tráth dá raibh agus gan inti ach scáil i mbuidéal.

Áit a mbíodh Caitlín seang grástúil i gcónaí, bhí sí chomh tanaí le duilleog eidhinn ag an deireadh.

Agus Mary ag cuimhneamh siar ar an chuairt sin, b'fhéidir go raibh nod in iompar Chaitlín an tráthnóna sin gur thuig sí nárbh fhada uaithi an chríoch agus gur mhaith léi dlús a chur leis an obair. Ach ba í Caitlín an saghas treallúsach a chreid nár cheart tasc a chur ar an mhéar fhada riamh. De réir dealraimh, tar éis di stop a chur leis an cheol, ba í sin an t-aon chríoch a bhí ar aigne ag Caitlín.

Cibé ar bith, leanadar den obair. Bhí siad ag cur an dlaoi mhullaigh leis an scríbhinn . . . bhí corr-mhionphointe le ceartú acu . . . dáta anseo . . . ainm ansin . . . áit ansiúd . . .

"Tógfaidh mise an chóip charbóin den scríbhinn liom go ndéanfaí cóip ghlan di," arsa Mary faoi dheireadh. Bhí sé socair ina haigne aici go n-íocfadh sí Gertrude as an chlóscríobh a dhéanamh. Dheimhneodh sé sin go ndéanfaí an obair go slachtmhar agus nach sceithfí aon mhír chonspóideach a bhí ann. Ní raibh na cailíní sa chomhroinn clóscríbhneoireachta intrust ar cheachtar den dá chuntar sin.

"Fág fúmsa í go fóill," a d'fhreagair Caitlín go cinnte agus í ag cur na scríbhinne isteach sa chlúdach trom donn. "Sílim gur mhaith liom léamh tríd uair amháin eile agus an tslis mhín a chur uirthi."

Tráthnónta eile, théadh an bheirt acu isteach sa chistin chun cupán tae a ól i gcuideachta Lauretta. Ach an oíche sin, bhí tábla beag leagtha ag Lauretta i seomra Chaitlín ar a raibh foireann tae. Tháinig a deirfiúr isteach agus tráidire léi ar a raibh an taephóta agus bairín breac.

"Nach ort atá an t-ádh go bhfuil Lauretta i ndiaidh a scoth den chócaireacht a thabhairt duit?" arsa Caitlín. "Is ó sheanoideas Éireannach a d'fhoghlaim sí sa bhaile ar Prince Edward Island a dhéanann sí an bairín breac."

"Nach bhfanfaidh tú linn chun bolgam tae a ól inár gcuideachta?" arsa Mary le Lauretta.

Rinne Lauretta gáire éadrom.

"Bhí Katie ag insint dom nach fada uaibh deireadh na hoibre," a dúirt sí agus í ag déanamh ar an doras. "Déarfainn gur mhaith libhse é a cheiliúradh."

Shuigh Mary ar an tolg in aice le Caitlín agus iad ag ól súimíní tae. Thug Mary faoi deara gurbh ar éigean a d'ith an bhean eile ruainne den chíste. Gan trácht ar na piollaí moirfín sin, bhí an phian i ndiaidh a goile a chur ó mhaith.

Ba go cuideachtúil a chuir siad uair an chloig isteach. Tar éis di an oiread sin ama a chaitheamh in éineacht le Caitlín, agus iad ag comhoibriú ar an scríbhinn, bhí Mary ar a suaimhneas leis an bhean eile.

Bhí Caitlín i ndiaidh fiafraí de Mary cad é mar a bhí Oliver . . . agus—ba go héadrom a labhair sí—an raibh aon rún acu pósadh go luath?

"Cad chuige nár phós tusa riamh, a Chaitlín?" arsa Mary léi go tobann. "Déarfainn go raibh nóisean ag go leor fear duit."

Nuair nár fhreagair an bhean eile, chreid Mary go raibh sí i ndiaidh an rud contráilte a rá.

"Ar ndóigh, más ceist róphearsanta í?" ar sise agus stop.

"Bhí mé ag comhaireamh," a dúirt Caitlín faoi dheireadh, agus draothadh beag gáire ar a haghaidh amhail is go raibh sí ar bhóithrín na smaointe. "Deichniúr a chuir ceiliúr pósta orm . . . aon duine dhéag má chuireann tú Tommy beag McKenna san áireamh . . . ach ní rabhamar beirt ach sé bliana d'aois san am agus muide i scoil aonseomra Miss Hogan ag County Line ar an Oileán. Bhíodh Tommy i gcónaí ag iarraidh mé a phógadh gur inis mé don mhúinteoir cad a bhí ráite aige. Thosaigh na páistí móra ag magadh faoi. Níor labhair Tommy focal liom ar feadh na mblianta fada ina dhiaidh sin. Sagart atá ann anois amuigh i Manitoba. Bhí comhrá breá agam leis cúpla bliain ó shin nuair a bhunaigh mé craobh den Self-Determination League i Winnipeg."

Ba í tiúin éadrom na mná eile a thug ar Mary an dara ceist a chur.

"Is doiligh dom a chreidbheáil nach raibh do dhíol d'fhear i measc an deichniúir eile?"

"Bhuel, bhí ceannaire Mohawk ann i Saint-Régis . . . bhí corr-aire rialtais ann in Edmonton . . . dochtúir in Ottawa . . . gaisteoir buabhaill i dtuaisceart Alberta . . . breitheamh i Winnipeg . . . buachaill bó taobh amuigh de Calgary . . ."

Thuig Mary nár cheart di focal a rá ar fhaitíos go stopfadh Caitlín.

"B'fhurasta dom diúltú dóibh toisc gur Phrotastúnaigh a bhformhór. Agus ansin bhí na fir Éireannacha ann. Bhí corrdhuine ann a mháigh go raibh Harry Boland le fanacht i Meiriceá chun mé a phósadh. Agus ar ndóigh, bhíodh sé féin ag spochadh asam go minic. 'Murach go bhfuil mé chomh mór sin i ngrá le Kitty sa bhaile, is í Katie mo rogha de mhná Mheiriceá,' a deireadh sé. Ba é Harry bocht an t-aon duine sa Ghluaiseacht a thugadh 'Katie' orm."

"Níor thit tú i ngrá le haon duine acu, mar sin?"

"Á, bhíomar ag caint ar an phósadh, ní ar an ghrá . . ."

Ní raibh Mary ag dúil lena thuilleadh.

"Ní raibh mé i ngrá ach le beirt fhear riamh . . . Paul, Paul Von Aueberg, in Edmonton. Nach é a bhí in ann an fód a sheasamh i m'aghaidh! Ach Protastúnach a bhí ann. Is . . ." Tháinig fáthadh an gháire ar bhéal Chaitlín. ". . . níos measa ná sin, Prúiseach é. Ní raibh aon rath le bheith ar an chumann teasaí sin. Sin an chúis a raibh mé breá sásta Alberta a fhágáil sa bhliain 1913 le dul ag obair in Londain. Tá Paul in Edmonton go fóill. Níor phós sé riamh."

D'fhan Mary go foighdeach féachaint an raibh Caitlín le leanúint ar aghaidh.

"Is ea, agus cérbh é an fear eile?" arsa sise go ciúin faoi dheireadh.

"Fear é a raibh bean agus clann aige . . . Ní bheadh aon rath air sin ach oiread."

"Ó," arsa Mary agus gan a fhios aici cad eile ba chóir di a rá. Bhí imní uirthi gurbh é faobhar na míshástachta seachas blas an iontais ba mhó a bhí le mothú ar a guth.

"Seo, tá féirín beag agam duit," arsa Caitlín faoi dheireadh. "Mar chomhartha buíochais as a bhfuil déanta agat ar mo shon."

Bhí Caitlín i ndiaidh breith ar bhosca beag adhmaid a bhí ar bharr na gceirníní 78 is é a shíneadh chuig Mary. Bhí idir chotadh ar Mary as bronntanas a fháil agus aiféala uirthi go raibh Caitlín i ndiaidh clabhsúr tobann a chur ar an chomhrá eile. I ndiaidh do Mary teacht chun cónaithe i Nua-Eabhrac i dtosach, bhí sé ina luaidreán gurbh í Caitlín leannán Éamoin de Valera ón uair ar tháinig sé go Meiriceá le haitheantas a thuilleamh ar son na Poblachta. Dúradh go mbuaileadh Caitlín leis de réir mar a dhéanadh Dev camchuairt na tíre. Ar ndóigh, níor chreid Mary a leithéid ag an am. Cibé ar bith, bhíodh ráflaí eile den chineál céanna ag gabháil thart faoi Dev is faoina rúnaí, Kathleen O'Connell. Chomh dócha lena athrach a bhí sé go raibh na bréaga á leathadh ag spiairí Sasanacha—nó ag Devoy agus ag an Bhreitheamh Cohalan, beirt a raibh dearg-ghráin acu ar Dev. Ach anois . . . nárbh ionann is admháil é sin gur leannáin iad Caitlín is de Valera?

"Oscail é," arsa Caitlín.

Rinne Mary rud uirthi. D'oscail sí an cláirín agus thóg amach fáinne beag óir.

Bhí snaidhm ar theanga Mary. Bhí sí ag féachaint lena

cuid cainte a mheá. Is ea, fáinne simplí gan ornáid a bhí ann. Ach nuair a chuirfí sparán lag Chaitlín san áireamh, b'fhéidir go raibh ar an bhean bhocht a phraghas a chonlú.

"Níl call leis seo, a Chaitlín," ar sise faoi dheireadh go fann. "Ach tá mé iontach buíoch díot."

"Ba mhaith liom é seo a rá," arsa an bhean eile. "Ní fáinne costasach é sin. Ach is é sin an rud is luachmhaire atá agam. Cheannaigh . . ." Stop Caitlín ar feadh soicind amhail is go raibh sí ag meá gach focail. "Thug . . ." Stop sí arís. "Ba le linn dom a bheith mór le mo chara . . . an fear clainne atá á mhaíomh agam . . . a fuair mé an fáinne." Agus rinne sí gáire beag caoin amhail is go raibh sí ag magadh faoi fhreagairt Mary nuair a luaigh sí an fear pósta sin den chéad uair. "Níl gá agam leis an fháinne seo a thuilleadh. Ba mhór an pléisiúr dom é dá gcaithfeá é lá do phósta . . . Má tá Oliver sásta leis, ar ndóigh."

"Beidh sé de phribhléid orm an fáinne a chaitheamh. Agus . . ." Bhí tocht i nglór Mary. ". . . más luath mall an lá sin beidh tusa ann fosta."

Den chéad uair, chonaic Mary rian na ndeor le súile na mná eile.

"Tá tuirse orm . . . Agus caithfidh tusa imeacht ar eagla go gcaillfeá an traein dheireanach abhaile."

D'éirigh Mary ón tolg is ansin chrom anuas chun barróg a bhreith ar Chaitlín.

"Saol breá fada againn beirt ar son na Cúise, Mary, agus bás in Éirinn gan roinnt," arsa Caitlín léi gur phóg sí grua Mary.

Ba í sin an bheannacht cheannann chéanna a chuireadh Caitlín léi i dtólamh.

Ní bhfaigheadh Caitlín bhocht an ghuí dheireanach sin choíche, arsa Mary léi féin agus í ag stánadh amach fuinneog na traenach. Lig sí osna is las toitín eile. Ainneoin nár chaill Caitlín a creideamh sa Chúis riamh, ba dhoiligh na saolta deireanacha duairce seo gan beaguchtach a bheith ar an duine ba dhóchasaí is ba dhílse amuigh. Nach raibh deartháir i ndiaidh tiontú i gcoinne dearthár agus seanchomrádaí i gcoinne seanchomrádaí? Bhí an Ghluaiseacht a bhí chomh láidir cumhachtach sin cúig bliana roimhe sin scoilte ina smionagar. B'fhearr go spárálfaí Caitlín ar an bhriseadh croí a bhain le truailliú na haislinge agus le díothú an idéalachais.

Ní raibh a fhios ag Mary cad a bhí i ndán di féin ó thaobh na Cúise de feasta. Is murab ionann is Caitlín, a bhí i ndiaidh dhá chuairt a thabhairt ar Éirinn, níor éirigh le Mary dul go hÉirinn riamh cé go raibh gaolta aici ann. Ach nárbh é sin ceann de na cleasanna meallacacha a bhí ag Oliver le gairid?

"Tá a fhios agam nach bhfuil sé chomh tarraingteach le tairiscint Chaitlín," a deireadh sé agus é idir shúgradh is dáiríre, "ach in ionad bás a fháil in Éirinn am éigin amach anseo, cad faoi bhainis agus faoi mhí na meala ann an samhradh seo chugainn?"

Nárbh é Oliver a bhí crosta ceart nuair a fuair sé amach gur inis Mary an staróg sin do Chaitlín? Ba eisean a chuir Caitlín Ní Aodha in aithne di an chéad lá riamh. Bhí meas mór ag Oliver ar a raibh curtha i gcrích ag Caitlín ar son na Cúise. Ach thuig Mary go raibh eagla air roimh Chaitlín agus nár bhraith sé compordach ina cuideachta. Agus ba ghráin leis an méid ama a bhí caite ag Mary leis an bhean eile le cúpla ráithe anuas.

Roimh Shos Cogaidh 1921, chuala Mary iomrá Katherine Hughes nó Chaitlín Ní Aodha mar ab fhearr aithne uirthi i measc gníomhairí Éireannacha sna Stáit Aontaithe. Duine sinsearach sa Ghluaiseacht, sna Friends of Irish Freedom i dtosach agus, tar éis na scoilte i Meiriceá, in eagraíocht de Valera, The American Association for the Recognition of the Irish Republic, ba ea Caitlín a bhíodh ag taisteal, ag eagrú, ag labhairt, agus ag déanamh stocaireachta ar son na Poblachta. I rith an ama sin, bhí Mary féin lonnaithe i Missouri. Bhí sí sáite i gcúrsaí na hÉireann ann, idir an Ghluaiseacht pholaitiúil is fhoghlaim na Gaeilge, le linn di a bheith ag baint amach a dintiúr mar aturnae ar Ollscoil Saint Louis sular bhog sí go Nua-Eabhrac san fhómhar 1921 le gabháil ag obair le comhlacht Woolworth.

Nuair a síníodh an Conradh Angla-Éireannach i mí na Nollag 1921, bhí ríméad ar ghníomhaithe Éireannacha, dála Mary. Hó rú! Rú hé! Bhí Éire saor agus bhí na Sasanaigh is a lucht leanúna ar hob imeacht abhaile. Tar éis streachailt 750 bliain, bhí deireadh le cumhacht Shasana in Éirinn. Níor thúisce nuachtáin na maidine ar díol ná gur thosaigh míshuaimhneas ag teacht ar Mary agus ar go leor eile. Níorbh fhéidir go raibh bunús leis na scéalta sin? Ní chuirfeadh Mícheál Ó Coileáin a shíniú le haon socrú fabhtach a bhuanódh réimeas na nGall in Éirinn? . . . Ní ghlacfadh seisean le móid dílseachta do Rí Shasana choíche? . . . Ba chóir dóibh fanacht is foighdiú go bpoibleodh Dáil Éireann an dréacht a bhí sínithe ag na Toscairí . . . Ar ndóigh, bheadh an focal scoir ag ionadaithe na hÉireann sa Dáil. Dá mbeidís siúd sásta leis, ba cheart do na hÉireannaigh i Meiriceá tacú leis fosta . . . Thosaigh ráflaí ag gabháil thart go raibh de Valera le tacú leis an Chonradh . . . go raibh an Breitheamh Cohalan agus Devoy agus a lucht tacaíochta sna Friends le dul ina éadan . . . ansin go raibh siadsan ina fhabhar agus de Valera ina choinne . . . Cibé ar bith, roimh i bhfad b'fhollas go raibh na hÓglaigh, Dáil Éireann is muintir na hÉireann féin scoilte scun scan. Bhí corrabhuais ar Ghael-Mheiriceánaigh agus gan a fhios acu faoi thalamh an domhain cé a chreidfidís nó cad a chreidfidís. Faoin am ar dhaingnigh an Dáil an Conradh in Eanáir 1922, bhí an tóin tite as eagraíocht Dev is as na Friends araon is formhór na mball ar an dá thaobh i ndiaidh tarraingt siar ó pholaitíocht na hÉireann.

Faoin earrach 1922, bhí Caitlín ag cur fúithi i Nua-Eabhrac tar éis di filleadh ó Aonach na nGaedheal i bPáras na Fraince. B'eol do chách go raibh sí in éadan an Chonartha Angla-Éireannaigh. Chuala Mary í ag labhairt ag cruinniú callánach poiblí in Queens, nuair a bhí ar Chaitlín cur suas le dream ón taobh eile a chreid nár cheart go mbeadh cead cainte aici. An chuimhne ba ghlinne a bhí ag Mary ar an chruinniú ná an dóigh thomhaiste réasúnta inar lean Caitlín de bheith ag ríomh na lochtanna a bhí ar an Chonradh, dar léi, fad is a bhí an freasúra ag béicíl in ard a sciúiche. Ba ghá don lucht frith-Chonartha cúpla cloigeann a scoilteadh an oíche chéanna le saoirse cainte Chaitlín a dhearbhú . . .

Tugadh cuireadh do Mary agus d'Oliver freastal ar chóisir bheag phríobháideach i ndiaidh an chruinnithe agus ba ann a chuir Oliver Caitlín in aithne di. Níor aontaigh ceachtar acu leis an Chonradh ach níor ghlac Mary nó Oliver páirt ghníomhach san fheachtas frith-Chonartha. D'imigh siad chuig léirsithe éagsúla a eagraíodh le cur i gcoinne pholasaí bhású na gcimí Poblachtacha le linn Chogadh na gCarad, agus ba mhinic a casadh Caitlín, a bhí i mbun obair bholscaireachta ar son na cúise Poblachtaí, orthu ag na léirsithe sin. I ndiaidh an Chogaidh Chathartha, bhí Caitlín i ndiaidh teacht chuig Mary agus Oliver is cuireadh a thabhairt dóibh dul isteach sna Géanna Fiáine, eagraíocht úr a bhí bunaithe aici chun seanchomrádaithe a aontú le chéile. Ba mhithid dóibh féachaint leis na cneácha cogaidh a chneasú. Ar an drochuair, ba bheag Státaire a tháinig isteach sna Géanna Fiáine riamh. Cad chuige a dtiocfadh, arsa Mary go searbhasach léi féin anois, nuair a thug a muintir an svae leo sa bhaile?

Ba í diongbháilteacht na mná eile a mheall Mary ón tús. Ba bhean láidir neamhspleách í Caitlín, bean mhisniúil nach raibh lá scanraidh uirthi roimh dhuine nó roimh dheoraí. Ba í an diongbháilteacht chéanna a chuir as d'Oliver, dar le Mary, sa dóigh nár aithin sé an daonnacht is an chiall don ghreann a bhí inti.

"An as Oliver beannaithe Plunkett nó as Oliver mallaithe Cromwell a baisteadh thusa?" arsa Caitlín leis oíche amháin ag cruinniú nuair a bhí seisean ag iarraidh mionphointe doiléir éigin a bhain le bunreacht na nGéanna Fiáine a sháirsingiú ar Chaitlín.

Thosaigh achan duine eile ag gáire ach las ceannaithe Oliver. Ar a thuiscint do Chaitlín go raibh sí i ndiaidh é a ghortú, ghabh sí a leithscéal le hOliver. Ó shin i leith bhí a fhios ag Mary go raibh imní ar an chréatúr bocht go mbeadh droch-thionchar ag an bhean eile ar Mary.

"Sin an rud a tharlaíonn nuair nach bpósann bean," ar seisean le Mary lá. "Caithfidh tusa tú féin a sheachaint air sin. Tig liom tú a thabhairt slán uaidh sin!"

In ainneoin leideanna luchtaithe agus nodanna diúltacha Oliver, thosaigh Mary ag caitheamh ama le Caitlín, ag ócáidí sóisialta, agus ag léachtaí. Ansin, anuraidh, bhí Caitlín i ndiaidh imeacht ó Nua-Eabhrac i ngan fhios d'aon duine dá lucht aitheantais.

"Mhothaigh mé go ndeachaigh sí amach go Wisconsin le lámh chuidithe a thabhairt d'fheachtas uachtaránachta Robert La Follette is dá Pháirtí Forásach," arsa an chéad duine. "Cara mór í le 'Fighting Bob' ó thacaigh sé le cúis na hÉireann i bhfad siar."

"Ar cuairt ag gaolta i gCeanada atá sí," a dúirt duine éigin.

"Ach nár gheall sí i ndiaidh di filleadh ar na Stáit

Aontaithe in 1922 nach leagfadh sí cos ar Cheanada choíche arís fad is a bheadh an tír sin faoi mhámas Rí Shasana?" a mhaígh an tríú duine.

"Is iomaí gealltanas a tugadh sna laethanta sin," arsa an chéad duine go géar. "Is iomaí móid a briseadh ó shin."

I ndiaidh míosa nó mar sin bhí Caitlín ar ais i Nua-Eabhrac, cuma chreatach agus ciach slaghdáin uirthi ach í ag labhairt go díograiseach ar na pleananna a bhí aici chun obair na nGéanna Fiáine a chur i gcrích.

"Ar buaileadh breoite thú nuair a bhí tú i gCeanada?" a d'fhiafraigh Oliver di.

Ní dhearna Caitlín ach gáire fann is a rá go raibh sí i ndiaidh turas fada traenach a chur di agus go dtógfadh sé cúpla lá sula mbeadh sí ar a bonnaí i gceart arís. Ach tar éis an chéad chruinnithe eile, thug sí cuireadh do Mary teacht léi chun cupán caife a ól ina cuideachta. Ag siúl go dtí an bhialann dóibh, b'údar alltachta do Mary é cé chomh crapchosach a bhí an bhean sin a bhíodh chomh bríomhar breabhsánta sin i dtólamh.

Ba í Caitlín a tharraing an comhrá uirthi féin de ráig tar éis dóibh bualadh fúthu ag tábla cúinne.

"Ní raibh mé ag tabhairt lámh chuidithe do Bob La Follette, faraor," ar sise agus aoibh bheag ar a haghaidh a thug le fios go raibh na ráflaí cloiste aici. "Ní raibh mé i gCeanada ach oiread." Stop sí sular lean den chaint ar nós na réidhe, mar dhea. "Bhí galar orm. Bhí mé amuigh in Michigan, ag Sanatóir Battle Creek. Tá trialacha ar siúl ag na dochtúirí ansin ar chóireáil nua—an raidiam measctha tríd an uisce is dianréim bia—chun an galar a bharraíocht."

Bhain Caitlín súimín as a cuid caife le linn do Mary a bheith ag iarraidh ciall cheart a bhaint as caint na mná eile. Ó tharla gur luaigh Caitlín raidiam, ní fhéadfadh ach galar amháin a bheith i gceist aici. Ghabh creathán beag trí Mary.

"Dá bhfeicfeadh an Dochtúir Kellogg mé ag ól caife," arsa Caitlín go héadrom agus í ag ól an dara súimín, "ní mó ná sásta a bheadh sé liom tar éis dom an galar a chur díom."

Bhí Mary i ndiaidh breith ar láimh a cara agus a deaghuí a chur léi. Ní fhéadfadh sí gan tabhairt faoi deara nár thagair Caitlín don ailse as a ainm ceart féin agus go raibh sí i ndiaidh cur síos ar an ghalar mar rud a tharla san aimsir chaite is a bhí leigheasta.

"Tá do chabhair de dhíth orm," arsa Caitlín agus stop.

"Ar ndóigh. Ar bhonn proifisiúnta?" arsa Mary go cúramach.

"Ní hea," arsa Caitlín. "Rud pearsanta atá ann."

Iasacht airgid a bhí uaithi mar sin, arsa Mary léi féin. Níorbh í Caitlín an chéad duine sa Ghluaiseacht a chreid go raibh sparán teann ag aturnae óg a bhí gan chlann gan chúram. Ba dhoiligh do Mary a shamhlú go saothraíodh an bhean eile mórán airgid agus í i dtaobh leis an tsaoririseoireacht.

"Ná bíodh imní ort . . . ní ar lorg airgid atá mé, Mary . . . ní uaitse ar aon nós," arsa Caitlín agus an chuma uirthi gur thuig sí cad air a raibh Mary ag smaoineamh.

"Cad é . . . cad é mar is féidir liom cuidiú leat?" a dúirt Mary go stadach, agus í i ndiaidh deargadh go bun na gcluas.

"Tá an cúrsa leighis raidiam i ndiaidh an galar a mharú. Creidim sin. Agus tá an aiste bia, agus mé i ndiaidh éirí as feoil is as earraí déiríochta a ithe, i ndiaidh mé a neartú . . . Ach . . ." Chuala Mary creathán i nglór Chaitlín. "Ach . . . ar eagla na heagla, trí impí na Maighdine Muire, beidh go leor ama agam na trí thionscnamh mhóra atá idir lámha agam a chríochnú." Ba go mall beacht a labhair Caitlín amhail is go raibh sí ag féachaint le smacht a choimeád ar a cuid mothúchán. "Tá na Géanna Fiáine ann agus an obair ríthábhachtach atá ar bun againn chun na sean-

chomrádaithe a thabhairt le chéile arís . . . Tá an feachtas
againn chun cuidiú le mo chara Pádraic Ó Conaire in Éirinn
. . . Agus is mian liom mo chuimhní cinn ar fheachtas 1916-
1922 a chur i dtoll a chéile. Ba mhaith liom go gcuideoidh
tú liom leis an chuntas sin."

Chrom Mary ar leithscéalta a chumadh . . . Ba ar éigean
a bhí sí ar a bonnaí i gcomhlacht Woolworth . . . Bhí seans
ann go n-aistreofaí chuig oifig an chomhlachta ar chósta an
Aigéin Chiúin í gan ach fógra coicíse aici . . . Bhí sí crochta
le fiche rud eile . . . na Géanna Fiáine féin . . . ba mhaith léi
tosú ar rang Gaeilge a mhúineadh arís . . . Níor chuir Mary
friotal ar an fhrídín cantail a bhí ag borradh ina haigne: cad
é mar a bheadh sé de dhánacht ag an bhean eile, is cuma cé
chomh breoite is a bhí sí, caitheamh léi amhail is nach raibh
inti ach rúnaí oifige? San am, chuimhnigh Mary air go raibh
ráflaí cloiste aici ó ghníomhaithe sa Ghluaiseacht nach
mbíodh meas madra ag Iníon Ní Aodha ar rúnaithe oifige.
Cuid suntais é go raibh gearán den sórt céanna déanta ag
Gertrude féin anuraidh, tar éis do Chaitlín teacht go hÁras
Woolworth le bualadh le Mary lá is, más fíor do Gertrude,
labhairt leis an rúnaí go garg tar éis di a fhógairt gur ag
cruinniú a bhí Miss Morrison agus nárbh eol di cén uair a
bheadh sí saor . . .

"Dá mba rud é nach raibh uaim ach duine chun cuidiú
liom an cuntas a chlóscríobh," arsa Caitlín amhail is go
raibh sí i ndiaidh aigne Mary a léamh nó an fhaghairt ina
súile a aithint, "d'fhéadfainn teacht ar dhuine éigin go
héasca. Bheadh duine de mo chuid deirfiúracha in ann an
cuntas a chlóscríobh. Tá mé ag iarraidh cabhrach ort, Mary,
toisc go raibh tú ann, go bhfuil cur amach agat ar an scéal,
ar ar tharla le seal de bhlianta anuas, ar na pearsana a bhí
ann. Toisc gur duine thú, Mary, toisc gur gníomhaí mná thú,
Mary"—bhí faobhar ar ghuth Chaitlín faoin am sin—

"gníomhaí mná thú, mo dhála féin, a bhí páirteach sa troid."

Ba é sin an dlaoi mhullaigh ar an scéal. Ba léir ó shaighid bheaga Oliver nach raibh sé róshásta. Uaireanta, agus í ag deifriú ó choinne amháin go coinne eile—is go háirithe ó theip ar shláinte Chaitlín is go mbíodh ar Mary dul an bealach ar fad ó Manhattan go dtí an Bronx i rith an gheimhridh is gan slí aici le teagmháil teileafóin a dhéanamh le Caitlín nuair nach bhféadfadh sí gabháil amach seachas sreangscéal a chur chuici—mhaífeadh sí gurbh é an diúltú glan a thabharfadh sí do Chaitlín dá mbeadh breith ar a haiféala aici. Ach in ainneoin an bhrú is an chrá, ní raibh aon éalú ó dhá rud. Ba spreagadh mór do Chaitlín scéim sin na gcuimhní cinn ó tharla nach raibh ag éirí go rómhaith leis an dá thionscnamh eile: b'amhlaidh ba bhuaine an scoilt i measc na seanchomrádaithe in aghaidh an lae in ainneoin iarrachtaí na nGéanna Fiáine; agus murab ionann is an tréimhse 1916-1922 nuair b'éasca airgead a bhailiú le haghaidh obair na hÉireann, ba rídheacair, tar éis na Scoilte is an Chogaidh Chathartha, an t-airgead a chruinniú le teacht i gcabhair ar an scríbhneoir Gaeilge sin, Ó Conaire.

An dara rud ná go raibh Mary i ndiaidh aithne a chur ar bhean mheabhrach ardchumasach . . . bean a raibh a cion déanta aici ar son na hÉireann . . . bean, in ainneoin scanradh a bheith ar Oliver roimpi, a raibh ardmhianach grinn inti . . . bean a raibh grá ag Mary di . . . bean a bhí ina máthair aici le tamall . . . agus bean nach bhfeicfeadh sí beo beathach arís.

Agus an traein i ndiaidh teacht aníos ó thalamh agus iad ag dul ar leibhéal ardaithe trí Harlem, mhothaigh Mary tocht ina glór. Ar aon nós, bhí scríbhinn na gcuimhní cinn críochnaithe acu beirt. Ba shólás de shaghas é sin.

Bhí sé ag éirí dorcha amuigh. Las Mary toitín eile agus shúigh isteach an deatach chun í féin a shuaimhniú.

Bhí ceo ar a súile go fóill nuair a tharraing an traein isteach ar cheann scríbe Mary ag an stáisiún ar Shráid 149ú ar Ascaill a Trí. Ghlan Mary a súile. Bhailigh sí a mála agus rinne réidh le tuirlingt den traein a thúisce is a stopfadh sí. As a bheith ag dul an bhealaigh sin chomh mion minic sin le roinnt míonna anuas, bhí a fhios aici go mbeadh sí in ann taisteal ar charr sráide de chuid an Fifth Avenue Coach Company suas Ascaill Grand Concourse go dtuirlingeodh sí gar do theach Uimhir 2240.

Caibidil a Trí

-I-

Ba í Lauretta a d'oscail doras an árasáin. Las a ceannaithe le háthas ar aithint Mary di.

"Cásaim do bhriseadh leat," arsa Mary agus shnaidhm an bheirt bhan ina chéile. Bhí colainn Lauretta ar crith agus i dtoibinne lig sí racht goil aisti. Theann Mary a greim uirthi. Ní raibh mórán maitheasa sa deirfiúr eile, Cornelia, nó sa deartháir, Alfie. Ba dhócha gur fágadh faoi Lauretta bhocht na socruithe tórraimh is sochraide uilig a dhéanamh is a chinntiú go mbeadh gach rud faoi réir. Thabharfadh Mary buille faoi thuairim gurbh é seo an chéad deis a bhí ag Lauretta uisce a cinn a shileadh.

Tar éis meandair, shíothlaigh an caoineadh agus tharraing Lauretta í féin siar.

"Tá suaimhneas ag Katie faoi dheireadh," ar sise agus í ag triomú a súl le ciarsúr agus ag cur gothaí oibre uirthi. "Tá sí lenár muintir, le Maim agus le mo dheartháir."

Ghluais Mary isteach sa halla. Bhain sí di a cóta agus chroch é agus a mála ar sheastán na gcótaí. Bhí sí in ann cúpla duine, agus Oliver orthu, a fheiceáil sa seomra teaghlaigh. Agus bhí sí in ann glór géar Alfie Hughes a chluinstin.

"Tá Katie thuas ina seomra . . ."

Nár mhinic a dúirt Lauretta féin an rud céanna le Mary

tar éis di teacht ar cuairt? Ach rith sé le Mary go raibh Lauretta ag tabhairt rogha di dul isteach chuici anois nó gan dul. Chuaigh freang na cuimhne trí Mary. Ní raibh sí os comhair coirp ó cailleadh a máthair féin. Chruinnigh sí a misneach.

"Ba mhaith liom Caitlín a fheiceáil."

"Tá Cornelia istigh léi."

D'éirigh an deirfiúr eile nuair a shiúil Mary isteach sa seomra codlata. Tháinig sí anall chuig Mary. Chroith an bheirt bhan lámha lena chéile go righin foirmiúil. Tar éis do Mary a comhbhrón a chur in iúl di, mhothaigh sí, mar a mhothaíodh sí i gcónaí i gcuideachta Cornelia, nach raibh a fhios aici cad a ba cheart di a rá léi.

"Fágfaidh mé thú léi tamall," arsa Cornelia agus í ag tiontú i dtreo an dorais. "Glaoigh orm sula bhfágann tú an seomra, le do thoil, agus tiocfaidh mé isteach. Níl mé ag iarraidh go mbeadh mo dheirfiúr ina haonar anocht."

Cé go raibh an oiread sin ama caite aici sa seomra sin le cúpla ráithe anuas, bhraith Mary coimhthíos leis an áit an iarraidh seo. An seomra a bhíodh te cuideachtúil, bhí sé fuar foirmiúil. Bhíothas i ndiaidh an tolg gorm a tharraingt siar ón spás os comhair an teallaigh, áit a raibh Caitlín os cionn cláir. Brúdh siar an gramafón, an deasc agus an dá chathaoir mar a ndéanadh sí féin agus Caitlín a sealanna oibre go dtí le déanaí nuair a bhíodh ar Chaitlín fanacht ar an tolg. Bhíothas i ndiaidh an scáthán ar an bhalla clé a thógáil anuas. Agus an clog balla a stopadh.

Dhruid Mary isteach i dtreo na cónra. Nuair a stán sí anuas ar an chorp, níorbh iad lí bhán na gceannaithe, nó an folt crónliath a bhí cíortha go lom slachtmhar, nó an Choróin Mhuire fhillte ar na lámha fáiscthe, nó loime an chreatlaigh faoi ghúna dubh ba mhó a chuaigh i gcion uirthi. Ba iad caipíní na súl druidte a chuir as di. Bhíodh na súile céanna chomh grinn gorm le loinnir an lae, fiú amháin nuair a bhí ag meath ar shláinte Chaitlín. B'ionann an bheogacht sin is an dóchas go dtiocfadh maolú ar chumhacht dhíothaithe an ghalair, mura leigheasfaí Caitlín féin, dar le Mary i dtólamh. Múchta marbh a bhí an ghile sin. D'ardaigh Mary a rosc ón chorp, chrom síos ar a glúine is ghuigh le hanam Chaitlín. Ansin d'éirigh agus gan amharc ar an aghaidh os a comhair go díreach, thug póigín éadrom do chlár éadain a carad. Ba mar sin a d'fhág sí slán agus beannacht lena máthair féin dhá bhliain roimhe sin. Ghluais Mary i dtreo an dorais.

Níor gá di glaoch ar Cornelia. Bhí sí ag fanacht taobh amuigh.

-II-

" . . . beidh seantórramh againn den chineál a bhíodh againn ar an Oileán. Tá éirithe liom teacht ar chúig bhuidéal den rum a smuigleáladh trasna na teorann aduaidh. "

Ar mhí-ámharaí an tsaoil, arsa Mary léi féin, bhí braonán maith den rum céanna ar bord ag Alfie cheana.

Ní raibh ach cúigear sa seomra teaghlaigh. Bhí Oliver agus an tAthair Albert ina suí i gcúinne amháin agus iad ag ól tae. Bhí Lauretta ag iarraidh freastal orthu agus súil ghéar a choinneáil ar Alfie ag an am céanna. Bhí Robert Kneil, fear céile Lauretta, ag tathant ar Alfie teacht anuas go dtí an chistin chun ruainne bia a fháil. Bhí a sciathán ar ghualainn Alfie. Leis an láimh eile, bhí sé ag iarraidh breith ar an ghloine rum a bhí ag Alfie. Ar ócáid ar bith eile, bheadh sé greannmhar breathnú ar Kneil, fear mór matánach, ag iarraidh Alfie, fear beag éadrom, a láimhseáil go héasca gan an clabhta ceart a bhí tuillte go maith aige a thabhairt dó.

Go tobann, bhris Alfie saor uaidh, is bhéic.

"Lig dom mo dheirfiúr a thórramh."

Thit an ghloine óna láimh gur bhris ina smidiríní ar an urlár.

D'fhéach an bheirt chuairteoirí sa chúinne le neamhiontas béasach pointeáilte a dhéanamh den suíomh.

D'amharc Mary thart nuair a d'airigh sí Cornelia ag an doras taobh thiar di. B'fhollas an cantal ar aghaidh na deirféar agus í ag breathnú ar Mary amhail is go raibh sí ag tabhairt le fios gurbh í Mary féin ba thrúig le réabadh an chiúnais ar ócáid shollúnta mar seo. Rith sé le Mary nach mó ná sásta a bhí Cornelia go raibh cairde Chaitlín i láthair is gurbh fhearr léi go bhfágfaí an teaghlach leo féin lena mbuairt. Mura mbeadh ann ach an teaghlach féin, ní dhéanfadh ealaín Alfie feic díobh. D'imigh Cornelia isteach i seomra codlata Chaitlín arís.

Bhí Lauretta i ndiaidh sméideadh ar Kneil ligean d'Alfie. Scaoil Kneil an greim a bhí aige ar a chliamhain agus chrom anuas chun na píosaí gloine a thógáil ón urlár. Sheas Alfie thart, cuma bhómánta chaithréimeach air ar nós buachalla bhig a bhí i ndiaidh teacht aniar aduaidh ar bhulaí na scoile is é a threascairt de thaisme ghlan. Ansin, nuair a chonaic sé Mary ag doras an tseomra, thrasnaigh sé chuici, d'fhéach le barróg a bhreith uirthi agus chrom sé ar mhonalóg faoi na tórraimh a bhíodh ar Prince Edward Island nuair a bhí sé féin ina ghasúr . . . ar an dóigh nár thuig daoine i Meiriceá an bealach ceart chun slán a chur lena muintir . . . gurbh é an feall nárbh fhéidir leo Katie a thabhairt abhaile go dtí an tOileán . . . Ba í Lauretta a rinne tarrtháil ar Mary trí theacht anall chuici. Mar a dhéanfaí le páiste corraithe millte, thosaigh sí ag déanamh peataireachta ar a dearthair. Níorbh fhada go raibh sí i ndiaidh é a mhealladh isteach sa chistin. Agus níorbh fhada gur chualathas srannfach ard challánach ón chistin chéanna. Ní dhéanfadh néal beag codlata lá dochair d'Alfie bocht, arsa Lauretta, ar fhilleadh ar an seomra teaghlaigh di. Spíonta a bhí an créatúr. Nár fhan sé ina shuí an oíche ar fad aréir? Dhoirt Lauretta amach cupán tae do Mary. Ba bhuí bocht le Mary an cupán sin.

Tar éis di labhairt le Kneil, shuigh Mary síos in aice le hOliver is leis an sagart. Bhí an tAthair Albert ag gabháil do scéal faoin lá a chuala sé Éamon de Valera ag labhairt i Nua-Eabhrac sa bhliain 1920. Thapaigh Mary an deis le cúpla briosca a bhí ar phláta os a gcomhair a alpadh siar. Bhí rud éigin de dhíobháil uirthi chun an gheonaíl ina bolg a mhúchadh. A dála féin, bhí an staróg sin mothaithe ag Oliver roimhe sin. Ba chúis grinn ag Mary cuma airdeallach na héisteachta a bhí curtha aige air féin. Go maith a bhí a fhios aici gur dócha go raibh sé dubh dóite den scéal ach gurbh é rogha an dá dhíogha é suí leis an sagart. Cheana bhí Oliver ag iarraidh a iúl a tharraingt uirthi. Thabharfadh sí an leabhar gur aithin sí na focail "Fóir orm, le do thoil" ar a bheola. Thug sí draothadh gáire deas dó, agus ansin thug sí cluas bhéasach, mar dhea, don sagart. Níor thóg sí súil le hOliver, lig dó fulaingt rud beag níos faide ach ansin, nuair a tháinig briseadh i reacaireacht an tsagairt, d'fhiafraigh Mary de cérbh iad na socruithe sochraide.

"Léifear Aifreann na Marbh i Séipéal San Síomón Stock maidin amárach ar a deich," a d'fhreagair an tAthair Albert.

Chuir Mary strainc uirthi féin. B'fhearr léi féin ó thaobh cúrsaí oibre di dá mbeadh an tsochraid ar siúl Dé Céadaoin.

"Ar an drochuair, tá mé féin agus formhór na gCairmilíteach le tosú ar chúrsa spioradálta le camhaoir na maidine thíos i Manhattan," arsa an tAthair Albert. "Maithfidh Caitlín bhocht sin dom. Is é an tAthair Tadhg a léifidh an t-aifreann . . ." Stop an sagart ar nós-cuma-liom, mar dhea. Ag fanacht le freagairt Mary a bhí sé. Nuair a d'fhéach Mary ar Oliver, thuig sí go raibh an tAthair Albert i ndiaidh an nuacht a thabhairt dó cheana. Níorbh ionann is na Cairmilítigh eile, fear mór tacaíochta de chuid an tSaorstáit ba ea an tAthair Tadhg, fear a bhí gaolta le haire sinsearach i Rialtas an tSaorstáit. Dhiúltaigh an sagart glan aifreann cuimhneacháin a léamh ar son Harry Boland is Liam Uí Mhaolíosa i mbliain mhíchinniúnach '22.

Nuair nach ndúirt Mary a dhath, lean an sagart leis amhail is go raibh sé ag féachaint leis an chlár mín a chur ar an scéal.

"Guím go dtiocfaidh maitheas éigin as bás brónach Chaitlín," ar seisean. "Nach chun an t-athmhuintearas a chothú a bhunaigh sí na Géanna Fiáine an chéad lá riamh? Creidim gurb í seo an ócáid a thabharfaidh an dá thaobh le chéile anseo i Nua-Eabhrac."

B'inmholta an creideamh a bhí ag an sagart agus an dea-intinn síochána, dar le Mary, ach bhí sí in amhras an raibh mórán bunúis leo. Ach binn béal ina thost . . .

D'éirigh an tAthair Albert ina sheasamh i ndiaidh cúpla bomaite eile. Rachadh sé isteach le cúpla paidir a chur le hanam Chaitlín. Bhí air glao amháin eile a dhéanamh sula dtabharfadh sé aghaidh ar an bhaile anocht.

"Míle buíochas as ucht do chabhrach," arsa Oliver le Mary agus faobhar ar a ghuth. Ansin tháinig cuma dháiríre air. "Tá súil agam go dtiocfaidh slua mór chun na sochraide," ar seisean os íseal. "Tá sin dlite do Chaitlín."

D'fhéach Mary timpeall an tseomra. B'fhéidir nár chuala mórán daoine go fóill go raibh Caitlín ar shlí na fírinne agus gurbh í sin an chúis nár tháinig aon duine eile chun comhar an chomhbhróin a roinnt lena muintir anocht. Ach bhí an oiread sin gangaide is seirbhe i measc seanchomrádaithe a scar óna chéile ar cheist an Chonartha go seachnódh duine amháin ócáid shóisialta ar eagla go mbuailfeadh sé le duine den fhreasúra . . . go rachadh fear amháin trasna an bhóthair dá bhfeicfeadh sé an fear eile roimhe ar an chosán. Rud beag suarach a bheadh ann gan bacadh le faire nó le sochraid. B'fhéidir go raibh an ceart ag an Athair Albert go ndéanfadh sí maitheas éigin gurbh é an tAthair Tadhg a léifeadh Aifreann na Marbh. Ní raibh Mary róchinnte de sin.

Anocht agus iad réidh anseo, chaithfeadh sí féin agus Oliver glaonna gutháin a chur ar an oiread seanchairde is ab fhéidir leo le cinntiú go mbeadh teach an phobail lán go poll an phaidrín. Rómhall a bhí sé chun mórán sreangscéalta a sheoladh amach. Níor mhór di féin glao ar Gertrude chun cúpla cruinniú oifige a bhí le bheith ag Mary a chur ar athlá.

Níor thúisce an sagart bailithe leis gur éirigh Oliver corrthónach.

"Níl aon duine eile ag teacht go dtí an teach faire," ar seisean le Mary.

"Fanaimis mar sin."

"B'fhéidir gurbh fhearr le muintir Chaitlín é dá mbeadh an t-am seo acu leo féin," ar seisean ina dhiaidh sin.

"Sílim gur breá le Lauretta é gur thángamar."

"An fada eile a bheidh tú féin ag fanacht?" ar seisean le Mary ansin. "B'fhéidir gur féidir linn beirt dul le greim bia a fháil."

Bhí Mary stiúgtha leis an ocras. Nuair a thairg Lauretta an dara cupán tae di, ghlac sí leis agus le briosca eile. Ach de réir mar a bhí mífhoighde ag teacht ar Oliver, b'amhlaidh ba mhó a chuir sí ina choinne. D'fhéadfadh seisean a rogha rud a dhéanamh. D'fhanfadh sise anseo tamall eile mar ionadaí thar ceann phobal Éireannach Nua-Eabhraic.

Seal ina dhiaidh sin, d'imigh Oliver agus Kneil isteach sa seomra faire le ligean do Cornelia éalú amach le cupán tae a bheith aici. Chuaigh Cornelia isteach chun súil a choimeád ar Alfie a bhí ag míogarnach ag an tábla cistine, agus gach srannfach uaidh le cluinstin fós in ainneoin an dorais a bheith druidte ina diaidh ag Cornelia.

Agus iad dís fágtha leo féin sa seomra teaghlaigh, chrom Lauretta ar labhairt le Mary ar a mbeadh ag tarlú an mhaidin dár gcionn. Bheadh cóiste na marbh ag teacht ar a seacht chun an chónra a thabhairt go teach an phobail. Ar an drochuair, ní bheadh seans ag aon duine eile dá muintir teacht aduaidh ó Cheanada le haghaidh na sochraide. Chuirfí Katie bhocht thuas i Reilig San Réamann. Bheadh an teaghlach ag filleadh ar an árasán tar éis na sochraide faoi choinne béile . . . b'fhéidir gur mhaith le Mary is lena fear óg—is ea, le hOliver—teacht ar ais fosta.

Chuaigh cineáltas Lauretta go croí i Mary cé nach raibh sí cinnte ar cheart di cur isteach ar ghaolta Chaitlín a thuilleadh. Ba mhór idir láiche Lauretta is dúire Cornelia ach d'aithin Mary gurbh í an dúil sa phríobháideachas a cheangail baill an teaghlaigh neamhchoitianta seo le chéile. Ní raibh ciorcal mór cairde acu, go bhfios do Mary. Ainneoin aithne shúl a bheith ag Caitlín ar mhná na comharsanachta, níor chuimhin le Mary aon duine eile a bheith ar cuairt anseo agus í sa teach. Ba dhócha nach raibh a fhios ag na comharsana féin go fóill go raibh Caitlín marbh.

Lig Mary do Lauretta labhairt nuair a d'fhóir sé di sin a dhéanamh, agus a brón a scaoileadh trí uisce a cinn a chaoineadh. Is éard a bhí de dhíth ar Lauretta bhocht seal suaimhnis chun a scíth a ligean is chun í féin a ullmhú don fhaire dheireanach sin is do dheasghnáthas na maidine dár gcionn. Tar éis tamaill, thit sí ina codladh. Mhúch Mary ceann de na soilse sa seomra. Thóg sí súisín glan a bhí ar chathaoir. Thug faoi deara an lipéad air: "Déanta in Éirinn." Bronntanas ab ea é, ní folair, a thug Caitlín ar ais léi nuair a bhí sí ar an seanfhód. D'fhill Mary an súisín thar Lauretta.

Shuigh Mary sa mheathdhorchadas.

Ba é gol linbh i gceann de na hárasáin thuas staighre a chuir Mary ag smaoineamh ar rud a rith léi i dtosach nuair a chuir sí aithne ar Lauretta.

Ba í toil Dé í ach ba é an feall nach raibh aon chlann ag Lauretta agus ag Kneil. Níor luaigh Lauretta an cheist sin riamh ach chreid Mary gur ghoill an easpa clainne ar an bhean seo a bhí chomh fial foighdeach sin. Chuimhnigh Mary ar rud a dúirt Caitlín léi oíche amháin.

"Sin mallacht atá orainne, muintir Uí Aodha . . . cailltear go hóg muid . . . ní phósaimid . . . agus an té a phósann, is beag sliocht a bhíonn orainn."

Ansin rinne Caitlín gáire beag íseal.

"Ar ndóigh, tá m'athair féin in Ottawa geall le bheith ceithre scór bliain d'aois . . . thug mo mháthair aois mhaith léi sula bhfuair sí bás . . . bhí naonúr clainne acu . . . agus go bhfios dom, bhíodar pósta le chéile!"

Ach, i ndáiríre, arsa Mary léi féin, ba iad Caitlín, Cornelia agus Alfie páistí Lauretta, iad triúr níos óige ná í, iad gan phósadh agus iad i ndiaidh cur fúthu in aontíos leis an lánúin. Ba í Lauretta a dhéanadh cinnte de nár tharla a dhath dóibh. Ba í Lauretta a d'fhéachadh le tearmann a sholáthar dóibh is iad a choimeád le chéile. In ainneoin a neamhspleáchais is a cuid taistil d'fhilleadh Caitlín ar an nead a bhí tógtha ag a deirfiúr i dtólamh.

Ar nós mháthair Mary féin dá mbeadh sí beo go fóill, bhí Lauretta thuas sna caogaidí. Ach murab ionann is a máthair a gheall go raibh sí réidh leis an taisteal i ndiaidh di teacht amach ó Éirinn is cur fúithi in Connecticut, bhí a fhios ag Mary ó chuntais Chaitlín go mbíodh Lauretta siúlach tráth dá raibh. Banaltra í a d'oibríodh in ospidéal Caitliceach in Ottawa gur earcaigh sí mar bhanaltra machaire in arm Mheiriceá i rith an Chogaidh Spáinnigh-

Mheiriceánaigh in 1898. Tar éis di is do Kneil pósadh sa bhliain 1903, lean an lánúin Caitlín nuair a chuir sise fúithi in Edmonton sa bhliain 1906. Gearrchuntas ceart ar an saghas ciorclaithe a chleachtadh muintir Uí Aodha ba ea an post deireanach a bhí ag Lauretta i gCeanada sular tháinig sí féin agus Kneil go Nua-Eabhrac ceithre bliana roimhe sin: agus Caitlín ag taisteal siar is aniar ó chósta an Aigéin Atlantaigh go cósta an Aigéin Chiúin sa samhradh 1920 agus í ag eagrú craobhacha den Self-Determination for Ireland League ar fud Cheanada, bhí Lauretta ag bunú craobhacha den eagraíocht nua náisiúnta The Catholic Women's League. Ar ndóigh, nárbh í Caitlín féin a bhunaigh an chéad bhrainse den CWL amuigh in Edmonton i bhfad siar sa bhliain 1912.

Ba é an Caitliceachas tréan míleatach agus an tseirbhís thuata ghníomhach ar son na hEaglaise croí agus cnámh droma chreideamh mhuintir Uí Aodha, a thuig Mary. Níorbh aon ionadh é sin ó tharla gur dhearthráir lena máthair Ardeaspag Caitliceach Halifax i gCeanada tráth. Chónaíodh Cornelia leis-sean i dTeach an Ardeaspaig, áit a raibh aintín léi ina bean tí. Faoin am a bhfuair an tArdeaspag bás in 1906, bhí Cornelia cúig bliana is tríocha d'aois, í righin ina slite agus ina tuairimí faoin aon bhealach cinnte le rud a dhéanamh, an feisteas ceart le cur ort, an gá le rialacha is le hord le deimhniú nach gcuirfí isteach ar riar an tí. Lean sí an teaghlach go Ottawa, ansin go Edmonton, agus ansin go Nua-Eabhrac. Bhí sí géarshúileach ar níos mó ná bealach amháin: bhí a comhlacht beag aici agus í ag déanamh is ag deisiú éidí sagart is fheisteas fhriothálaithe aifrinn. Ba dhoiligh do Mary a shamhlú gur chuir Cornelia spéis i bhfear riamh ar dhóigh thuatach rómánsúil. Níor smaoineamh carthanach é ach rachadh sé rite le hÍosaf Naofa féin foighdiú léi.

Ó tharla gur lóistéirí iad triúr—iad beirt, arsa Mary á ceartú féin—caithfidh gur ghoill sé ar Cornelia go gcaithfeadh sí cur suas le healaín is le meisciúlacht an leisceora chadránta sin Alfie. Cad eile a bhí in Alfie ach croitheadh an tsacáin agus súilín óir a mháthar? Oileadh ina leictreoir é ach ní raibh post seasta aige riamh ina shaol. De réir chuntas Chaitlín, cheannaigh an mháthair réimse talaimh dó amuigh i dTuaisceart Alberta, in aice le Grande Prairie, breis is deich mbliana roimhe sin. Bhí súil aici go gcruthódh sé go maith mar fheirmeoir. Níor chaith Alfie ach cúpla seachtain ansin. "Ní raibh mé tugtha don sclábhaíocht nó don uaigneas sin," ar seisean, tar éis dó an talamh a chailliúint i gcluiche cártaí. Ó shin i leith, chaitheadh sé seal ina stocaire le deartháir amháin nó le deirfiúr amháin go dtí go dtugtaí an bata agus an bóthar dó. Ó d'éag an mháthair sa bhliain 1918, ba í Lauretta an t-aon duine amháin a bhí sásta cur suas leis. "Ní bheidh mé ag stopadh leat i bhfad," ar seisean le Lauretta ceithre bliana roimhe sin. "Ní thig liom cur suas leis an Chosc seo ar an ól a bhaineann sólás beag an tsaoil den fhear oibre." In ainneoin cosc ar alcól a bheith i bhfeidhm i gcónaí, bhí Alfie ann go fóill agus níor dheacair dó lán a bhoilg de bhiotáille a fháil, cibé áit a bhfuair sé a phraghas.

Ba chosúil is b'éagsúil lena chéile an triúr sin, gan aon agó. Faoi mar a thuig Mary faoin am seo, ba scáthán ar shuáilcí is ar dhuáilcí Chaitlín iad fosta. Nárbh í Caitlín a bhí chomh croíúil cneasta le Lauretta, chomh diongbháilte righin ina slite le Cornelia, agus í tugtha suas do chúis na hÉireann chomh láidir is a bhí Alfie tugtha don ól. Ach rud amháin a cheangail an triúr le chéile is a dheighil óna ndeirfiúr iad ná a laghad spéise a bheith acu in aon rud a bhain le hÉirinn. Cad ba thrúig do dhuine amháin a shaol a chaitheamh le cúis nuair ba chuma lena mhuintir féin faoi?

Agus cad ba thrúig do dhuine a raibh cónaí air na mílte míle ón áit a shaol a thíolacadh don chúis chéanna?

Ceisteanna iad sin a chuireadh Mary uirthi féin minic go leor, agus ní hamháin ó chuir sí aithne ar Chaitlín Ní Aodha. Murab ionann is tuismitheoirí Chaitlín a saolaíodh ar PEI, Éireannaigh ó dhúchas ba ea tuismitheoirí Mary ó Chontae an Chabháin. Éireannaigh ab ea tromlach chomhphóilíní a hathar in New London. Ach diomaite den Eaglais Chaitliceach is de mhórpharáid Lá Fhéile Pádraig, bhí na tuismitheoirí ar a mbionda fanacht glan ar pholaitíocht na hÉireann. Nár fhágamar sin inár ndiaidh nuair a thángamar trí Oileán Ellis? a deireadh máthair Mary. Mar an gcéanna, dheamhan spéis a bhí ag deartháir Mary i bpolaitíocht na hÉireann cé go raibh John i ndiaidh seirbhís nach beag a dhéanamh d'Éirinn i ngan fhios dó féin nuair a chuir sé comh-mhúinteoir deas leis, arbh ainm dó Oliver Plunkett Shannon, in aithne do Mary tar éis di teacht a chónaí i Nua-Eabhrac!

Bhí a fhios ag Mary go mbíodh imní ar a tuismitheoirí go gcuirfeadh sí í féin in angaid nó go mbeadh a post le muintir Woolworth i mbaol dá dtarraingeodh sí aird an FBI uirthi féin—nó go gcaithfí amhras ar a hathair féin mar gheall ar imeachtaí a iníne.

Ba é an freagra a bhíodh ag Mary nár ghá faitíos a bheith orthu. B'fhéidir go raibh údar leis an imní i rith an Chogaidh Mhóir, ach ina dhiaidh sin, go háirithe ó tháinig de Valera go Meiriceá sa bhliain 1919, b'fhollas do chách gur chúis thar a bheith measúil í cúis shaoirse na hÉireann. Ba dhócha gur mhaolaigh sin ar imní a tuismitheoirí beagán. B'ann don taobh barrúil den scéal fosta. Lá nuair a bhí Pat Morrison i gcathair Nua-Eabhraic, bhuail sé isteach chuig Mary in Áras Woolworth. Tharla go raibh a comh-aturnae Jeffrey Taylor ag labhairt léi sa dorchla taobh amuigh dá hoifig. Chuir Mary a hathair in aithne do Jeffrey, piteog is Gallbhách go smior a raibh blas ardnósach Sasanach ar a chuid cainte is fear a thugadh le fios do chách go raibh bunchéim den chéad ghrád aige ó Ollscoil Oxford. B'fhollas go raibh athair Mary neamhshocair. "Cé hé an diúlach sin?" ar seisean le Mary tar éis do Jeffrey imeacht. "An bhfuil tú cinnte nach spiaire é?" Rinne Mary gáire. Bhí comhad pearsanra Jeffrey feicthe aici ón am a d'fhostaigh an comhlacht é dhá bhliain roimhe sin nuair a iarradh uirthi a dhintiúir a sheiceáil: Gearmánaigh ó dhúchas ba ea a thuismitheoirí ach tharraing Gottfried Schneider sciath cosanta an tSasanachais air féin tar éis do na Stáit Aontaithe dul isteach sa Chogadh Domhanda sa bhliain 1917. De réir dealraimh, chaill sé a phost aturnae in Philadelphia mar gheall ar naimhdeas an phobail le haon rud Gearmánach is ní bhfuair aon obair bhuan gur athraigh sé a ainm. Níor fhreastail sé ar Ollscoil Oxford riamh.

Bhí athair Mary i ndiaidh éirí míshocair arís tar éis na scoilte sa ghluaiseacht Éireannach i Meiriceá nuair a chuaigh dream amháin le de Valera agus an chéad dream eile leis an Bhreitheamh Cohalan is Devoy, agus go háirithe tar éis do na seanchomrádaithe in Éirinn a gcuid gunnaí a dhíriú ar a chéile.

"Deirtear go bhfuil spiairí ag an FBI—agus ag Rialtas an tSaorstáit féin—sna heagraíochtaí sin a bhfuil baint agat leo. Táthar ag iarraidh stop a chur le seoladh gunnaí go hÉirinn," a dúirt sé le Mary.

Bhí a fhios ag Mary go raibh bunús le líomhaintí a hathar maidir leis na húdaráis i Meiriceá agus in Éirinn. Maidir le gunnaí, bhí go leor discréide gairmiúla aici a chinntiú nach raibh baint aici le haon imeacht a raibh blas nó boladh na mídhlisteanachta air. Ach thuig sí go bhféadfadh sí féin a bheith thíos leis dá bhfóirfeadh sé do chliant de chuid Woolworth gearán a dhéanamh fúithi. Ba léir ó na rudaí a tharla do Chaitlín féin ó chuaigh sí le cúis na hÉireann go bhféadfadh sé sin olc a chur ar bhoic mhóra áirithe is dochar a dhéanamh dá slí bheatha.

Duine de na boic chéanna é Benny Van Horne, mac an Ridire William Van Horne, an fear a thóg an bóthar iarainn trasna Cheanada. Tar éis bhás a athar, ní raibh an mac sásta an bheathaisnéis choimisiúnaithe a bhí scríofa ag Caitlín a fhoilsiú agus a hainm ar an leabhar. Bradaíl liteartha a bhí ann gur cuireadh ainm an eagarthóra, Walter Vaughan, ar an leabhar, gan tagairt don údar, Katherine Hughes. An col nimhneach a bhí ag Benny Van Horne le gníomhaíocht pholaitiúil Chaitlín ar son na hÉireann faoi deara sin. In ionad a fearg a dhíriú orthu siúd a ghearr pionós ar Chaitlín mar gheall ar a seasamh polaitiúil, b'fhollas gur chreid Cornelia go raibh Caitlín i ndiaidh a cáil mar údar agus a slí bheatha mar scríbhneoir a chur ó mhaith nuair a tharraing sí an trioblóid uirthi féin. "Ceapann Cornelia bhocht go bhfuil mo shaol scriosta agam," arsa Caitlín le Mary lá. "Ní thuigeann sí nach bhfuil lá aiféala orm faoin rogha atá déanta agam, is cuma cé chomh feargach is atáim leo siúd a d'fhéach le mo chlú a mhilleadh."

"Cad faoin bheirt eile, Lauretta agus Alfie?" arsa Mary le Caitlín ag an am. "Cad a cheapann siadsan faoin rogha atá déanta agat?"

De réir chuntas Chaitlín, cé nár thuig Lauretta cad chuige a raibh dúil chomh mór sin ag Caitlín sa Chúis, bhí a fhios aici nach raibh rún dá laghad ag Caitlín éirí as a cuid oibre. Ba é an dualgas a bhí uirthi glacadh le seasamh a deirféar is tacú léi ar cibé bealach ab fhéidir léi. Agus maidir le hAlfie . . .

"Is millteanach an rud an t-ól," a dúirt Caitlín. "Nuair a bhíonn duine i dtaobh leis, is beag spéis a bhíonn aige in

aon rud eile. Is iomaí fear cumasach a chuir sé ó mhaith
. . . agus mo chara Pádraic Ó Conaire orthu. Nuair a fheicim
an dochar a dhéanann an t-ól, tacaím leis an Chosc ar Alcól.
Is trua nach bhfuil sé i bhfeidhm in Éirinn."

Agus í ag amharc ar Lauretta agus í faoi shuan go fóill,
rith sé le Mary gurbh í Lauretta ba mhó a chronódh a
deirfiúr. Bhí sé dian uirthi a bheith ag freastal ar easlán agus
a bheith ag breathnú ar a deirfiúr ag meath os comhair a
dhá súl. Ach murab ionann is Cornelia a bhíodh gafa le
hobair a comhlachta i rith an lae, agus Alfie a mbíodh ceo
agus cógas an óil air, ba dhuine í Lauretta a bhí i dtaobh le
comhrá agus le cuideachta Chaitlín. Ar ndóigh, ní thiocfadh
Mary aníos go dtí an Bronx chomh minic sin feasta, ach ba
cheart di a dícheall a dhéanamh le bheith i dteagmháil le
Lauretta go rialta.

Den chéad uair ó tháinig sí isteach ní ba luaithe sa
tráthnóna, d'amharc Mary ar a huaireadóir. Bhí sé ag
tarraingt ar a naoi a chlog. Ba mhaith léi fanacht chomh
mall is ab fhéidir léi ach má bhí sí le teagmháil a dhéanamh
le comrádaithe—is le hiarchairde—sula mbeadh achan
duine imithe a luí . . .

Tráthúil go leor, dhúisigh Alfie. Dheifrigh Cornelia
isteach ón chistin chun Lauretta a fháil. Ba dhíol trua
Lauretta bhocht ar briseadh isteach ar a tionnúr beag.

Ba mhithid dóibh imeacht, a dúirt Mary, is ligean don
teaghlach ullmhú don oíche. Nuair a tháinig Oliver isteach
sa seomra, chomharthaigh sí dó go mbeadh sí féin réidh don
ród gan mhoill.

D'imigh Mary isteach sa seomra faire ar feadh cúpla
bomaite, áit a raibh Cornelia ar diúité arís. D'fhan Mary
fada go leor chun "Is é do bheatha, a Mhuire" a reic os
comhair chorp Chaitlín.

Bhailigh Mary a cóta is a mála sular imigh sí isteach sa

chistin. Rug sí barróg ar Lauretta a bhí ag féachaint le hAlfie a chiúnú arís, sular bhuail sí féin agus Oliver bóthar.

-III-

"Rómhall atá sé le gabháil amach le greim bia a fháil," arsa Mary le hOliver agus iad ar an traein ar ais go Manhattan, tar éis dó cuireadh a thabhairt di athuair eile. "Ullmhóidh mé greim gasta agus mé ar ais ag m'árasán. Ar scor ar bith, caithfimid beirt teagmháil a dhéanamh le daoine lena gcur ar an eolas faoin tsochraid maidin amárach." Thóg sí amach cóipleabhar is peann luaidhe as a mála agus chrom ar dhá liosta ainmneacha a chur i dtoll a chéile.

"Cad faoi theacht ar ais go dtí m'árasán?" arsa Oliver nuair a thuirling siad den traein ag Stáisiún Penn. "Tig liom béile breá sciobtha a réiteach don bheirt againn. Agus tig leat fanacht ann don oíche. Réiteoidh mé bricfeasta duit maidin amárach."

Gan choinne, agus iad ina seasamh ar an ardán, tháinig rud deiliúsach a dúirt Caitlín léi cúpla mí roimhe sin isteach in intinn Mary.

"Murar leor crothán sailpítir ar bhia an fhir sin agat chun an gus a bhaint as, bain triail as babhla de na Kellogg's Corn Flakes seo le haghaidh a bhricfeasta," arsa Caitlín, agus loinnir diabhlaíochta ina súile aici tar éis di bosca a bhronnadh ar Mary go breá drámata. "De réir an tseanchais amuigh ag Battle Creek, ba chuige sin a rinne na deartháireacha Kellogg ansin na calóga céanna an chéad lá riamh."

Nuair a d'fhéach sí ar aghaidh mhacánta dháiríre Oliver os a comhair, chuaigh Mary sna trithí gáire agus í ag cuimhneamh ar staróg Chaitlín.

Thug sí póigín éadrom do leiceann Oliver.

"Caithfidh mé rith le haghaidh na traenach eile. Cuirfidh mé glao ort agus mé sa bhaile ionas gur féidir linn dul trí na liostaí. Is fusa go deo dúinn an obair a roinnt is úsáid a bhaint as an dá theileafón." Thug sí póigín don leiceann eile. "Tiocfaidh mé chuig d'árasán le haghaidh an bhricfeasta maidin amárach ar a seacht sula mbeidh orainn dul ar an tsochraid. Is leor babhla bracháin nó tósta . . . aon rud ach amháin calóga arbhair."

Rith sí go beo chun a traein a fháil. Nuair a d'amharc sí siar, bhí Oliver ina sheasamh ar an ardán go fóill agus an chuma air go raibh sé ag iarraidh adhmad a bhaint as a cuid cainte.

Bhí Mary ar an turas gairid traenach abhaile nuair a rith sé léi gurbh é sin an chéad uair an lá fada sin a raibh gáire déanta aici. Thabharfadh sí an leabhar gurbh é sin an chéad uair le tamall gur imigh gáire uirthi. Ba mhinic a dhearbhaigh Oliver gurbh é a meangadh geal a tharraing a aird uirthi an chéad lá riamh. Sin, agus a súile glasa agus a folt donn . . . "Ní dhéanann tú gáire a thuilleadh," a dúirt sé léi an lá faoi dheireadh. Níor mhór di a admháil go raibh an ceart aige, idir ualach na hoibre is cúraimí seachoibre a bhí uirthi ar na mallaibh.

Tháinig aoibh gháire eile ar aghaidh Mary ansin gan choinne. Bhí a fhios aici go gcuimhneodh sí ar an ainm Gréagach sin luath nó mall, ar ainm an fhir sin ar chuir a obair laethúil an giolla ardaitheora, Max, i gcuimhne di. Bheadh an tSiúr Bosco bródúil aisti. An Rí Sisyphus a bhí ann. Sisyphus an bholláin mhóir.

Caibidil a Ceathair

-I-

Ar an chéad amharc, b'údar faoisimh do Mary go raibh go leor seanchairde i ndiaidh freastal ar Aifreann na Marbh. Ní raibh an séipéal plódaithe ach bhí slua réasúnta ann, ina measc daoine nach raibh feicthe ag Mary ar feadh cúpla bliain. Bhí lucht tacaíochta an tSaorstáit ar thaobhroinn na mban; bhí an dream frith-Chonartha ar thaobhroinn na bhfear. Ba ansin a bhí comrádaithe Chaitlín ó na Géanna Fiáine fosta, is Mary agus Oliver orthu, ainneoin nach raibh gach mac máthar Poblachtach sásta le hiarrachtaí Chaitlín le cúpla bliain anuas chun an t-athmhuintearas a chothú. Fágadh muintir Chaitlín leo féin ag ceann an tséipéil.

Ar an dara hamharc, b'fhollas gur chur amú ama is fuinnimh seanmóir an Athar Tadhg gur mhithid deireadh a chur le binb na seanscoilte. Ba go pointeáilte prionsabálta a rinne na Poblachtaigh neamhiontas de na Státairí. D'fhreagair an dream eile ar an chuma chéanna. Bhí a fhios ag Mary nach dtógfadh sé mórán chun an lasóg a chur sa bharrach.

Ní dhéanfadh sí dearmad ar Oíche Fhéile Bhríde '22 ar níos mó ná cuntar amháin. Ba í sin an chéad uair gur shiúil sí féin is Oliver amach le chéile. Bhí an bheirt acu i ndiaidh dul chuig rince i halla Chumann na gCorcaíoch i mBrooklyn. Oíche mhór scléipe a bhí ann. Ba gheall le deoch dhearmaid é Michael Coleman agus é ag casadh port ar a fhidil. Ceol draíochta é a dhíbreodh as an aigne ba shuaite aon smaoineamh duairc ar aighneas is ar scoilt, is a ligfeadh do dhuine díriú ar shuáilcí aoibhne de chuid na beatha ar nós na rómánsúlachta . . . Bhuel, dhíbir is lig go dtí go bhfaca Mary triúr ógfhear ag gabháil thart sa sos idir rincí, agus cannaí stáin á gcroitheadh acu. Radharc coitianta é sin sna blianta roimhe sin ag gach imeacht Éireannach nach mór sna Stáit Aontaithe. Bhí glaoch ar airgead le teacht i gcabhair ar phríosúnaigh is ar a dteaghlaigh, le fóirithint ar mháithreacha, ar bhaintreacha is ar chlanna na mairtíreach, le cur i gcoinne fheachtas bolscaireachta na Sasanach is a gcairde i nuachtáin Mheiriceá, agus . . . ba leor nod discréideach don eolach Éireannach . . . le gunnaí a cheannach. Is ea, b'ann d'earra úr ar an mhargadh . . . an Thompson Submachine Gun . . . Ba é rogha arm Mheiriceá é. Nach é sin an boicín breá gasta a scaipfeadh na hAuxies is na Dúchrónaigh soir siar? Ach amháin an t-airgead a thiomsú chun iad a cheannach ar an mhargadh dubh is lucht loinge a sheoladh go hÉirinn. Mhaígh Oliver go raibh na cannaí céanna ag cur thar maoil oíche ar taispeánadh ceann de na Thompsons féin don slua i halla de chuid an AOH sa Bhronx san earrach 1921.

Bliain ina dhiaidh sin, bhí an Conradh Angla-Éireannach daingnithe ag Dáil Éireann agus néalta doininne na cogaíochta úire os cionn na tíre. Níorbh aon teach tearmainn ón choimhlint halla Chumann na gCorcaíoch i mBrooklyn ar Oíche Fhéile Bhríde féin. Bhí daoine i láthair a thug dollar do lucht na gcannaí faoi chroí mór maith. Bhí dream eile ann a thaobhaigh leis an Chonradh is leis an Rialtas Sealadach úr, agus b'ann do sciar eile, baill de choiste an Chumainn go háirithe, a bhí ag iarraidh an pholaitíocht iar-Chonartha a choinneáil amach as halla an Chumainn.

Ba chuma faoin taca seo cé a chothaigh an iaróg. Níor

thúisce guth ardaithe ná masla cainte . . . an brú is an tarraingt . . . bualadh buille . . . an greadadh le dorn. D'aithin na daoine stuama cad a bhí ar na bacáin is ghlan siad amach as an halla. Rug Michael Coleman ar a fhidil is d'imigh ar a chaolrian: níorbh ócáid í le crochadh thart ag fanacht le luach do shaothair a fháil. Ba ghearr go raibh sé ina chíréib taobh istigh de réir mar a thug na trí dhream faoina chéile. Sula ndearna sí féin agus Oliver ar an taobhdhoras, chonaic Mary duine de na bailitheoirí airgid á chniogadh le camán agus iarbhall de choiste an Chumainn á leagan go talamh. Cuireadh fios ar na póilíní. Tháinig siadsan ceart go leor, ach ó tharla go raibh cuid acu gaolta le lucht na círéibe agus iad gach pioc chomh scoilte leis an dream istigh faoi cheist an Chonartha Angla-Éireannaigh, bheadh sé ina chogadh dearg taobh amuigh den halla fosta ach amháin gur bhrostaigh cúpla sagart chuig an láthair gur ráinig leo stop a chur leis an fhoréigean.

An chéad chéim eile ná scéal na círéibe a choimeád amach as nuachtáin Nua-Eabhraic. De réir an ospidéil Chaitlicigh áitiúil, bhí méadú as cuimse ar líon na bhfear Éireannach a gortaíodh i dtimpistí oibre sa cheantar an tráthnóna céanna. Sochraid mhór shollúnta a bhí ag an iarbhall sin de choiste an Chumainn ar bhuail taom croí gan choinne é le linn dó a bheith ag deisiú fuinneoige sa halla, de réir na hinsinte oifigiúla . . . Bhí sé ina luaidreán i measc na bPoblachtach gurbh é Státaire óg áirithe ó Luimneach a bhí ar cuairt ó New Jersey a sháigh le scian é tar éis don fhear a fhógairt go raibh sé féin is a Chumann neodrach neamhpholaitiúil. D'áitigh an dream eile go ndearna Poblachtach ó Chill Mhantáin a raibh cónaí air i Manhattan an drochbheart. Ar aon fhocal a bhí an dá thaobh chéanna gur sheasamh polaitiúil amach is amach aon chaint ar a bheith neodrach neamhpholaitiúil . . .

Gheit Mary nuair a chuala sí an chogarnaíl ard ó shuíochán na bPoblachtach taobh thiar di sa séipéal.

"Ligfinn don Phápa mé a choinnealbhá sula nglacfainn Corp Chríost ó lámha fuilteacha an Státaire sin de shagart." Traolach Mac Gearailt a bhí ann. Díothaíodh col ceathar leis nuair a rinne saighdiúirí de chuid an tSaorstáit sléacht ar na cimí Poblachtacha ag Baile Ó Síoda.

"Nár coinnealbhádh muid uile cheana, a Thraolaigh . . . faoi dhó ar a laghad?" arsa Seán Leane agus scaip an gáire íseal an teannas. Ghlan corr-Phoblachtach eile leis go ciúin discréideach ag tús an aifrinn. Ba mhaith leo go bhfeicfí gur tháinig siad amach mar chomhartha ómóis don bhean mharbh ach ní raibh siad le fanacht le haitheantas a thabhairt don sagart. Ach de réir mar a chuaigh an t-aifreann chun tosaigh, thuig Mary nár ghá di a bheith róbhuartha. Ní raibh aon duine chun aonach a dhéanamh. D'fhan Traolach agus a chomrádaithe ina suí go dáigh dúshlánach i rith na comaoineach. Chuaigh Mary suas chun Corp Chríost a fháil ón Athair Tadhg. Gníomh beag in onóir Chaitlín a bhí ann tar éis di streachailt chomh dian sin chun na seanchomrádaithe a aontú le haisling na Poblachta a fhíorú. Lean Oliver Mary.

Leáigh a bhformhór glan, idir Státairí is Phoblachtaigh, ó chéile ag deireadh an aifrinn chomh mear le scaifte smuglálaithe alcóil roimh na póilíní. Chruinnigh na baill de na Géanna Fiáine a bheadh saor le dul chun na reilige le chéile. Bheadh ar an chuid is mó acu filleadh ar an obair.

Thaistil a raibh fágtha i dtacsaithe taobh thiar de chóiste na marbh go Reilig San Réamann ar Ascaill Lafayette sa Bhronx. Bhailigh siad le chéile ag na geataí. Ba thruamhéalach an feic iad, dar le Mary. Ní raibh ann ach muintir Chaitlín, Mary is Oliver is dornán daoine eile. Shiúil Lauretta, Cornelia agus Alfie le chéile i líne, greim sciatháin ag an chéad duine acu ar an chéad duine eile, agus iad go díreach taobh thiar de chóiste na marbh. Bhí Robert Kneil ag siúl i gcuideachta an Athar Tadhg laistiar díobh. Ansin Mary agus Oliver agus na daoine eile ag eireaball na sochraide. Níorbh é sin an comóradh deireanach a bhí dlite do Chaitlín tar éis a raibh déanta aici ar son na Cúise, arsa Mary léi féin agus idir ruibh oilc agus scalladh croí uirthi. Is éard a bhí tuillte aici ar an turas sin píobairí ag ceann na sochraide agus na mílte duine ag siúl sa tsochraid faoi mar a dhéantaí gaiscíoch de chuid na Gluaiseachta a bhí i ndiaidh bás a fháil ar son na Cúise a thionlacan chun na cille. Diomaite den Scoilt Mhór, b'iomaí cúis a bhí leis an neamart i gceiliúradh cuí a dhéanamh ar Chaitlín, a thuig Mary. Bhí an obair a bhí ar siúl ag Caitlín ó 1922 i leith i ndiaidh olc a chur ar go leor. Ina theannta sin, níorbh Éireannach ó dhúchas Caitlín a raibh daoine múinteartha is comharsana is cairde léi óna ceantar in Éirinn aici a thiocfadh amach ar ócáid mar seo. Ceanadach í nach raibh aici ach a muintir féin. Ba anois a rith smaoineamh eile le Mary: bean a bhí i gCaitlín, rud a chuir as do go leor fear sa Ghluaiseacht nach raibh cleachtach ar a bheith ag fáil orduithe ó bhean chumasach. Is ea, arsa Mary léi féin, bhí an ceart ag Caitlín, nuair a d'iarr sí ar Mary cuidiú leis na cuimhní cinn, nach dtuigfeadh ach bean eile na rudaí a raibh ar Chaitlín cur suas leo.

Ach, arsa Mary léi féin, nuair a bhí siad ag casadh isteach sa reilig, bhí cara sa chúirt ag Caitlín ar scor ar bith. Bhí sé fuar go leor, ach dheonaigh Dia na Glóire trí impí na Maighdine Muire lá geal gréine di le haghaidh a hadhlactha.

Stop cóiste na marbh, tógadh amach an chónra is chruinnigh lucht na sochraide le chéile timpeall bhéal na huaighe. Reic an tAthair Tadhg na paidreacha ar son anam Chaitlín. Ghearr an sagart fíor na croise le huisce choiscrithe ar an chónra sular íslíodh isteach san uaigh í. Clúdaíodh an uaigh le cláracha adhmaid. Tar éis di ligean don chlann slán a chur lena ndeirfiúr, d'fhág Mary an glac bláthanna a bhí ceannaithe aici is ag Oliver in aice na huaighe thar ceann na nGéanna Fiáine.

Thug Lauretta cuireadh dóibh beirt arís filleadh ar an árasán ar Grand Concourse. Bhí Mary ar tí glacadh leis an chuireadh. Ba iad an pus a bhí ar Oliver ar thaobh amháin agus an fhuaire i ndreach Cornelia ar an taobh eile a thug uirthi a rá le Lauretta mar leithscéal go mbeadh uirthi brostú ar ais chuig an oifig.

"Beidh mé i dteagmháil leat go luath," arsa Mary le Lauretta is shnaidhm an bheirt bhan iad féin ina chéile.

"Tabhair aire mhaith duit féin, Lauretta."

"Cad faoi dhul chun greim bia a fháil?" arsa Oliver le Mary ar fhilleadh ar an traein go Manhattan dóibh. D'fhág sí slán leis go colgach ag Stáisiún Penn. Nuair a bhí sí ar an dara traein go stáisiún Pháirc Halla na Cathrach, tháinig na deora lena súile agus chaoin sí uisce a cinn go géar goirt. Bhí na paisinéirí eile ag stánadh uirthi ach ní raibh neart ag Mary uirthi féin. B'ábhar faoisimh di é nuair a stop an traein ag an stáisiún. Mhoilligh sí ar an chosán os comhar Áras Woolworth go dtí go raibh sí cinnte go raibh an racht curtha dá croí aici. Ansin chas sí isteach san fhoirgneamh.

"An bhfuil tú i gceart, Miss Morrison?" arsa Max léi nuair a bhí an t-ardaitheoir ag dul thart le hUrlár 36. Ba léir do Mary go raibh sé i ndiaidh tabhairt faoi deara go raibh rud éigin contráilte ach go raibh sé idir dhá chomhairle ar chóir dó labhairt. Caithfidh gurbh í an feic í, ar sise léi féin, agus a dhá súil séidte ag na deora.

"Tá . . .," arsa Mary. Ní raibh fúithi a thuilleadh a rá ach, ina hainneoin féin, lean sí di. "Tá mé i ndiaidh a bheith ar shochraid seancharad."

"Ní maith liom do bhris."

"Tá mé an-bhuíoch díot, Max, as ucht do chineáltais," ar sise.

Nuair a bhí sí ag siúl síos an dorchla go dtí a hoifig, chas Mary thart. Bhí sé i ndiaidh teacht amach as an ardaitheoir le breathnú ina diaidh.

-II-

I gcaitheamh na seachtaine i ndiaidh na sochraide, ba go daor a d'íoc Mary as leathlá na sochraide a thógáil saor. Ba ar éigean a bhí faill aici a ceann a ardú ón charn comhad os a comhair ar a deasc oifige. Níor mhór di dhá choinne le hOliver a chur ar ceal, rud a chuir olc air. Bhí sí i ndiaidh nóta poist a sheoladh chuig Lauretta ag gealladh go dtiocfadh sí amach ar cuairt go luath. Ba i sreangscéal a tháinig freagra Lauretta: "BA MHAITH LIOM LABHAIRT LEAT. STOP. AR DO CHAOITHIÚLACHT. STOP. CAD A DHÉANFAIMID LE PÁIPÉIR K? STOP. ANSEO GACH LÁ. STOP. BEANNACHTAÍ L. STOP."

Agus cúpla cás dlí socair ag Mary, stiúir cheart curtha ar na comhaid eile aici agus gealltanas tugtha aici d'Oliver go mbeadh sí ar ais i Manhattan le bualadh leis le haghaidh an tsuipéir, shocraigh Mary ar leathlá eile a thógáil saor ón oifig Déardaoin ina dhiaidh sin le gabháil suas chuig an Bronx.

Nuair a thuirling sí den traein ag an stáisiún ar Shráid 149ú ar Ascaill a Trí, b'aoibhinn léi teas na gréine. Faoi dheireadh, sa chéad seachtain i mí na Bealtaine, bhí bun maith faoin aimsir. Bhain Mary di a cóta mór nuair a bhí sí ina seasamh ag an bhus-stop amuigh. Tháinig smaoineamh chuici. B'fhada ó bhí seans aici siúlóid réchúiseach a bheith aici. Rachadh sí an chuid eile den tslí de shiúl na gcos.

Idir teas bog na gréine agus an sos ón obair, mhothaigh Mary éadroime ina croí agus ina céim de réir mar a thug sí a haghaidh ar an Grand Concourse. Níorbh fhada uathu laethanta geala an tsamhraidh. Ní raibh a dhath socair aici faoina laethanta saoire. Seal lena hathair in Connecticut, cinnte. Agus seal le hOliver, b'fhéidir, mura raibh cúrsaí i ndiaidh titim as a chéile ar fad eatarthu faoin taca sin. Bhíodh sé ag tathant uirthi dul go Scranton, Penn., in éineacht leis le stopadh lena mhuintir. Ar ndóigh, b'fhaide go deo na laethanta saoire a bheadh aigesean mar mhúinteoir ná mar a bheadh aicise mar aturnae.

"Ba dheacair dom mórán níos mó ná mí a fháil mar shaoire ón oifig," ar sise leis lá i bhfad siar nuair a luaigh sé mí na meala in Éirinn. "Is ar éigean is leor mí nuair a chuirfí an t-aistear mara soir is anoir san áireamh."

Bhain a fhreagra geit aisti.

"Cheap mé, Mary, go raibh tú le héirí as do phost nuair a phósfaimis."

Is ea, bhí polasaí daingean ag comhlacht Woolworth gur ghá do mhná nuaphósta éirí as a bpost. Ach chreid Mary go bhfaigheadh sí post le comhlacht beag tar éis di pósadh. Anois, níor ghá di a bheith buartha go mbeadh uirthi beart a dhéanamh de réir a briathair roimh i bhfad. Ní raibh rún dá laghad aici pósadh go luath. Ní raibh sí cinnte ach oiread gur mhaith léi a bheith pósta ar fhear a bheadh ag súil leis nach mbeadh inti feasta ach Mrs Oliver Shannon, bean tí.

Lig Mary osna. Cibé rud a tharlódh, chaithfeadh sí cinntiú go n-éireodh léi éalú am éigin i rith an tsamhraidh ón aimsir thais mheirbh sin a rinne an diabhal ar néaróga is ar aoibh an phobail nach raibh teacht acu ar chóras aer-oiriúnaithe lena gcoimeád fionnuar. Aimsir ba ea í sin a chuireadh daoine le gealtacht de shaghas amháin nó de shaghas eile. Tháinig méadú ar líon na ndúnmharuithe i rith an tsamhraidh. Ba le maolú ar an ghealtacht sin a d'imíodh na sluaite go Staid Yankee anseo sa Bhronx, dar le Mary. D'fhéadfadh daoine dearmad a dhéanamh ar a míchompord ar feadh seala trína roinnt lena gcomharsana, trí theacht le breathnú ar chluiche corr is, níos tábhachtaí ná sin, trí bheith ag gáire is ag caint le chéile. Nár mhinic a bhí sé ráite ag Caitlín gurbh fhéidir léi a insint ón challán ón pháirc a thagadh trí na fuinneoga oscailte sa samhradh cad é mar a bhí ag éirí leis an New York Yankees?

De réir mar a lean Mary dá spaisteoireacht suas an Grand Concourse, rith sé léi gurbh í Caitlín féin a d'inis di lá go raibh an ascaill fhada fhairsing seo sa Bhronx múnlaithe ar ascaill iomráiteach Champs-Élysées i bPáras. Nárbh í Caitlín a bhí in ann cur síos ar iontais is ar dhraíocht mhórshráid Phárais! Bhí sí i ndiaidh ráithe a chaitheamh i bPáras nuair a bhí sí ag eagrú Aonach na nGael ann i mí Eanáir 1922. Ach bhí an oiread sin taistil déanta ag Caitlín san Eoraip gan trácht ar a cuairt ar an Astráil is ar an Nua-Shéalainn ar son na Cúise, is scéalta le reic aici dá réir. Rud ba ea é sin a chuireadh éad ar Mary nár fhág Meiriceá riamh.

Ba mhór idir maorgacht agus galántacht Champs-Élysées, faoi mar a chuir Caitlín síos air, agus an Grand Concourse na laethanta seo. Níor dheacair ar an chéad amharc an ascaill seo agus na crainn faoi dhuilliúr úr ar a dhá thaobh a shamhlú nuair a chónaíodh teaghlaigh ghustalacha WASP sna tithe arda is sna ceapa árasán. San am sin ba mhór is b'fhaiseanta é seoladh a bheith agat ar an Grand Concourse. Bhíothas i ndiaidh roinnt ceap árasán nua a thógáil ann ar na mallaibh ach ba mhó go mór líon na dtithe a bhí ag dul i ndíblíocht. Rómhall a bhí sé an ceantar a athnuachan, a dúirt aturnaetha is lucht díolta tithe. Bhí an pobal geal rachmasach ag teitheadh go leithéid Long

Island; agus an lucht oibre, Iodálaigh is Giúdaigh is an pobal gorm féin i ndiaidh aistriú isteach sa cheantar chun a gcuid féin a dhéanamh de.

Mura raibh an t-airgead ann, bhí beogacht iontach ann go fóill. De réir mar a rinne Mary a slí thart leis na siopaí beaga ar bhunúrlair na bhfoirgneamh, b'údar alltachta di na mná tí Giúdacha: cuid acu ag déanamh ar na búistéirí coisir; cuid eile ag stangaireacht faoi phraghas na nglasraí is na dtorthaí; agus cuid eile arís ag malartú mionchainte Giúdaise ar an chosán le linn dá bpáistí a bheith ag spraoi is ag rith thart. Ba ar an Déardaoin ba ghnách le bantracht Ghiúdach an Bhronx a gcuid siopadóireachta a dhéanamh ionas gurbh féidir leo tabhairt faoin chócaireacht is an teach a ghlanadh ar an Aoine in am don *shabat*.

"Ní bheinn sásta Champs-Élysées an Bhronx a mhalartú ar Pháras," arsa Caitlín le Mary tráthnóna an fómhar roimhe sin nuair a chuaigh siad beirt amach ag spaisteoireacht. Ba go gealgháireach croíúil a bheannaigh Caitlín do mhná na comharsanachta agus í ag stopadh ó am go ham le fiafraí den bhean seo cad é mar a bhí sí nó le ceist a chur ar an pháiste sin cad é mar a bhí ag éirí léi ar scoil. "Dream chomh lách leis an phobal anseo, níl a sárú le fáil aon áit—ach amháin in Éirinn, ar ndóigh."

Agus í ag druidim le huimhir 2240, chuir sin Mary ag cuimhneamh ar an chúis a raibh sí anseo inniu. Níor smaoinigh sí ar scríbhinní príobháideacha Chaitlín go dtí go bhfuair sí an sreangscéal ó Lauretta. Ar ndóigh, bhí sí féin agus Caitlín i ndiaidh a bheith ag obair ar chuimhní cinn Chaitlín ar an tréimhse 1916-1922 agus iad ag tarraingt ar cháipéisí a bhí ag Caitlín. Luigh sé le ciall go raibh scríbhinní eile aici tar éis di na blianta a chaitheamh mar iriseoir, gan trácht ar a cuid scríbhinní liteartha.

Ní nach ionadh, ní bheadh a fhios ag Lauretta cad ba

cheart a dhéanamh leo. Bhí a fhios ag Mary féin go mbíodh Caitlín ag féachaint le scéalta léi a fhoilsiú. Corruair agus Mary i ndiaidh teacht ar cuairt, luadh Caitlín go raibh sí i ndiaidh diúltú a fháil ó nuachtán amháin nó ó iris eile. Ceist nár chuir Mary nó nár fhreagair Caitlín ó thosaigh sí féin ag obair le Mary: cad chuige a raibh siad ag gabháil don mhórchuntas sin? An é go raibh rún ag Caitlín é a fhoilsiú? Ní raibh mórán cur amach ag Mary ar scríbhneoirí ach rith sé léi gur dócha gur beag údar a bhí ann riamh a chuir roimhe scríbhinn a chur i dtoll a chéile murar chreid sé go bhfeicfeadh an scríbhinn solas geal an lae am éigin gan trácht ar chúpla dollar a shaothrú. Thar aon rud eile, nárbh í Caitlín a bheadh buíoch de na dollair sin. Ceist bhainteach eile a rith le Mary ar na mallaibh an raibh uacht déanta ag Caitlín inar thug sí treoracha faoi cad ba chóir a dhéanamh lena cuid páipéar. Bheadh a fhios ag Lauretta an raibh a leithéid ann.

Ó fuair sí sreangscéal Lauretta, bhí Mary i ndiaidh glao gutháin a chur ar sheanchara léi ó Ollscoil Saint Louis a bhí ag obair le comhlacht foilsitheoireachta mór le rá i mBostún.

"Éire . . ." Ba ríshoiléir an díspeagadh i nglór Helen. "Níl spéis ag aon duine sa seanscéal sin! Cogar, tá údar ó Éirinn tar éis a bheith i dteagmháil linn le déanaí. Tá sé ag obair ar bheathaisnéis duine arbh ainm dó Collins . . . Tá a fhios agat, an laoch mór sin sa chogadh in Éirinn cúpla bliain ó shin ar fheallmharaigh a mhuintir féin é? . . . OK, Mary, tuigim nach gceapann gach duine gur laoch mór é." Rinne Helen gáire ard croíúil nuair a d'aithin sí go raibh Mary ar tí í a cheartú. "Cibé ar bith, cheap mo dhuine, an Ginearál . . . Brazil . . . Bedlam . . . Bunkum . . . ní cuimhin liom a ainm ach cheap mé san am nár cheann ró-Éireannach é . . . cheap seisean go bhfaigheadh sé lán na laidhre de dhollair ar chearta foilsithe beathaisnéise an laoich . . . nó an tréatúir . . . Beidh an t-ádh dearg ar an Ghinearál cóir má chlúdaíonn sé costas an pháipéir is a chuid dúiche. As faisean is faoi ráta atá scéalta faoi Éirinn."

Bhuel, arsa Mary léi féin, agus uimhir 2240 bainte amach aici, mura raibh tiomna ann, ní fhéadfadh sí ach gealltanas a thabhairt do Lauretta go n-iarrfadh sí ar a cara breathnú ar na scríbhinní, ar na cuimhní cinn féin, féachaint an mbeadh margadh ann d'aon cheann acu.

Léiriú grinn ar an mheath a bhí ag teacht ar limistéir Grand Concourse an foirgneamh seo. D'fhéadfadh Mary a shamhlú go raibh tráth ann nuair a bhíodh an t-áras seo galánta ach bhí cuma na faillí ag teacht ar an taobh amuigh idir fhuinneoga lofa agus phéint thréigthe amhail is nár leasc leis na húinéirí a admháil go poiblí nárbh fhiú dóibh airgead a chaitheamh air mar nach mbeadh ag teacht ar lorg lóistín ann ach daoine nárbh acmhainn dóibh gearán faoina leithéid. Nó faoin tseanfhoirnéis a bhíodh as feidhm go rialta i rith an gheimhridh. Nó faoin easpa chóras aer-oiriúnaithe a dhéanadh sabhna den fhoirgneamh sa samhradh. Dá leanfaí den neamart, níorbh fhada go mbeadh an ceap árasán seo ag dul i ndíblíocht ar nós go leor foirgneamh eile ar an bhúlbhard.

Ba le díoscán insí nár cuireadh ola orthu le fada an lá a bhrúigh Mary an doras mór isteach. Go bhfios di, fágadh ar oscailt é de ló agus d'oíche. Murab ionann is na ceapa árasán in Manhattan, ar nós an chinn ina raibh cónaí ar Mary féin, ní raibh aon fheitheoir forhalla, nó *concierge*, de réir bhlas ardnósach Manhattan na saolta deireanacha seo, anseo. Ní raibh ann ach forhalla lom ina raibh poill phoist lucht a chónaithe, an dá ardaitheoir is staighre ag dul suas . . . Bhí Mary ar tí déanamh ar an staighre nuair a thug sí faoi deara go raibh an doras amach go dtí an gairdín clóis taobh thiar den fhoirgneamh ar faonoscailt. Ní raibh ann ach paiste talún ina bhfágadh muintir an tí a gcuid bruscair nuair nach mbíodh na trucailí dramhaíola in ann teacht timpeall sa gheimhreadh. An chorruair dá raibh Mary amuigh ann le Caitlín an fómhar roimhe sin, d'fheicfí go fóill corr-rós mar chuimhneachán geal deilgneach ar an am nuair a bhíodh an gairdín faoi bhláth.

Ba é boladh trom, ar nós dó ola, a thug ar Mary gabháil amach sa ghairdín. Caithfidh go raibh duine éigin i ndiaidh tine a lasadh ann ach ar eagla na heagla go raibh páistí ag pleidhcíocht ann . . .

Dóbair gur chúlaigh Mary ar an toirt nuair a chonaic sí cé a bhí ann. Bhí Cornelia Hughes cromtha síos ag tine mhór, bosca lena taobh, agus í ag caitheamh páipéar agus ceirníní ar an tine. Agus í croite go maith, thóg sé bomaite sular thuig Mary cad a bhí ann . . . agus fós ní fhéadfadh sí a chreidbheáil go mbeadh an ceart aici féin. Ní dhéanfadh Cornelia a leithéid . . . Ní dhéanfadh . . .

Amach le Mary sa ghairdín faoi dheireadh gur stop arís. Ba cheart di a fháil amach go beacht cad a bhí ar siúl ag Cornelia ar eagla go gcuirfeadh sí a ladar i meadar gan suaitheadh. Ach dá mbeadh an ceart aici . . .

"Cornelia . . . Mary Morrison anseo . . . An bhfuil Lauretta sa bhaile?"

D'iompaigh Cornelia thart. Fuair Mary radharc ceart ar chuid de na cáipéisí a bhí ina glac ag Cornelia . . . Is ea, d'aithin sí féin iad siúd . . . Ba de chomhfhreagras Chaitlín iad, litreacha a bhí úsáidte acu beirt nuair a bhí siad ag obair ar chuimhní cinn Chaitlín . . . D'aithin sí clúdach ceirníní de chuid McCormack . . .

"Cornelia, níl aon chead agat . . ." Níorbh é seo an t-am le bacadh le cáiréis an dlí maidir le cead is le húinéireacht is le húdarás go háirithe mura raibh a huacht déanta ag Caitlín. Ba leor a leithéid a chíoradh ar ball. D'fhéach Mary leis na cáipéisí a tharraingt ó Cornelia. Thit ceirnín ó láimh na mná eile. D'éirigh le Mary greim a fháil ar chorrcháipéis, stróiceadh a thuilleadh ach chas Cornelia uaithi is chaith an fuíoll isteach faoin tine.

Bhí scaoll faoi Mary . . . Bhrúigh sí thart le Cornelia is thug iarraidh breith ar na doiciméid sa tine . . . Rug sí ar litir leathloiscthe . . . Sheas uirthi chun na lasracha a mhúchadh . . . Rinne sí iarracht ceirnín a fháil . . . Baineadh béic as Mary le pian is tharraing sí siar a lámh go beo nuair a dhóigh an chéir leáite í . . . Bhí an tine róthé . . . Ba bheag maitheas a bhí ina bróga . . . D'fhéach sí thart ar lorg maide . . . Chaithfeadh sí deifriú sula mbeadh sé rómhall . . .

Ach ní fhéadfadh sí a dhath a dhéanamh. Nó, ar sise léi féin nuair a thuig sí go raibh Cornelia ag déanamh réidh lena thuilleadh ábhair a theilgean sa tine, mura raibh sí in ann na cinn dhóite a thabhairt ar ais, thiocfadh léi an chuid a bhí slán go fóill a shábháil.

"Stad de seo, Cornelia" a scread sí. "Stad den ghealtacht seo. Ní hé seo an rud a theastódh ó Katherine."

B'fhéidir gurbh é an tagairt dá deirfiúr as a hainm ceart faoi deara é. Stop Cornelia agus den chéad uair d'amharc sí idir an dá shúil ar Mary.

"Ní dhearna a cuid scríbhneoireachta mórán maitheasa di nuair a bhí sí beo. Is fearr fáil réidh leis."

"Ach . . . ach seo a páipéir phríobháideacha . . . cuntais ar a hobair ar son na hÉireann . . ."

"Mallacht a bhí ann an chéad lá riamh dá ndeachaigh sí go hÉirinn . . ." Dóbair go raibh Cornelia ag béicíl. "Cad a rinne Éire ach a saol a chur ó mhaith? . . . Cad a rinne Éire ach í a mharú? . . . Cad a rinne Éire ach an teaghlach seo a scrios? . . . Ní raibh lá ratha ar aon duine againn ó ghabh an áit mhallaithe sin seilbh ar Katie. Ní bheidh lá suaimhnis ag Katie nó ag aon duine againn go gcuirfear na páipéir is na ceirníní seo de dhroim an domhain . . ."

Thiontaigh Cornelia ó Mary. Bhí Mary lánchinnte go raibh an bhean eile ar tí a thuilleadh páipéar a chaitheamh isteach sa tine. Ach níor thúisce Cornelia crom ar a cúram athuair gur chuala Mary glórtha taobh thiar di. Bhreathnaigh sí siar i dtreo an dorais. Bhí áitreabhaigh eile i ndiaidh cruinniú le chéile ansin, tar éis dóibh an callán a chluinstin. Agus ansin, ar nós *deus ex machina* i gceann de na drámaí clasaiceacha sin a bhíodh ag Mary ar scoil, *deus ex machina* a thagadh go míorúilteach chun achan rud a chur ina cheart, bhí Lauretta ann.

Bhí idir iontas agus fhaoiseamh ar Mary nuair a cheansaigh Lauretta Cornelia. Níor chuir Cornelia i gcoinne a deirféar nuair a thóg Lauretta an glac páipéar ó Cornelia agus threoraigh í i dtreo an dorais.

Ba ansin a thug Mary faoi deara go raibh sconna taobh amuigh in aice leis an doras. Cibé úsáid a bhainfeadh lena leithéid cúpla bomaite roimhe sin, ba bheag maitheas a bheadh san uisce faoin taca seo. Rinne Mary ar an tine is tharraing amach aisti aon phíosa páipéir nach raibh ach tíortha. Bhailigh sí le chéile an chuid eile a tháinig slán ó bhuile Cornelia. Níorbh fhiú bacadh leis na ceirníní. Ansin sheas sí os comhair na tine is d'fhéach uirthi agus í ag dul as go mall.

Caibidil a Cúig

-I-

"Lig dom amharc ar do láimh bhocht."

"Dada é." Níorbh í sin an fhírinne ghlan mar bhí goimh ann.

"Lig dom breathnú uirthi ar scor ar bith."

Bhí faobhar ar ghuth Lauretta. Faoi straidhn a bhí sí, a thuig Mary. Agus í croite go fóill, dála Mary féin. Níorbh é seo an t-am lena thuilleadh trioblóide a tharraingt uirthi. D'ardaigh Mary a lámh gur scrúdaigh an bhean eile go cúramach í. D'imigh sí go cófra ansin gur fhill le hungadh.

"Cuirfidh mé cuid ar do láimh agus tig leat an canna seo a thabhairt leat. Cuir a thuilleadh ungtha air anocht. Ba cheart go mbeadh feabhas ag teacht air amárach. Níl ann ach go bhfuil an craiceann loiscthe. Úsáid an t-ungadh más gá ach is é an t-aer an leigheas is fearr."

Is ea, arsa Mary léi féin nuair a chuala sí an sruth cainte sin, ní shamhlódh sí gur chuir Lauretta suas le leiciméirí is le leisceoirí nuair a bhíodh sí ina banaltra.

"An bhfuil Cornelia ceart go leor?" arsa Mary nuair a d'imigh Lauretta sall chuig an chuntar chun an citeal a chur síos. A thúisce is a luaigh sí ainm na mná eile, amhail is go raibh sí i ndiaidh teacht chuici féin ón chroitheadh a baineadh aisti, chuimhnigh Mary ar na páipéir. A Thiarna, cad a bhí scriosta ag Cornelia? Cad a bhí sábháilte aici féin? Thar aon rud eile, ar tháinig an chlóscríbhinn sin ar oibrigh sí féin is Caitlín uirthi slán? Theastaigh ó Mary gabháil ag scrúdú an bhosca a thóg sí aníos ón ghairdín cúil.

"Tá sí thíos ina seomra. Ligfidh mé di a racht a chur di. Rachaidh mé síos chuici ar ball."

Bhí Lauretta i ndiaidh moilliú ag cuntar na cistine amhail is nach raibh sí in ann suí.

"Ormsa féin atá an locht," ar sise go ciúin. "Níor chóir dom Cornelia a fhágáil léi féin. Ach tá Alfie ar an drabhlás arís. Tá sé ar shiúl le cúpla lá anuas. D'inis duine de na comharsana dom go bhfaca sí é ag dul isteach i síbín gar do Zú Bronx. Chuaigh mé ar a lorg. Ach bhí sé imithe áit éigin eile faoin am ar shroich mé an síbín. A bhuí le Dia go bhfuil sé beo go fóill. Bhí faitíos an domhain orm go raibh sé ina luí marbh áit éigin. Ní fhéadfainn sochraid eile a fhulaingt."

"Ní raibh neart agat ar ar tharla." Dá dtiocfadh Cornelia Hughes isteach sa seomra ar ball, ba é dícheall Mary é gan na súile a stoitheadh amach as blaosc a cinn, in ainneoin a láimhe gortaithe. Ach ag an bhomaite seo, an rud tábhachtach ná aird Lauretta a tharraingt ar na páipéir arís. "Ní raibh a fhios agat go raibh do dheirfiúr le páipéir Chaitlín a dhó."

"Ó . . ." Chuir Lauretta a lámh lena béal. Rinne sí ar an tábla is chuaigh ag ransú an bhosca. "A leithéid de . . ." D'fhéach sí ar Mary. "Tá an chlóscríbhinn seo agaibhse agat féin, nach bhfuil? An ceann a chríochnaigh sibh roimh bhás Katie?"

Ba leor mar fhreagra aghaidh bhán Mary.

"Tá cóip eile ann? . . . Caithfidh go bhfuil? . . . "

"Níl," a d'fhreagair Mary go creathach ciúin. "Bhí an t-aon chóip ag Caitlín go fóill . . ."

"Ó, a Thiarna . . ." Ní raibh Lauretta in ann a thuilleadh a rá mar bhris an gol uirthi. D'éirigh Mary is chuir a dhá lámh timpeall na mná eile. De réir mar a theann sí Lauretta lena croí, bhí a súile ar an bhosca. Níor mhór di a bheith i ndóchas gur tháinig an clúdach trom donn agus a raibh istigh ann slán.

-II-

Níor tháinig.

A thúisce is a d'imigh Lauretta siar le cupán tae a thabhairt do Cornelia, bhí Mary i ndiaidh dul trí na páipéir sa bhosca. Chuir sí na cinn nár loisceadh amach ar an urlár os a comhair. Litreacha cuid acu. Dréachtaí litreacha le Caitlín agus litreacha chuig Caitlín. Bhí roinnt scríbhinní a bhí fillte i bpáipéar mainileach ann fosta. D'ardaigh meanma Mary. Ba leor leagan súl a thabhairt orthu le cinntiú nach raibh an scríbhinn a bhí uaithi orthu.

Ansin, dhírigh Mary ar an ábhar leathloiscthe. Ní raibh an scríbhinn ann ach oiread. Níor dhoiligh a shamhlú gur ar an chlúdach trom donn sin a luigh súile Cornelia i dtosach agus gurbh é sin an chéad rud a dhóigh sí. Lig Mary osna chléibh. Murach go raibh sí féin i ndiaidh siúl suas Grand Concourse . . . murach nár tháinig sí inné nó aon lá eile roimhe seo . . . murach nach raibh sí i ndiaidh an scríbhinn a thógáil léi an oíche Dé Domhnaigh sin . . .

Is ea, cur amú ama a bhí in achan rud le bliain anuas ó thaobh na hoibre de, ar sise léi féin go searbh. Níos tábhachtaí ná sin, agus an tseirbhe ag géilleadh don diomachroí, ní bheadh aon taifead ar chuimhní cinn Chaitlín ar fheachtas na bPoblachtach i Meiriceá ó 1916 i leith. Níor ghá di a bheith buartha faoi thiomna Chaitlín a bheith ann ná as anois.

"Níor éirigh leat teacht ar bhur scríbhinn . . .?" arsa Lauretta go dóchasach, ar theacht ar ais di.

"Níor éirigh. Níl a luaith ná a láithreach ann."

"Tá rud agam anseo . . ." Bhí Lauretta i ndiaidh comhad a fhágáil os comhair Mary. Nuair a chonaic Lauretta an loinnir i súile Mary, labhair sí go beo. "Ní hé an scríbhinn seo agaibhse é. Seo rud eile."

"Ní thuigim cad atá i gceist agat."

Bhí Lauretta ag doirteadh amach tae don bheirt acu ag an chuntar. Ansin tháinig sí anall chuig Mary is shuigh sise in aice léi.

"Chuir Katie muinín mhór ionat . . .," ar sise go mall. "Tá a fhios agam sin. Ní iarrfadh sí ort cuidiú léi leis an scríbhinn . . . Ó, a Mháthair Dé, nuair a smaoiním ar an obair uilig a rinne sibh beirt air sin . . ."

"Ní thuigim go baileach cad é . . ." Mar gheall ar a hoiliúint mar aturnae, cheap Mary go raibh sé de bhua aici go bhféadfadh sí a thomhas cad a bhí cliant nó finné nó aturnae freasúrach nó breitheamh féin ar hob a rá. Ach ní raibh tuairim aici cá raibh triall Lauretta.

"Seo, lig dom é a mhíniú. Tá a fhios agam—agus tá a fhios agam toisc gur inis sí dom é—go raibh Katie ag labhairt leat faoina . . . faoina saol príobháideach." D'fhéach Lauretta i dtreo an dorais sular chas sí thart is rinne gáire beag neirbhíseach. "Is dócha go bhfuil Cornelia ina codladh faoin taca seo . . . Chuir mé dhá spúnóg mhóra de rum Alfie ina cuid tae . . . ach níor mhaith liom go gcloisfeadh sí seo."

Ba dhoiligh do Mary srian a chur lena mífhoighde.

"Cuirimis mar seo é," arsa Lauretta. "Seanbhean phósta mise . . . is bean óg nua-aimseartha thusa . . . agus is seanmhaighdean Cornelia." Den chéad uair an lá sin, chonaic Mary rian an gháire ar bhéal Lauretta.

"Is ea . . ." Níorbh é seo an t-am le bun, barr agus beaichte na dtagairtí sin a phlé. Ba leor an chaint a mhealladh ó Lauretta go mear. "Mar sin, tá rud éigin sa chomhad nach dtaitneodh le Cornelia?"

"Tá . . . cuntas ar chumann Katie le fear . . . leis an fhear clainne sin a luaigh sí leat. Cuntas é a scríobh Katie tamall ó shin . . . agus ar ndóigh, choinnigh sí i bhfolach é ar eagla go bhfeicfeadh Cornelia é."

"Sin é an fáth nach bhfuil sé dóite, is dócha . . ." Bhí Mary ag féachaint le hord a chur ar na smaointe ina haigne . . . cuntas ar a cumann le de Valera! . . . A Chríost, cibé rud faoin chumann féin, cad chuige a scríobhfadh Caitlín cuntas dá leithéid, cuntas a dhéanfadh dochar do ghluaiseacht na Poblachta dá bhfoilseofaí é . . . ar nós an ruda a tharla do Parnell glúin roimhe sin? . . . Nach go daor a d'íocfadh naimhde na Poblachta i mbaile is i gcéin as cáipéis mar sin? Ba é an feall nach raibh sé seo dóite ag Cornelia . . .

"B'fhéidir gur fearr fáil réidh leis an chuntas . . .," ar sise le Lauretta. Dá bhfaigheadh sí féin greim air, ba go gasta a scriosfadh sí é.

"D'iarr Katie orm é a thabhairt duit . . . Sin an chúis gur chuir mé sreangscéal chugat i ndáiríre. Dúirt sí go mbeadh a fhios agat cad ba chóir a dhéanamh leis tar éis duit é a léamh."

Bhí Lauretta i ndiaidh an comhad a thógáil ón tábla is é a shíneadh chuig Mary.

"Cibé rud a dhéanann tú leis . . . beidh mise sásta leis. Agus tá a fhios agam go mbeadh mo dheirfiúr sásta leis fosta."

B'iomaí cúis chiallmhar a bhí leis. Bhí sí féin suaite go fóill. Bheadh an bosca féin róthrom di. Bhí a lámh dhóite nimhneach. Níor mhaith léi gabháil i dtacsaí ina haonar ar eagla go gcaillfeadh sí an comhad sin.

Bhí Lauretta i ndiaidh insint di go raibh teileafón poiblí dhá bhloc ó thuaidh ó Uimhir 2240. B'fhearr dul ansin in ionad triail a bhaint as aon duine de na comharsana, arsa Lauretta. Bhíodar go deas ach bhíodar rófhiosrach. Bheidís siúd ag iarraidh fios fátha gach scéil a fháil. Is ea, arsa Mary léi féin, ba shliseanna den seanmhaide céanna Lauretta agus Caitlín.

Bhrostaigh Mary síos. Ar an drochuair, bhí duine ar an ghuthán agus beirt eile sa scuaine ina dhiaidh. Ní den chéad uair thug Mary mionnaí móra as siocair nach raibh guthán ag Lauretta. Ba go mífhoighdeach a mhoilligh sí ar an chosán. Faoi dheireadh, tháinig a seal. Chuir Mary glao ar Gertrude san oifig i Manhattan is d'iarr uirthi Max, giolla ardaitheora, a fháil. Ní raibh a shloinne ar eolas aici. Más amhlaidh gur chuir an t-iarratas sin iontas ar an rúnaí, bhí barraíocht céille aici gan Mary a cheistiú.

Tar éis tost chúpla bomaite, chuala sí an guth ar an taobh eile den líne. B'fhollas go raibh Gertrude i ndiaidh insint dó cé a bhí ar a lorg.

"Haileo, Miss Morrison," ar seisean. "Cluinim gur mhaith leat labhairt liom."

Le linn do Mary a bheith ag míniú dó go raibh cuidiú de dhíth uirthi is cá mbeadh teacht uirthi, bhí sí ag rá léi féin go gceapfadh sé gur gealt cruthanta í.

"Ar ndóigh, ní bheidh tú thíos leis seo . . . tá a fhios agat, ó thaobh na hoibre nó an phá de," ar sise leis.

"Beidh mé ann faoina sé a chlog, Miss Morrison," ar

seisean mar fhreagra. "Tig le duine de na giollaí eile teacht i gcabhair orm."

Shílfeá óna ghlór réchúiseach, a dúirt Mary léi féin, nach raibh rúnaí éigin ach i ndiaidh iarraidh air litir a thabhairt suas leis ar an ardaitheoir.

Rinne Mary glao theileafóin eile, an iarraidh seo chuig scoil Oliver chun an coinne le haghaidh an tsuipéir a chur ar ceal. Bhí rúnaí na scoile san oifig go fóill. Is ea, thabharfadh sí an teachtaireacht don Uasal Shannon. D'fhéadfadh sí é a fháil ó tharla go raibh sé i seomra na foirne. Ba leor an teachtaireacht a thabhairt dó, arsa Mary go mear. B'fhusa di gan labhairt leis-sean ag an phointe seo.

Is ea, arsa Mary léi féin nuair a bhí sí ag fanacht le Max ar ais in árasán Lauretta, b'iomaí cúis mhaith a bhí lena roghnú ach ní raibh sí cinnte cad chuige a ndearna sí sin go fóill.

Ní raibh sí ag iarraidh Oliver a thabhairt anseo. Bheadh uirthi rudaí a mhíniú dó. Faoi Cornelia. Faoina láimh ghortaithe. Faoin chlóscríbhinn a bheith dóite. Faoin chomhad a bhí tugtha ag Lauretta di. Bheadh sé ag clamhsán . . . nó ar a laghad, mhothódh sí go mbeadh sé ag rá leis féin gurbh ise a tharraing an trioblóid seo uilig uirthi féin nuair a thug sí an chluas bhodhar dá dhea-chomhairle. Mhothódh sí féin ansin gur ghá di í féin a chosaint air agus níorbh fhada go mbeadh an dís acu ag sáraíocht ar a chéile.

Ach cad chuige Max? Bhuel, murab ionann is aon duine de na fir sna Géanna Fiáine, ní raibh aon chur amach aige ar an pholaitíocht uilig . . . is gan aon tuiscint aige don phriacal a bhain leis an scríbhinn féin. Lena chois sin, in ainneoin nach raibh mórán aithne aici air, chreid sí gurbh eisean an sórt a bheadh discréideach go leor. Thabharfadh Mary buille faoi thuairim gurbh iomaí rud a chluineadh sé de shiúl an lae de réir mar a théadh sé suas anuas ar an ardaitheoir. Níor chuala Mary aon duine in Áras Woolworth ag cur i leith Max go raibh sé béalscaoilte.

D'fhill Robert Kneil abhaile ón obair i ndiaidh a cúig. Gach re bomaite, agus í ina suí san árasán, d'amharcadh Mary ar a huaireadóir go mífhoighdeach is bhreathnaíodh i dtreo an dorais mhóir is i dtreo sheomra Cornelia. B'fhearr léi a bheith bailithe léi sula ndúiseodh Cornelia.

Faoi dheireadh, bhuail cloigín an dorais. D'imigh Kneil chun an doras a oscailt.

"Seo Max . . ." D'éirigh Mary ar an toirt. Bhí sí i ndiaidh a rá léi féin go mbuailfidís bóthar a thúisce is a thiocfadh sé. Ní bheadh aon chall le mionchaint. Ach luigh sé leis an chúirtéis go gcuirfeadh sí Max in aithne don lánúin phósta. "Seo Max . . ." A Thiarna, cad chuige nár fhiafraigh sí de Gertrude cá sloinne é.

"Haileo, is mise Max Doyle." Má thug sé faoi deara cé chomh buíoch beannachtach is a bhí Mary de as teacht i gcabhair uirthi, níor lig Max a dhath air. Chroith sé lámh le Lauretta is le Kneil.

A thúisce is a d'aithin Lauretta a ghlór, chuir sí ina shuí é. Cén áit i dTalamh an Éisc arbh as dó go baileach? . . . Ó, as Leathinis Avalon dó . . . Cén áit san Avalon? . . . Holyrood . . . Ar dhuine gaoil le Stella Doyle ó Holyrood a bhíodh ag obair mar bhanaltra san ospidéal in Ottawa é? . . . Col cúigir leis í . . .?

Thóg sé fiche bomaite eile, cupán tae, agus mionscagadh ar phór mhuintir Uí Dhubhghaill ón Ioruaidh aduaidh go Loch Garman agus siar go Talamh an Éisc ina dhiaidh sin sular éirigh le Mary Max a bhrú amach an doras. Bhí air gealltanas a thabhairt do Lauretta go dtiocfadh sé ar ais ar cuairt go dlúth ina dhiaidh sin.

"Agus tóg leat Mary fosta," arsa Lauretta le Max agus í ag croitheamh láimhe leis ag an doras amach. B'amhail is gurbh é Max an seanchara seo acusan is nach raibh i Mary ach cuairteoir nua.

"Beidh mé i dteagmháil leat go luath. Nuair a bheidh seans agam breathnú air seo," arsa Mary le Lauretta agus í ag sméideadh ar an chomhad ina láimh.

Lean Max Mary anuas an staighre agus é ag iompar an bhosca. Choinnigh sí féin greim docht ar an chomhad. Stop sí san fhorhalla is chas chuige.

"Caithfimid tacsaí a fháil."

"Tá ceann amuigh agam," ar seisean.

Ceart go leor, bhí sé páirceáilte taobh amuigh ag an chosán. Ar dhul amach dóibh, chuala Mary an tiománaí ag míniú do bhean Ghiúdach nach bhféadfadh sé síob a thabhairt di. Bhí sé fruilithe cheana.

"Bhuel, sin ceann nua domsa," arsa Mary le Max. "Tiománaí tacsaí de chuid Nua-Eabhraic atá sásta fanacht le cliant go dílis is cur suas de phaisinéir eile."

"Gheall mé síntiús mór láimhe dó," arsa Max agus é ag sá an bhosca isteach faoin suíochán cúil.

Chuir Mary cár uirthi féin. Ní raibh an t-airgead tirim aici le híoc as an táille gan trácht ar an síntiús láimhe. Chuardaigh sí ina mála. Bhí nóta féich de chuid chomhlacht Woolworth aici. Chuir sí ceist ar an tiománaí an nglacfadh sé leis sin. B'fhearr leis an t-airgead tirim ach ghéill sé faoi dheireadh.

"Is duine lách í Mrs Kneil," arsa Max le Mary nuair a bhí siad ag dul síos Grand Concourse.

"Is ea," arsa Mary. Bhí sí idir dhá chomhairle arbh í seo an mhionchaint bhéasach amháin nó ar iarracht í chun an ceann a bhaint den scéal faoin bhosca. Ní raibh uaithi bun agus barr an scéil a mhíniú. "Ba le cara liom . . . deirfiúr le Lauretta, le Mrs Kneil . . . an t-ábhar seo."

"Do chara a fuair bás an tseachtain seo caite?. . ."

Sméid Mary a ceann. B'fhusa ligean dó a chreidbheáil gurbh í bás Chaitlín faoi deara an dúnárasacht seachas go raibh a dhath le ceilt aici.

Thrasnaigh siad Abhainn Harlem ar an Droichead Ard ag 174th Street go Manhattan. Ní raibh na bóithre síos tríd róghnóthach ó tharla go raibh brú tráchta an tráthnóna thart. Bhí Mary ag smaoineamh ar a raibh le cur i gcrích aici. An chéad rud ná an comhad a iniúchadh i gceart agus ansin é a chur faoi ghlas sa taisceán ina hoifig.

Agus é ag tarraingt ar a naoi a chlog, ba bheag duine a bhí ag obair istigh in Áras Woolworth diomaite den fhoireann slándála is den fhoireann glantóireachta. Tar éis do Mary an nóta féich a shíniú, d'imigh sí féin agus Max i dtreo an fhoirgnimh. Ní raibh ach corrcheann de na hardaitheoirí i bhfeidhm. Neil Denner, cara le Max a ghlac a áit chun ligean dó imeacht níos luaithe, a bhí ar diúité go fóill. Má cheap Neil go raibh a dhath as an ghnáth ann go raibh Max ag iompar bosca ina raibh doiciméid a raibh boladh na toite orthu, ní dúirt sé aon rud.

"Beidh mé féin críochnaithe ar a naoi a chlog," ar seisean le Max nuair a bhí sé féin agus Mary ag fágáil an ardaitheora. "An rachaimid le greim bia a fháil?"

"Is ea, buailfidh mé leat thíos ag an *diner*."

A thúisce is a bhain siad a hoifig amach, chas Mary chuig Max a bhí i ndiaidh an bosca a chur síos ar an urlár.

"Tá mé thar a bheith buíoch díot . . ." D'aithin Mary an tiúin fhuar oifigiúil ar a glór is d'fhéach le maolú air. "Max, rinne tú gar mór dom anocht agus is deacair dom sin a chúiteamh leat." Agus í ag caint, rith sé léi go bhféadfadh sí iasacht a fháil ó bhosca an mhionairgid in oifig Gertrude. "Seo," ar sise ag dul amach di. "Seo cúpla dollar duit . . ."

Bhí sí i ndiaidh an bosca a thógáil amach ó dheasc Gertrude is nóta chúig dhollar a aimsiú.

"Níl aon airgead uaim," arsa Max. "Ní dhearna mé ach a ndéanfadh fostaí dúthrachtach ar bith."

"Tá mé iontach buartha más amhlaidh gur ghortaigh mé thú." Nach í a bhí i ndiaidh a botún a dhéanamh. Chuir sí an t-airgead isteach sa bhosca.

Rinne sé gáire fann.

"Ní dhearna mé ach a ndéanfadh cara."

"Bhuel, tá súil agam go mbeidh mé in ann an comhar a roinnt leat roimh i bhfad."

"Oíche mhaith, Miss Morrison."

"Mary m'ainmse."

"Oíche mhaith, Mary." Chas sé le himeacht. "Caithfidh go bhfuil ocras ort. Ar mhaith leat teacht anuas go dtí an *diner*?"

"Ní dea-chuideachta a bheadh ionamsa anocht," a d'fhreagair Mary. "Imigh thusa go bhfeice tú do chara."

A thúisce is a d'imigh sé an doras amach, bhí aiféala uirthi nach raibh sí i ndiaidh glacadh leis an chuireadh. Bhí sí stiúgtha leis an ocras. Agus ba dheas cuideachta a bheith aici in ionad a bheith ag filleadh ar a hárasán léi féin.

Ar ndóigh, d'fhéadfadh sí glaoch ar Oliver féachaint an raibh sé ag labhairt léi go fóill is a fhiafraí de ar mhian leis teacht ina haraicis.

Ach faoi mar a dúirt sí le Max, níorbh aon dea-chuideachta í anocht. Chuir Mary an bosca mionairgid ar ais sa tarraiceán i ndeasc Gertrude. D'fhill sí ar a hoifig féin, is thóg a cuid toitíní amach as a mála. Gheobhadh sí cupán caife ó dhuine den fhoireann glantóireachta anois díreach. Shuaimhneodh an toitín is an caife a néaróga is shocródh a goile. Chuirfeadh sí a thuilleadh ungtha ar a láimh bhocht.

Ansin gheobhadh sí amach cad a bhí sa chomhad sin.

-IV-

Grianghraf an chéad rud a thóg Mary amach as, grianghraf
ina raibh fear agus bean. D'aithin sí Caitlín ar an toirt, cé
gur léir ó dhreach folláin na hóige uirthi gur tógadh an
grianghraf seal maith de bhlianta roimhe sin. Bhí sise ina
suí ar chathaoir, aoibh gheal gháire ar a haghaidh. Ina
sheasamh taobh thiar de Chaitlín a bhí an fear, dreach
cosantach scáfar ar a aghaidh amhail is go raibh sé ann in
éadan a thola. Níor aithin Mary an fear ach níorbh é de
Valera é, a bhuí le Dia. Chas sí an grianghraf thart.
"*Londain, Mí an Mhárta 1914*" a bhí scríofa air.
      Thóg Mary an chéad cháipéis eile. Litir lámhscríofa a
bhí inti.

c/o Blue Bird Cottage,
Bóthar Bhaile Átha Cliath,
Mullach Íde,
Co. Bhaile Átha Cliath,
The Irish Free State

6ú Meitheamh 1924
A Chaitlín, a chara,
      Is é do bheatha.
      Tá súil agam go bhfuil tú i do shláinte an athuair.
Thuigeas ón méid a bhí i do litir go raibh tú tar éis a bheith
breoite.
      Tá aiféala orm nach bhfuaireas faill tú a fheiscint nuair
a bhí tú in Éirinn insan earrach '22. Níorbh uain mhaith é
le bualadh le daoine . . . an chéad duine ag tacú leis an
gConradh agus an dara duine go fíochmhar ina éadan:
fuath, fearg agus fala ar chaon taobh. Tuigim cén fáth ar
chuir tusa ina éadan. Tá súil agam go dtuigeann tú cén fáth

nárbh fhéidir liom a chreidiúint go gcuirfeadh Mícheál Ó Coileáin, beannacht Dé lena anam uasal, a shíniú leis an gConradh murach gur chreid sé féin gurbh í an Phoblacht a thiocfas as.

Ar ndóigh, tá an oiread sin tarlaithe ó shin. Tá comrádaithe maithe ar an dá thaobh ar shlí na fírinne, is do sheanchara Harry Boland orthu. Is eagal liom nach bhfuil i ndán don tír bhocht mhallaithe seo ach an tseirbhe is an chiniciúlacht. Céard a d'imigh ar an aisling is ar an idéalachas a bhí ann cúpla bliain ó shin? Níl mé féin saor ón gciniciúlacht chéanna. Tá sé le feiscint sa scríbhinn atá istigh leis an litir seo. Dá gcasfadh na rothaí, roth na staire is roth na cinniúna araon, b'fhéidir go scríobhfaimis i bpáirt le chéile fós an t-úrscéal mór soirbh spreagúil sin a mbíteá ag caint air . . .

Tá do dhóthain trioblóidí ort féin le tamall. Is údar náire é go bhfuiltear ann atá ag imirt díoltais ort as ucht do chuid oibre ar son na Cúise is atá ag bagairt ar d'ainm mar údar is ar do shlí bheatha mar scríbhneoir. Is mó dá réir a théann do chineáltas go croí ionam. Is go diail a d'oirfeadh an post sin ar an ollscoil i nGaillimh dom. Níl caill ar an tuarastal a luann tú. Agus ó tharla go bhfuilim gan teach gan talamh gan tíos, ba mhór an chabhair dom an tigín saor ón gcíos sa nGealchathair.

Nuair a bheidh tú cinnte go bhfuil an t-airgead bailithe agat, bí i dteagmháil leis an Ollamh Tomás Ó Máille ar an ollscoil. Is seanchara liom é. Eisean an té is oilte leis an scéim a chur faoi bhráid na n-údarás sa gcoláiste.

Idir an dá linn, is dócha go mb'fhéidir leat an scríbhinn istigh a úsáid le cur ina luí ar do chairde saibhre i Meiriceá go bhfuil dúch na hinspioráide i gcónaí sa bpeann sin a thugais dom i Londain Shasana na blianta fada ó shin. Nó nach bhfuil mé díomhaoin ar fad ar fad.

Is minic a chuimhním siar ar na laethanta sin is a deirim liom féin go mba thrua an tslí gur thit cúrsaí amach eadrainn. Tuigim go maith nár chaitheas go carthanach cothrom leat. Tuigim go maith nár mhíníos dada duit faoi m'iompar, faoi mo dhrochiompar. Ach ar nós chúrsaí na tíre seo, ní fiú a bheith ag caitheamh i ndiaidh an tsaoil atá thart. Ní mór dúinn leanúint ar aghaidh.

Tá súil agam go mbeidh tú in ann teacht go hÉirinn arís roimh i bhfad. Ar ndóigh, b'fhéidir go bhféadfainn féin dul ar cuairt go Meiriceá amach anseo nuair a bheadh caoi mhaith orm féin is ar an bpost. Ach, ar m'anam, ní cheapaim go réiteodh mise féin is an dianchosc sin ar bhiotáille lena chéile!

Beidh mé ag súil le litir uait go luath. Cuir aon litir chugam faoi chúram an tseolta thuas. Is é mo ghuí nach fada go mbeidh mé in ann imeacht siar go Gaillimh. Mar is í an tseasmhacht ó thaobh poist is lóistín de atá ag teastáil uaim le luí isteach ar an scríbhneoireacht i gceart athuair.

Do chara dílis . . . Nó—ar a laghad—do chara ionúin,
Pádraic

Chuir Mary an litir síos. Fágadh ag tochas a cinn í. Thuig sí anois gurbh é Pádraic Ó Conaire, an scríbhneoir Gaeilge a mbíodh Caitlín mór leis, an té a scríobh. Ba eisean a bhí sa ghrianghraf in éineacht léi. Ach cén bhaint a bhí aige sin le de Valera . . . nó an é nach raibh aon bhaint aigesean leis in aon chor? . . . Chroith Mary a cloigeann agus í ag iarraidh an ceo ina haigne a scaipeadh.

Thóg sí ina láimh burla páipéar a bhí sa chomhad. Lámhscríbhinn é. Ba leor amharc ar an chéad leathanach le dearbhú cad a bhí ann.

An Fear
le Pádraic Ó Conaire
An Clár
Cuid 1: An Dia sa bhFear
Caibidil 1: "Naíondacht"
Caibidil 2: "Macacht"
Cuid 2: An Bhean sa bhFear
Caibidil 3: "Giollacht"
Caibidil 4: "Óglachas"
Cuid 3: An Diabhal sa bhFear
Caibidil 5: "Seandacht"
Caibidil 6: "Díblíocht"

Tar éis di súil a chaitheamh ar chorrleathanach, chuir Mary an scríbhinn ar bharr an ghrianghraif is na litreach. Is cuma an raibh rúndiamhra na beatha ann, ní raibh sí le tabhairt faoi anocht cionn is nár bhain sé le hábhar.

Ní raibh fágtha sa chomhad ach burla leathanach clóscríofa. D'fhéach Mary ar an teideal "The Cherry Bird. A Comedy-Drama In Three Acts by Katherine Hughes and Pádraic Ó Conaire." Ní raibh a fhios ag Mary go raibh an bheirt sin i ndiaidh dráma a scríobh i bpáirt a chéile. Ba chuma. Ní raibh sí chun é sin a léamh anocht ach oiread. Bhí sí ar tí an t-ábhar ar fad a chur ar ais sa chomhad nuair a thug sí faoi deara go raibh ábhar i bpeann ar chúl leathanaigh an dráma. Tar éis di sracfhéachaint a thabhairt ar ábhar na scríbhneoireachta, d'ól Mary súimín dá caife leamh bogthe agus las toitín eile. Chrom sí ar an léitheoireacht.

Cuid a Dó

An Chuach

Ach tuairim na bliana 1913, tugadh faoi deara go raibh athrú ag teacht air—athrú fónta. Chonacthas go raibh sé go dea-ghléasta sochóirithe thar mar ba bhéas leis. Agus ní hé sin amháin! Le linn na tréimhse céanna bhí sé féiltiúil pointeáilte ag freastal ar na ranganna Gaeilge. B'annamh ólta é, agus de réir gach dealraimh, bhí sé ag éirí as an saol mírialta, aimhrialta ba chleacht leis le fada an lá. Ba ghearr gur tuigeadh do lucht an iontais conas a bhí an scéal aige agus cad a bhí á chur ar a leas. Is amhlaidh a bhí sé mór le hógbhean áirithe faoin am agus is é an cion a bhí aige uirthisean ba bhun leis an athrú a bhí tagtha air.

Áine Ní Chnáimhín, *Pádraic Ó Conaire* (Baile Átha Cliath, 1947, 53).

Sanatóir Battle Creek, Michigan, an 26ú Meitheamh 1924
Ní thabharfainn de shamhail dó ach an chéad lá de shaoire.
Níl ar m'aird ach mé féin. Níl aon duine ag dréim le haon
rud uaim. Níl aon duine i dtaobh liom.

Fan! Nach ait an blas atá ar an chuid thuas—an fhoirm
dhiúltach á húsáid agam nuair atá sé de gheasa orm a bheith
dóchasach dearfach.

Tosaím arís.

Tá mé anseo, tá mé saor ó chúram agus tá mé liom féin.
Is cuma nó saoire é.

Is fada ó bhí mé ar saoire. Deich mbliana ar a laghad.
Tá leathchuid den domhan mór siúlta agam ó shin i leith
. . . Sasana, Éire, Ceanada ó chósta go cósta, is réimse maith
de Mheiriceá féin, an Astráil, an Nua-Shéalainn, an Fhrainc,
agus Sasana is Éire ina dhiaidh sin arís. Ach ba í an obair an
chloch ba mhó—an t-aon chloch—ar mo phaidrín i gcónaí
agus níor thúisce an chéad áit bainte amach agam le tabhairt
faoi cibé misean a bhíodh idir lámha agam ná mé ag
déanamh réidh le bóthar a bhualadh go dtí an chéad cheann
scríbe eile.

"Caithfidh go bhfuil iontais an domhain mhóir uilig
feicthe agat faoin am seo," a dúirt Oliver Shannon liom
tamall ó shin.

"Is ionann na seomraí codlata i dtithe ósta an lucht
tráchtála i ngach cearn den domhan," a d'fhreagair mé. Ní
raibh mé ag iarraidh a bheith garg glic, ach ón chuma
fhaiteach a tháinig ar Oliver bocht, cheapfá go raibh mé i
ndiaidh íde béil a thabhairt dó. Ní raibh sé ach ag iarraidh

forrán mionchainte a chur orm. Caithfidh mé gan a bheith chomh dian sin ar Oliver. Duine uasal lách é . . . agus nach é atá doirte ar Mary Morrison. Aithním na comharthaí sóirt.

An rud a bhí i gceist agam ná gurbh iad na seomraí i dtithe ósta mo ghnáthlóistín ar feadh na mblianta. Agus nuair nach mbínn ag stopadh i seomra tí ósta amháin, bhínn ar thraenacha nó ag fanacht le traein i stáisiún éigin le dul go dtí an chéad seomra tí ósta eile. Is iad an dá bhliain atá curtha isteach agam tigh Lauretta an tréimhse is buaine atá caite agam ag cur fúm in aon áit amháin ó d'fhág mé Edmonton sa samhradh 1913 le déanamh ar Londain Shasana. Tuirseach traochta a bhí mé den tsíorghluaiseacht is den taisteal faoin am ar tháinig mé go Nua-Eabhrac dhá bhliain ó shin. Bhí cúrsaí in Éirinn i ndiaidh cur leis an lagmhisneach a bhí orm san am, rud a chuaigh as miosúr de réir mar a bhí cúrsaí polaitíochta na tíre mí-ámharaí sin as miosúr i samhradh léanmhar 1922.

Íorónta go leor, cheapfá ar an chéad amharc gurb éard atá san institiúid áirgiúil seo teach ósta eile. Agus ceann ar chaighdeán ard fosta. Nár cheart is nár chóir é sin tar éis dom gach dollar atá i dtaisce agam a úsáid le híoc as an turas seo! Is galánta an foirgneamh é. Tar éis dom clárú thíos staighre is don ghiolla mo bhagáiste a iompar go dtí an seomra seo ar an cheathrú hurlár, chaith mé tamall gearr ag cur caoi ar mo mhálaí. Is ea, is geall le seomra codlata i dteach ósta é . . . an troscán céanna . . . agus cóip den Bhíobla ar an tábla beag cois leapa. Cad eile ach leagan an Rí Séamas! Ach ní leor le muintir an tí an cothú anama amháin. Comhartha beag is ea an t-úll dearg ar an tábla gur mór leo an cothú folláin coirp fosta.

Ina dhiaidh sin chuaigh mé síos staighre. Theastaigh uaim a fháil amach cad iad na socruithe atá ann do na daoine sin atá i bhfách le freastal ar na Sacraimintí. Bíonn tacsaí ar fáil ar an Domhnach chun iad a thógáil síos chuig Séipéal Philib Naofa i lár an bhaile mhóir le haghaidh an aifrinn. Ar uair na práinne . . . glaoch ola atá i gceist acu, ní foláir . . . tiocfaidh sagart aníos go dtí an tSanatóir. D'imigh mé ag fálróid thart ansin, agus mé ag taiscéaladh an árais seo. Is i stíl Athbheochan na hIodáile atá an príomh-fhoirgneamh. Thabharfainn buille faoi thuairim go bhfuil sé trí chéad slat ar fad. Tá sé urlár ann agus bricí is piléir bhalla arda mhaorga ar aghaidh an árais. Síneann stuabhealach, *loggia* na hIodáile, ó cheann ceann an bhunurláir. A thúisce is a thagann tú an príomhdhoras isteach, seo thú taobh istigh den Fhorhalla Mór mar a bhfuil an oifig fáiltithe. Spás scóipiúil is ea an Forhalla Mór gona dhealbha marmair is gona thoilg leathair chompordacha. Ach thuas go díreach laistiar den Fhorhalla atá an feic mór, an *pièce de résistance*, mar atá an Rotunda, ina bhfuil gairdín teochreasach ina bhfuil crainn bhanana, crainn figí, is crainn oráistí, mar aon le héin andúchasacha, féiliceáin ildaite, is linnte uisce lán le héisc. D'fhéadfá áras mar seo a shamhlú ag toicí éigin a bhaistfeadh Villa San Giovanni air i bhfianaise ar mhóranáil Ré na hAthbheochana. Fág "Villa" is "Giovanni" ar lár—an "San" a thugann achan duine abhus ar an áras i bhfianaise a dtagann anseo. In ainneoin ghalántacht an árais, níl aon éalú ón bhunfhíric sin. Ar nós spócaí rotha, tá trí sciathán ag cúl an Rotunda: an Giomnáisiam sa lár agus an dá mhórionad cóireála ar na taobhanna.

Ní thig liom a shéanadh gur chuir na fógraí le haghaidh na n-ionad cóireála dairt neirbhíse trí mo cholainn. Amhail is go raibh siad i ndiaidh an ceo draíochta a chuir mórthaibhseacht an fhoirgnimh ar m'aigne a scaipeadh go tobann. Mar níl mé ar saoire. Tá mé anseo go gcuirfear an chóir leighis chuí orm a mharóidh frídíní an ghalair atá neadaithe i mo chabhail. Níl mé cinnte cad atá romham ach creidim go dtiocfaidh feabhas orm más í sin toil Dé. Caithfidh mé gan ligean do pheaca an bheaguchtaigh mo chreideamh a bharraíocht sna laethanta atá romham.

Ní raibh ocras orm ag am suipéir. D'fhóir sin dom toisc nach raibh mé ag iarraidh taithí leis na daoine sa seomra itheacháin. B'fhusa ligean orm go fóill gur ar saoire atáim in ionad aghaidh a thabhairt orthu siúd atá ag tabhairt faoi chúrsa leighis, mo dhála féin. Ina ionad sin, chuir mé sreangscéal chuig Lauretta ó oifig an phoist thíos staighre le hinsint di gur bhain mé ceann scríbe amach go slán sábháilte.

Tá mé ar ais i mo sheomra ó shin, úll leathite os mo chomhair agam agus mé ag breacadh na cíne lae seo. (Ar nós saoire arís, tá mé i ndiaidh dearmad a dhéanamh ar rud amháin, mar atá leabhar nótaí nua; agus toisc nach bhfuilim ag iarraidh dul síos staighre arís go dtí an siopa, seo mé ag úsáid leathanaigh chúil na seanchlóscríbhinne seo . . .) Tá tuirse orm, go háirithe i ndiaidh an chúrsa dheireanaigh den turas traenach Michigan Central and Chicago & Lake Huron Railroads ó Chicago go Battle Creek. Dhá lá atá ann ó d'fhág mé Nua-Eabhrac.

Ní thógfaidh Dia mór na Glóire orm é mura ndeirim ach deichniúr den Choróin Mhuire sula dtéim a chodladh. Cad eile ach Rúndiamhra na Glóire?

An 27ú Meitheamh 1924
Ruithne gréine trí dhallóga na fuinneoige a chorraigh mé ar maidin. Ar feadh leathbhomaite, luigh mé idir mo chodladh is mo dhúiseacht is gan a fhios agam ó thalamh an domhain cá raibh mé. Róchiúin a bhí sé le haghaidh an Grand Concourse. Go tobann, chuimhnigh mé air gur anseo sa San atá mé.

D'éirigh mé amach as an leaba is d'oscail na dallóga.

Nach gleoite an mhaidin í! Ní raibh mórán daoine amuigh go fóill. Ní nach ionadh, ó tharla nach raibh sé ach a seacht de réir an chloig ar an bhalla.

Bhí nóta ar an urlár in aice leis an doras. Bheadh cruinniú agam, Miss Katherine Hughes, Aoi # C-4271, leis an Dochtúir ar a deich a chlog. Bheadh orm a bheith thíos ag oifig fáiltithe na n-ionad cóireála sa Rotunda. Nóta gonta é a chuir deireadh prap cinnte leis an nóisean sin go bhfuil mé ar saoire . . .

Thapaigh mé an deis mé féin a fholcadh sa seomra folctha ag bun an dorchla. Arís inniu, bhí an fhuil measctha trí mo mhún nuair a chuaigh mé go dtí an leithreas. Ar nós an chailín óig ar tháinig sceith a fola míosta aniar aduaidh uirthi den chéad uair, bhaineadh airí na haicíde geit asam i dtosach. Ach ar nós an chailín chéanna, téann tú ina thaithí. An rud a bhíodh aisteach tráth, is den normáltacht faoin taca seo é. Ach murab ionann is an cailín nach bhfuil ach an dá bhealach aici le héalú ón fhuil mhíosta, í a bheith ag iompar clainne nó í a bheith thar aois an toirchis (faoi mar atá mé féin, faraor géar), tá mo chreideamh is an chóireáil leighis chun ligean dom scinneadh ón bhreoiteacht seo go mbeidh mé ar mo sheanléim arís.

Bhlais mé de réim bhia an San ag am bricfeasta: calóga arbhair (cad eile ach de dhéantús chomhlacht W. K. Kellogg, Battle Creek) agus bainne tanaí tríd. Bhí mé i mo shuí in aice le bean mheánaosta gheabach. Ruth Wien a hainm . . . Is ó Chathair Kansas di . . . Í pósta ar innealltóir . . . Cúigear clainne uirthi . . . An galar ina hinchinn . . . Seo a dara cuairt ar an San . . . Í ar an tríú hurlár an iarraidh seo . . . B'fhearr léi a bheith thuas ar an chúigiú hurlár . . . Tá na trí shraith seomraí ar an séú hurlár folamh go fóill, ach deirtear go mbeidh iníon le John Rockefeller ag teacht arú amárach . . . Tagann Iníon Rockefeller gach samhradh le ligean den bhiotáille . . . Bhí an fhaisnéis sin uilig faighte agam taobh istigh de chúig bhomaite. Gan bacadh leis an chadráil uilig, ní raibh mé ag iarraidh ligean di ceist a chur orm faoi mo chomharthaí tinnis—nó faoin ghalar atá orm. Mar sin, d'fhiafraigh mé di an raibh aithne aici ar mo sheanchara sa Ghluaiseacht ó Chathair Kansas, Frank P. Walsh?

"An Sóisialaí sin!" ar sise a thúisce is a luaigh mé a ainm.

D'fhreagair mé nach mbíodh Frank P. ach ag féachaint le cearta na n-oibrithe is na mbocht a dhaingniú . . . Ba leor dreach na dúire is na daille ar aghaidh Bhean Wien.

"Ní féidir go bhfuil lé agat leis na Sóisialaithe?" ar sise de ghlór a raibh an dochreideamh seachas an naimhdeas ann. "Ní féidir go dtacaíonn tú le La Follette is lena Pháirtí Forásach fosta. Smaoinigh ar Chumannach ina Uachtarán ar Mheiriceá!"

Tá an ceart aici, ar ndóigh. Tacaím le Bob La Follette. Ach diomailt ama a bheadh ann féachaint le cur ina luí ar Bhean Wien nach Cumannach é. Más Sóisialaí é Frank P., de réir a loighce caime, caithfidh gur Cumannach é La Follette! Ní luafaimid ceist na hÉireann ach oiread. Tharraing mé cleas eile chugam chun an t-ábhar cainte a athrú. D'fhiafraigh mé di faoi dhearthái W. K., an Dochtúir John Harvey Kellogg a bhunaigh an San. Tháinig loinnir i súile Ruth ar an toirt is chuir sí di an flosc cainte seo de ghlór corraithe:

"Dá mbeifeá anseo níos luaithe, nach raibh mé féin ag labhairt leis? Shuigh sé díreach ansin os mo chomhair. Thiocfadh liom é a chur in aithne duit. Cad is ainm duit? Hughes, a deir tú? Nach ainm Breathnach é sin? Bhuel, Miss Hughes, tagann an Dochtúir Kellogg isteach sa seomra itheacháin gach tráthnóna go pointeáilte ar a seacht a chlog chun a shuipéar a ithe. Suíonn sé ag tábla difriúil gach

tráthnóna. Déanaimid—mé féin is roinnt cairde liom—
iarracht a thomhas cén tábla a roghnóidh sé gach oíche. Má
thagann tú anuas anseo roimh a seacht, tig leat suí liom agus
b'fhéidir go mbeadh sé de phribhléid againn go gcaithfeadh
an Dochtúir cóir a shuipéar inár dteannta . . . Is ea,
freastalaíonn sé ar na hothair sna lárionaid chóireála fosta.
Ach ó tharla go bhfuil foireann mhór dochtúirí eile ann a
bhfuil speisialtóireacht acu i gcúrsaí raidiam, ní hé an
Dochtúir Kellogg féin a bheidh i bhfeighil ort. Ar ndóigh, is
mór an onóir é má bhíonn tú i gcúram an Dochtúra uasail
. . . Agus cad tá ort go baileach? Cén cineál ***** atá ort?"
      Ghabh mé pardún le Bean Wien go grod is d'imigh an
doras amach. Caithfidh mé mo dhícheall a dhéanamh chun
an bhean uasal sin a sheachaint.
      Bhí an ceart aici ar chuntar amháin. Ar dhul go dtí an
oifig sa lárionad cóireála dom, dúirt an bhanaltra liom gurb
é an Dochtúir Dwelly a labhródh liom ar ball. Tar éis dom
feitheamh ar feadh ceathrú uair an chloig, tháinig banaltra
eile is threoraigh chuig oifig an Dochtúra mé.
      Albanach mór dearg-ghnúiseach is ea an Dochtúir
Dwelly. Ar comhaois liom, déarfainn. Ó Dhún Éidinn ó
dhúchas dó, faoi mar a dúirt sé. É i Meiriceá ón bhliain
1921. Tar éis dó mé a scrúdú is a cheistiú faoi mo shláinte
(Pianta . . . cé chomh trom is cé chomh minic is a bhíonn
siad? Sileadh fola . . . cé chomh trom is cé chomh minic?
Fearadh . . . cé chomh trom is cé chomh minic?; agus an
Dochtúir ag breacadh nótaí nuair a d'inis mé dó faoin fhuil)
thosaigh sé ag caint ar an chóireáil atá i ndán dom. Sula
mbeidh mé ag tosú ar an chúrsa raidiam, beidh teisteanna
ar siúl go ceann trí lá. Mhínigh sé go beacht cad a bhí san
Autointoxication: is éard atá ann an tocsain ó fheoil agus ó
bhainne a nimhíonn an cholainn ar fad is an phutóg mhór
go háirithe. Is í an nimh sin faoi deara an galar atá orm, a

dúirt sé. Caithfidh mé samplaí a chur ar fáil gach maidin is gach tráthnóna ionas gur féidir leis an fhoireann sa tsaotharlann a mheas cén dochar atá déanta don drólann. Ar ndóigh, an chéad chéim ná réim bhia fholláin saor ón fheoil is ó tháirgí déiríochta, arsa an Dochtúir Dwelly, le cosc a chur le foinse na nimhe. Ina ionad sin, beidh arán agus neart glasraí is torthaí úra agam. Mura bhfuil dúil agat san aclaíocht sa Ghiomnáisiam nó cleachtadh agat air, ar seisean agus fáthadh an gháire ar a bhéal, ní mór duit gabháil amach ag siúl faoin aer úr go rialta. Is isteach sna folctha teo fosta. Ná déan dearmad na miasa le haghaidh na samplaí a fháil ón bhanaltra ar an bhealach amach. Labhróidh mé leat arís faoi cheann trí lá sula dtosaímid ar an chúrsa raidiam. B'in an Dochtúir Dwelly.

Tar éis dom an lárionad cóireála a fhágáil, agus na miasa i mbeartán páipéir faoi m'ascaill agam, bhí mé chomh corrach sin ar mo chosa gur bhraith mé go raibh mé ar tí titim i laige. Ní cuimhin liom cad é mar a rinne mé mo shlí ar ais go dtí mo sheomra. Mhothaigh mé níos fearr tar éis dom luí síos ar an leaba. Chaith mé cuid mhaith den lá i mo shuí ag an fhuinneog agus mé ag léamh. Rinne mé cinnte de go ndeachaigh mé síos chun suipéar luath a bheith agam. Bhí comhrá agam le triúr ban . . . ba chirte a rá gur chaith siad leathuair an chloig do mo cheistiú . . . cé mé, cé leis mé, cárbh as dom . . . agus cad tá orm go baileach agus cén chóireáil atá i ndán dom. Ar ndóigh, bhí a fhios acu gur duine nua mé sa San. A Thiarna, nach féidir mionchomhrá a bheith agat le haon duine anseo gan daoine a bheith ag caint ar ghalair is ar airí galair is ar an chóireáil? Bíodh sin mar atá, bhí sé barrúil go leor fosta: iadsan ar a ndícheall ag féachaint le heolas a fháil uaim is gan a fhios acu go bhfuil taithí na mblianta agam ar a bheith discréideach dúnárasach ó bheith ag obair le polaiteoirí in Alberta. Nó ó bheith faoi chúram na mban rialta i gClochar Notre Dame i Charlottetown roimhe sin! Bhailigh na mná leo faoi dheireadh. Bhailigh mé liom amach as an seomra itheacháin i bhfad roimh a seacht a chlog.

An 28ú Meitheamh 1924 (An Domhnach)
Is deacair gnáthamh a dhéanamh. Is deacra é a bhriseadh. Dhúisigh mé ar a sé ar maidin, d'éirigh is réitigh mé féin. Ansin, bhí orm fanacht gur bhailigh an bhanaltra na samplaí uaim agus eagla orm go mbeinn mall don aifreann ar a hocht a chlog.

Ní raibh tar éis dom síob tacsaí a fháil.

Séipéal beag déanta as adhmad is ea Séipéal Philib Naofa. Ní raibh i láthair ach dornán daoine. Tar éis an aifrinn, chuir mé mé féin in aithne don Athair Martin Werner. Cheana ba léir ón bhlas ar a chuid Laidine is Béarla gur Gearmánach ó dhúchas é. Bhí comhrá spéisiúil againn faoi staid is faoi stádas na hEaglaise sa taobh seo de Michigan. Údar iontais é nach bhfuil eagraíocht ar leith acu faoi choinne na mban . . . murab ionann is mo Catholic Women's League in Edmonton. Bhí go leor céille agam fanacht i mo thost faoi sin ar eagla go gceapfadh an sagart cóir go raibh mé á cháineadh. Ar aon nós, a thúisce is a chuala sé go raibh mé ag stopadh sa tsanatóir, chuir sé gothaí na hoibre air féin . . . é a bheith ar fáil dá mba mhaith liom dul chun faoistine . . . é ag iarraidh fáil amach cén galar a bhí orm go baileach . . . Chuir mé stop leis an chomhrá ansin is gheall dó go bhfeicfinn é arís . . .

Ar a laghad ba mhór an faoiseamh dom é nár shagart Éireannach é an tAthair Martin. Tá corrdhuine acu, ar nós an Athar Albert is na gCairmilíteach i Nua-Eabhrac, atá dílis d'idéal is do chúis na Poblachta i gcónaí. Ach dála an Athar Tadhg sa chathair chéanna, ní théann formhór na sagart eile ar chúl scéithe lena dtacaíocht dhiongbháilte do Rialtas an tSaorstáit is dá chuid imeachtaí uilig.

Rud eile de, chuir an sagart Gearmánach mo sheanchara Paul Von Aueberg i gcuimhne di. Ní hé go bhfuil siad cosúil le chéile. Áit a bhfuil—áit a mbíodh, ba chóir dom a rá— Paul ard, caol agus gruaig chiardhubh is meigeall aige, tá an tAthair Martin ramhar agus maol. An blas cruinn ceart Gearmánach ar a gcuid Béarla atá i gceist agam. Is fada ó chonaic mé Paul. Is fada ó smaoinigh mé air . . .

Ar ais sa San dom, bhí mé ag labhairt le fear ag am bricfeasta. Jim Weston a ainm. Ó Seattle. É thart ar leathchéad bliain d'aois. Airde ann a cheileann is ar éigean an stomán atá ag teacht air. Folt dubh gan an oiread is ribe liath tríd: dathaíonn sé a chuid gruaige, ní foláir. Níor inis sé a dhath dom faoina bhfuil air. Níor fhiafraigh díom cad atá orm ach oiread. Aililiú! Thosaíomar ag caint ar chúrsaí ceoil. De réir dealraimh, chaill mé ceathairéad na n-uirlisí téadacha san Fhorsheomra Mór aréir. Luaigh an tUasal Weston go raibh sé i ndiaidh freastal ar cheolchoirm de chuid John McCormack in Seattle anuraidh; bhí mise ag insint dó faoi bhualadh le McCormack in D.C. nuair, faoi mar a bheadh an nimh ar an aithne, seo chugainn Bean Wien gur bhuail sí fúithi ag an tábla. An t-aon rud a bhí ag dó na geirbe aici ná an raibh an Dochtúir Kellogg i ndiaidh bricfeasta a bheith aige cheana . . . Ba ghearr gur ghabh an tUasal Weston a leithscéal, gur éirigh sé ón tábla.

"Beidh an ceathairéad ag seinm arís anocht ar a hocht," ar seisean. "B'fhéidir go bhfeicfinn ansin thú."

"Feicim gur casadh Lothario ort," arsa Bean Wien liom a thúisce is a d'imigh an tUasal Weston. "Seachain tú féin air," ar sise.

"Cén fáth?" arsa mise.

"Tá sé pósta cé nach maith leis sin a ligean air."

Bhí orm cur suas le monalóg ar imeachtaí Lothario/an Uasail Weston. Is fearr leis mná meánaosta atá uaigneach is nach dtéann i ngnás daoine . . . sin mise i mo steillbheatha ar thrí chuntar, de réir mheas Bhean Wien, déarfainn. Ní raibh aon teorainn lena scaothaireacht bhaoth. Ó, ní chreidfeá an ealaín a bhíonn ar siúl ag daoine anseo . . . Bhí ar an Dochtúir Kellogg an ruaig a chur ar bhean amháin a bhíodh ag dul isteach i seomraí fir san oíche . . . Gan trácht ar na fir a bhíodh ag sleamhnú amach de shiúl na hoíche le dul go síbín . . . Ó, b'fhéidir nach bhfuil an Dochtúir Kellogg ag teacht isteach le haghaidh an bhricfeasta ar maidin . . .

Agus a bhfuil de ráflaí, den sciolladh teanga, den dúrtam dártam, agus den sodar i ndiaidh na n-uaisle abhus anseo, is cuma nó comhdháil polaitíochta Éireannach an San beannaithe seo!

An tráthnóna

Díreach ar ais ó choirm cheoil an cheathairéid. Sheinn siad rogha ceoil, Schubert, Beethoven agus Dvorák. Shuigh mé in éineacht leis an Uasal Weston a bhí i ndiaidh cathaoir a chur in áirithe dom. Tar éis na ceolchoirme, chuamar amach ag spaisteoireacht sa ghairdín. Níor chuir sé mórán ama amú sular chrom sé ar thathant orm teacht ar ais chuig a sheomra. Ní go ró-uasal a ghlac an tUasal Weston eiteach uaim.

"Is bean uaigneach tú," ar seisean, "agus níl uaim ach cuideachta a choinneáil leat."

Nuair nár léaigh sin mo chroí cranraithe, chuir sé gothaí an tseansaighdiúra air.

"Is gearr a mhairfidh mé," ar seisean de chogar íseal piachánach. "Dhá mhí, ar a mhéad." Stop sé go méaldrámata. "Fuair mé an scéala . . . an drochscéala . . . ar maidin."

"Bhuel," ar mise go teann mar dhea, ar a shon gur dhóbair go ndearna mé gáire os ard, "ba chóir duit a bheith ag déanamh d'anama in ionad a bheith ag mealladh ban!"

Ní túisce an ruaig curtha agam ar an Uasal Weston go bhfaca mé é ag déanamh ar bhean eile . . . Cuirfidh an cliútach cluain ar óinseach éigin anocht.

Ba í an eachtra bharrúil sin a thug orm m'aigne a dhéanamh suas. D'fhéadfainn an t-am saor is na leathanaigh bhána seo a dhiomailt trí chur síos ar an saol anseo, ar dhul ar aifreann, ar na comharthaí tinnis, ar an chúrsa cóireála, ar an ghnáthamh lae—ag bualadh le Bean Wien is lena leithéid, ag éalú ón Uasal Weston is óna leithéid. Nó ag éisteacht faoin bhéadán is déanaí faoi Iníon Rockefeller nó faoin Uasal Carnegie atá ag stopadh thuas ar an sé hurlár. Ach ba luachmhaire go deo cibé saoram a bheidh agam i gcaitheamh na seachtainí atá romham a úsáid le tabhairt faoi thionscnamh tairbheach. Is fada mé ag rá liom féin gur mhaith liom cuntas a scríobh ar a bhfaca mé is ar ar tharla dom sna blianta 1916-1922 nuair a bhí sé de phribhléid agam gníomhú ar son na Poblachta. Chaith mé an chuid ba mhó den tréimhse sin i Meiriceá, ach bhí seans agam a bheith i dteagmháil is a bheith ag obair le daoine tábhachtacha . . . Éamon de Valera, Harry, Liam Ó Maoilíosa, an Breitheamh Cohalan is aithne mhaith a chur orthu dá réir (Is ea, bhí na ráflaí cloiste agam gur mise leannán de Valera!). Anois agus aisling na Poblachta ina smidiríní agus claonchuntais éithigh á scríobh is á bhfoilsiú ag bolscairí an tSaorstáit (sampla beag de sin an t-alt ar an fheachtas poiblíochta i Meiriceá le Daniel T. O'Connell sa saothar nua bolscaireachta sin, *The Voice of Ireland*, a chuir William Fitz-Gerald i dtoll a chéile, áit a ndéanann O'Connell móradh ar a pháirt shuarach féin san fheachtas agus neamhiontas iomlán den obair a rinne mé féin!), thabharfadh mo chuntas a ndúshlán is chuirfeadh daoine ar an eolas faoinar tharla i ndáiríre.

Ní mór dom tosú ar an chuntas seo agamsa gan mhoill. Ainneoin go gcreidim go bhfuil an leigheas iomlán i ndán dom, ní heol d'aon duine againne ach don Té thuas uair a bháis féin. Ní cóir dom an obair sin a chur ar an mhéar fhada. Faraor géar, tá mo pháipéir uilig i Nua-Eabhrac. Is feictear dom go bhfuil cuidiú de dhíth orm le cuntas a scríobh ina mbeadh an chothromaíocht cheart i dtaca le cúlra is comhthéacs agus cur síos ar a raibh ag tarlú i gcathracha ar fud Mheiriceá taobh amuigh de D.C. is peannphortráidí ar na daoine tábhachtacha sa Ghluaiseacht.

Is í Mary Morrison mo rogha le cuidiú liom. Is í sás a dhéanta í. Bean chliste éirimiúil í. Tá an léann uirthi. Tá an oiliúint ghairmiúil aici mar aturnae. Cibé easnamh atá uirthi ó thaobh na saoltaithí de, beidh mé féin in ann sin a chúiteamh léi.

Ceist eile, ar ndóigh, an mbeadh sí sásta cuidiú liom? . . . Agus cad a déarfadh Oliver Shannon faoi sin?

Mar sin, sin tionscnamh a gcaithfidh mé tosú air faoina mbeidh mé ar ais i Nua-Eabhrac.

Rud eile ar fad atá le scríobh agam anseo anois. Más ar bhonn comhfhiosach amháin féin é, thuig mé gurbh amhlaidh sin ó tharla gur thug mé clóscríbhinn "The Cherry Bird" go Battle Creek liom agus go bhfuil mé ag úsáid leathanaigh chúil na clóscríbhinne, ar nós scríobhaí de chuid na meánaoise ag breacadh bileoga *verso* na lámhscríbhinne cheal páir úrnua aige. Dráma é "The Cherry Bird" nach bhfuil léite agam ó d'fhág mé Londain san fhómhar 1915. Ba leor dom cóipcheart na n-údar a chlárú ar bhaint amach Nua-Eabhraic dom, mar a dhéanfadh scríbhneoir proifisiúnta ar bith. Níor fhéach mé leis an scríbhinn a dhíol le haon chompántas amharclainne. Cad é mar a dhéanfainn a mhalairt nuair nach raibh mo chroí sa phíosa scríbhneoireachta sin a thuilleadh. Le bheith fíreannach, nuair a bhí mo chroí briste mar gheall ar ar tharla idir mé féin agus Pádraic . . .

Is minic daoine ag fiafraí díom cad é mar a tharla gur chuir mise, bean Cheanadach—agus bean arbh as an Bhreatain Bheag dá muintir féin i bhfad siar, lena chois (nárbh iomaí uair a bhí ormsa cur suas leis an cheist bhómánta sin!)—cad é mar a tharla gur chuir mé spéis i gcúis na hÉireann.

Nuair a bhí mé ag fás aníos ag Emerald ar Prince Edward Island, bhreathnaíomar orainn féin, bhreathnaigh daoine orainne, mar Éireannaigh. Nod ba ea é sin a thug le fios gur Chaitlicigh de shliocht na hÉireann muid, murab ionann is na hAlbanaigh, Preispitéirigh de shíol na hAlban, is na Francaigh, Caitlicigh is Acádánaigh de phór na Fraince. Níor bhac aon duine mórán leis na hIndiaigh.

Bhí roinnt seandaoine sa cheantar a rugadh in Éirinn ach níor bhuail mé le hoiread is aon Éireannach dúchasach a bhí i ndiaidh teacht a chónaí ar an Oileán le mo linn féin nó le glúin anuas. Ar Lá 'le Pádraig, nuair a bhíodh an cheolchoirm ar siúl i Halla an Benevolent Irish Society in Emerald, chrochfaí meirgí ar a mbíodh pictiúr de Daniel O'Connell, nó Michael Davitt féin, mar gheall ar an tuiscint a bhí ag muintir an Oileáin do chúrsaí talún. Chantaí amhráin thírghrácha le Thomas Moore. Ach bhaineadh an chaint is an reacaireacht is an amhránaíocht le seanchathanna. Ní cuimhin liom gur luadh Parnell, fiú sular tharla an t-aighneas is an scoilt a lean é faoi Katherine O'Shea. Ní cuimhin liom m'athair nó mo mháthair nó an tArdeaspag féin, Uncail Cornelius O'Brien, nuair a thagadh sé ar cuairt ó Halifax sa samhradh, ag caint faoi chúrsaí in Éirinn. Diomaite den ealaín mhaoithneach sin a bhíodh le feiceáil Lá 'le Pádraig, is éard a bhí san Éireannachas seo againne cód trína bhféadfadh an chéad Oileánach a raibh eochair a scaoilte aige a rá cér díobh agus cér leis an dara hOileánach.

Mar an gcéanna, nuair a bhí mé ar scoil, níor fhoghlaim mé a dhath faoi Éirinn ná faoina stair. Scoil mheasctha ar níos mó ná bealach amháin ba ea an bhunscoil . . . buachaillí agus cailíní, Caitlicigh is Preispitéirigh. Nuair a seoladh go dtí an Clochar i Charlottetown mé, ba bheag spéis a bhí ag na mná rialta in Éirinn. Ba de bhunadh na Fraince a bhformhór. Agus ag coláiste múinteoireachta an Prince of Wales ina dhiaidh sin, ina raibh meascán ceart de Chaitlicigh, de Phreispitéirigh is d'Anglacánaigh, bhí an bhéim ar fad ar chlár oideachais a chinnteodh go bhféadfaimis suáilcí Impireacht na Breataine Móire a dhingeadh isteach i gcloigne na bpáistí scoile a bheadh faoinár gcúram ina dhiaidh sin.

An Caitliceachas an tréith ba láidre is ba dhaingne a thug mé liom. In ainneoin na n-athruithe a tháinig ar mo shaol i gCeanada sna blianta ina dhiaidh sin—ó bheith i mo mhúinteoir i measc na Mohawk, nó i m'iriseoir in Ottawa agus in Edmonton, nó i mo chartlannaí nó i mo rúnaí príobháideach ag an Phríomhaire Rutherford in Alberta agus ag an Phríomhaire Sifton ina dhiaidh sin, ba é an Caitliceachas sin mo bhunchloch. Is é i gcónaí, in ainneoin mo chuid peacúlachta . . .

Bhínn mór go leor le baniriseoirí Ceanadacha eile a bhí gníomhach i bhfeachtais le cead vótála a ghnóthú le haghaidh na mban, daoine ar nós Nellie McClung is Emily Murphy. Ach ba Phrotastúnaigh iad siúd. Scar mé leo nuair a thug siad faoi na feachtais sin. B'amhlaidh do mhná proifisiúnta Caitliceacha eile ar fud Cheanada san am. B'fhearr linn díriú ar obair charthanachta faoi choimirce na hEaglaise ná an leasú polaitiúil.

Nuair a bhí mé ag obair le haghaidh na bpríomhairí, ghoill sé ar dhaoine áirithe in Edmonton gur Caitliceach mé. Cuireann eachtra amháin fonn gáire orm go fóill. Bhí toicí mór le rá istigh leis an Phríomhaire Sifton. D'iarr an Príomhaire orm teacht isteach.

"Bhí an tUasal Hunter ag insint dom ansin díreach, Miss Hughes, gur léigh sé san *Edmonton Bulletin* an lá faoi dheireadh go bhfuil tú i ndiaidh eagraíocht nua, an Catholic Women's League, a bhunú le cuidiú le banimircigh úra."

"Tá," arsa mise, agus imní orm ó tharla gur bhall mór den Ord Oráisteach é an Robert Hunter céanna.

"Bhuel, ba mhaith leis an Uasal Hunter d'éacht a mholadh, nár mhaith leat, a Uasail Hunter?"

"Ba mhaith . . . Ba mhaith liom," arsa Hunter de ghlór creathach stadach.

"Agus mhaígh tú go raibh tú chun síntiús fial airgid a chur chuig Iníon Hughes gan mhoill le tacú leis an dea-obair."

"Mhaígh . . . is ea, mhaígh."

Tar éis do Hunter caolú amach as an seomra go maolchluasach, ghlaoigh an Príomhaire orm arís. Bhí an Fear Buí i ndiaidh teacht is iarraidh air go mbrisfí as mo phost mé. Bhí an Príomhaire ag tabhairt le fios dó is dá leithéid in Edmonton gan fiacail a chur ann go raibh mise faoina choimirce. Fear uasal ba ea an Príomhaire Sifton, Protastúnach de shliocht Chúige Uladh. Dá mbeadh a chomhchreidmhigh in Éirinn agus i gCeanada chomh forásach tuisceanach leis . . .

Diomaite de bhiogóidí ar nós Hunter, ba é an rud ba mhó a chuireadh as do dhaoine gur bean mé, bean chumasach éifeachtach a raibh cluasa na bPríomhairí acu. Fiú mo sheanchairde baineanna ó shaol na hiriseoireachta a bhí ag obair ar son chearta vótála na mban, níor mhinic iad ag tabhairt fúm. Trí chead isteach a bheith agam in oifig an Phríomhaire, trí thaispeáint go bhféadfadh bean dul i bhfeidhm ar fhir cheannasacha agus tionchar a bheith aici ar dhúnghaois is ar an pholaitíocht gan cead vótála a bheith aici, ba eiseamláir é sin a bhí ag baint boinn as a bhfeachtas siúd.

Maidir leis na fir . . . Bagairt ar an tuiscint atá acu ar a bpáirt sa saol is ar an mheas atá acu orthu féin is ea an bhean chumasach chumhachtach. Is deacair dóibh déileáil lena leithéid, go háirithe nuair a théann siad i gcumann leis an bhean.

Níor fhan mé in Edmonton fada go leor le fáil amach arbh fhéidir le Paul déileáil liom.

B'fhurasta a mhaíomh go bpósfaimis ach amháin gur tháinig cúrsaí creidimh eadrainn. B'fhusa an milleán a chur ar Paul is a rá, faoi mar atá ráite agam go minic ó shin, go raibh seisean chomh dolúbtha liom. Dá ndéanfainn sin, bheinn ag déanamh éagóra air—arís eile. Is ea, ba bhall den Eaglais Liútarach Paul as a óige sa Ghearmáin. Ach fear é ar mhó a spéis san eolaíocht ná in aon eaglais riamh. Innealtóir é a bhí fostaithe ag bardas Edmonton. Lá, tháinig toscaireacht ón bhardas, toscaireacht ar a raibh polaiteoirí de chuid na cathrach is feidhmeannaigh ar nós Paul, chuig cruinniú in Oifig an Phríomhaire faoi sholáthar uisce na cathrach. Le linn an chruinnithe, bhí mé i mo shuí taobh thiar den Phríomhaire Sifton agus mé ag breacadh nótaí faoin chomhrá. Ba dhoiligh dom foighdiú le gnáth-scaothaireacht na bpolaiteoirí is bhí mé ar tí nod a thabhairt don Phríomhaire gur mhithid deireadh a chur leis an chruinniú trína fhógairt go gcuirfeadh sé fáilte roimh aighneachtaí scríofa, nuair a sheas fear ard féasógach is, i ndreas cainte nár mhair níos mó ná leathbhomaite, thug achoimre bheacht ar an obair a bhí le déanamh, ar na costais, agus ar sceideal na hoibre. Agus mé ag éisteacht leis, rinne mé gáire íseal. Dá mbeadh gach mac máthar acu chomh gonta . . . chomh . . . is ea, ba leor tríocha soicind eile chun dul a chuid cainte a aithint . . . chomh Gearmánach sin! Mar bharr ar an iomlán, nach raibh cóip chlóscríofa dá thuarascáil aige! . . . Tar éis an chruinnithe, chuaigh mé sall chuige d'aon ghnó chun an tuarascáil a fháil agus chun buíochas a ghabháil leis as mo shaol mar rúnaí an Phríomhaire a dhéanamh níos réidhe. Fuair mé a chárta gnó uaidh fosta, cárta ar a raibh ainm Paul A. Von Aueberg mar aon lena shonraí teagmhála. Is ea, arsa mise liom féin agus draothadh gáire ar m'aghaidh, bhí an ceart agam. Teotanach go smior é.

Casadh Paul orm arís ag fáiltiú a bhí in Oifig an Phríomhaire an tseachtain dár gcionn. Níor chomhtharlú é: bhí mé tar éis cuireadh a sheoladh amach sa phost chuige. Bhí cuisle ar mo chroí nuair a chonaic mé ann é. Ba bheag seans a bhí againn labhairt le chéile an tráthnóna sin ach d'admhaigh sé dom ar an chéad ócáid eile, tar éis an chéad chuiridh eile, go raibh sé idir dhá chomhairle ar chóir dó glacadh leis an chuireadh sin nó cloí leis an phlean a bhí aige an deireadh seachtaine fada a chaitheamh ag na foinsí uisce the amuigh ag Banff.

"Níl a fhios agam an ndearna mé an rud ceart, Miss Hughes," ar seisean. "Mhaífinn go mbeadh na seisiúin sna foinsí uisce i ndiaidh mo leas a dhéanamh, idir anam agus chorp. Níl anseo ach na polaiteoirí agus crochadóirí eile . . ."

B'in Paul, Paul seo agamsa, ón tús. Fear é nach raibh lá eagla air roimh Iníon Hughes, Rúnaí Príobháideach an Phríomhaire, bean a raibh an teist uirthi cheana, caithfidh mé a admháil, gurbh é an t-oighear seachas an fhuil a bhí sna cuislí aici, bean nár fhulaing le hamaidí is le hamadáin. Fear é Paul a bhí breá sásta séideadh fúm nuair a chuirinn gothaí galánta orm féin, nuair a chreideadh sé go raibh an bhoige croí ionam á bá ag tonnta na ceartaiseachta is an tsotail . . .

Thit mé i ngrá le Paul. Thit seisean i ngrá liom.

"An bhfuil a fhios agat é seo? Níl *Ne temere* i bhfeidhm sa Ghearmáin," arsa Paul liom tráthnóna, sé mhí nó mar sin tar éis dúinn bualadh le chéile. Bhíomar ag ithe béile in óstán nua Macdonald os cionn na habhann i lár Edmonton. Casadh úr i seanphort a bhí i gcaint Paul. Faoin am sin, bhí an reacht a d'eisigh an Pápa Pius X sa bhliain 1908, reacht ina ngeallfadh aon chéile nár Chaitliceach é go dtógfaí an chlann ina gCaitlicigh, ina ábhar mór conspóide i nuachtáin i gCeanada, agus go leor tráchtairí Protastúnacha ag caint— is go glinn is cuimhin liom an ráiteas áirithe seo—"ar an chath nua scanrúil seo chun an Reifirméisean a threascairt."

"Más é Reacht an Phápa é, is é Reacht Dé é fosta, agus is cuma faoi theorainneacha teamparálta," arsa mé le Paul tar éis dó an Ghearmáin a lua. Go maith a bhí a fhios agam gur thuar cogaidh seachas comhartha síochána a bhí i mo fhreagra.

Réitigh Paul a sceadamán is labhair go cáiréiseach.

"Níor cheap mé riamh go ndéarfainn é seo go deo, tar éis dom a fhógairt chomh minic sin cheana gur chóir go bhfágfaí fúinne beirt ár n-aigne a dhéanamh suas faoi bhaisteadh is faoi chreideamh—ach géillim duit, Katherine, géillim do reacht d'Eaglaise. Iompóidh mé i mo Chaitliceach—agus tugaim údarás iomlán duit aon chlann a bheidh orainn a thógáil ina gCaitlicigh. Síneoidh mé an conradh sin le m'fhuil féin. Anois, an bhfuil tú toilteanach mé a phósadh?"

Ba é sin nóiméad na cinniúna. Ní raibh le déanamh agam ach breith ar láimh Paul go muirneach, amharc idir an dá shúil air go ceanúil agus a rá leis . . .

"Ní féidir liom tú a phósadh, Paul."

Má deirim anois gur dhiúltaigh mé dó ar a shon féin as siocair gur thuig mé go dtiocfadh an lá luath nó mall nuair a bheadh dearg-ghráin aige orm toisc gur ghéill sé dom, ní bheadh ann ach insint leataobhach ar an scéal.

"Ní féidir liom tú a phósadh, Paul, cé go bhfuil grá agam duit." Rug mé ar a láimh ansin, agus mé ag féachaint le maolú ar ghairge mo chuid focal. "Is iomaí cúis mhaith atá ann chun tú a phósadh . . . fear fónta thú. Chaithfeá go fial liom. Bheinn . . ." Rinne mé gáire éadrom le taispeáint dó go raibh mé ag magadh fúm féin. ". . . bheinn ag sábháil anama—agus anam Protastúnach, dar fia!—ar thinte craosacha Ifrinn." Bhí cuma lándáiríre orm anois. "Ach breathnaigh ar an mhisean deonach atá ar bun agam anseo, Paul. Ag iarraidh cuidiú le mná óga Caitliceacha atá i ndiaidh cur fúthu in Edmonton . . . ag iarraidh iad a choinneáil slán ó chathú na peacúlachta, is ó chrúba na Sóisialach is na ndíchreidmheach agus—is ea, má deirim é, ó na hEaglaisí Protastúnacha fosta. Cén teachtaireacht a sheolfainn do na hógmhná Caitliceacha céanna dá gcasfainn thart is Protastúnach a phósadh, fiú amháin fear a bhí sásta tiontú ina Chaitliceach . . . Cén dea-shampla a thabharfainn dóibh? Cén tslí a mbeinn i m'eiseamláir don tréad, mar sin?"

Leag Paul a fhorc go mall cúramach ar an tábla is scaoil an greim láimhe a bhí agam air.

"Fanaiceach thú, Katherine," ar seisean go ciúin.

"Ball den Eaglais Mhíleatach mé, Paul. Cibé ar bith, ná bí ag caint liom faoi fhanaicigh . . . agus clann Liútair . . ."

"Fanaiceach thú, a deirim, toisc go ligfeá do do chreideamh teacht idir tú is an sonas saolta. Is mairg don té a bhfuil a dhaonnacht loite ag an daille spioradálta."

Cad eile a bhí le rá againn an tráthnóna sin? Bhí m'aigne déanta suas agam agus thuig Paul nárbh fhiú féachaint lena hathrú ansin. Nó sna seachtainí ina dhiaidh sin, nuair a shocraigh mé ar chur isteach ar phost rialtais i Londain Shasana is, in ainneoin dhícheall an Phríomhaire Sifton, ar imeacht ó Edmonton.

An deireadh seachtaine a d'fhág mé Edmonton le haghaidh a thabhairt ar an turas fada traenach is mara go Sasana, bhí cuireadh faighte ag Paul imeacht amach go Jasper sna sléibhte. Ghlac sé leis. Chaoin mé uisce mo chinn nuair a tharraing an traein amach as stáisiún na cathrach. Níor stop mé gur bhain mé Londain amach.

Fanaiceach mé? Ní mé . . . B'fhéidir gurb ea.

Fimíneach mé cinnte, mar a d'inseodh an aimsir tar éis dom Paul A. Von Aueberg a fhágáil is bualadh le Pádraic Seosamh Ó Conaire.

An 29ú Meitheamh

"Tá duine nua sa rang anocht againn, a scoláirí. Bean uasal ó Mheiriceá. Katherine Hughes . . . nó Caitlín Ní Aodha . . . sloinne breá Muimhneach é sin, nó an de chlann ársa Ghaelach Mhic Aoidh ó dheisceart Chúige Uladh thú, a Chaitlín chóir? . . . Tá fáilte is fiche romhat, a Chaitlín. Buail fút anseo ag barr an tseomra."

Ba go cotúil mall a rinne mé mo shlí go deasc folamh ag ceann an ranga. Cibé fonn a bhí orm a mhaíomh os ard nárbh as Meiriceá dom, mhaith mé an mheancóg sin do mo mhúinteoir nuair a d'fhógair sé gur de shliocht na nGael mé. Thaitin ceol is binneas an ainm sin "Caitlín Ní Aodha" liom. B'fhéidir nach raibh sé cruinn: ba de shliocht Uí Bhriain na Mumhan muintir mo mháthar; ba as Contae Ard Mhacha do mhuintir m'athar. Ach bhí blas breá Gaelach ar an ainm agus gan aon bhlas de chuid na Breataine Bige air! Bhí sé fileata mura raibh sé beacht. Chloífinn leis feasta.

Bhí mé i ndiaidh Londain a bhaint amach ag deireadh

an tsamhraidh 1913 agus mé ag tosnú ar mo phost mar rúnaí feidhmeannach in oifig nuabhunaithe an Agent General of Alberta. Ní thiocfadh an Gníomhaire Ginearálta, John A. Reid, is a bhean chéile go ceann coicíse. Idir an dá linn, bhí orm caoi a chur ar an oifig ag Áras Trafalgar, ag Uimhir 1, Charing Cross, i gcroílár London.

Sa chéad choicís sin, nach mé a bhí gnóthach ag socrú le fir oibre seilfeanna agus leabhragáin a chur isteach le haghaidh na leabhar is na n-irisí is na bpóstaer a thug mé liom chun an dea-scéala a scaipeadh go raibh Alberta ag lorg a thuilleadh trádála le Sasana agus a thuilleadh inimirceach ón mháthairthír. Ansin, bhí orm troscán, trealamh oifige, gléasra ar nós clóscríobháin, agus an soláthar páipéarachais is cuí d'oifig a cheannach is na hadmhálacha is na billí a ghlanadh. Bhí orm teagmháil a dhéanamh le Ceanadaigh aitheanta ar nós Max Aitken—an Barún Beaverbrook anois—a bheadh in ann mé a chur in aithne do pholaiteoirí is do státseirbhísigh thábhachtacha ar cheart don Ghníomhaire Ginearálta dul ag cuimilt leo go luath. Bhí orm labhairt le húinéirí is le heagarthóirí nuachtán chun iad a chur ar an eolas faoin oifig nua is le fáil amach an gcuirfidís fáilte roimh ailt faoi Alberta.

Ag deireadh an lae, nuair a chuirinn glas ar dhoras na hoifige, bhíodh cumha orm. Corroíche, théinn síos go hArdeaglais Westminster le haghaidh Urnaithe na Sacraiminte Naofa. Ba ann a d'fhreastalaínn ar an aifreann fosta. Corroíche eile, ba ghnách liom dul go dtí an amharclann le fáil amach cad iad na drámaí móra a raibh aghaidh agus aird phobal meánaicmeach London orthu. Thabharfadh sé cúpla bliain sula mbeadh léiriú ar aon cheann acu amuigh sa choilíneacht Cheanadach. Uaireanta, théinn ar ais go dtí mo sheomra i dTeach Ósta Charing Cross os cionn an mhórstáisiúin traenach, ag cúinne The

Strand. Ba mhinic a d'ith mé mo shuipéar liom féin sa seomra itheacháin sula ndéanainn ar mo sheomra thuas staighre le litreacha a scríobh chuig mo mhuintir agus chuig cairde in Edmonton. Oícheanta eile, théinn ag siúl suas agus anuas trí lár phríomhchathair na hImpireachta, Cearnóg Trafalgar, Piccidilly, Covent Garden, Whitehall, na Tithe Parlaiminte, Ardeaglais Westminster, Bruach na Tamaise, agus Ardteampall San Pól agus ar ais tríd The Strand agus mé ag breathnú ar na radhairc mhóra agus mé ag cur is ag cúiteamh liom féin an raibh an rud ceart déanta agam nuair a thug mé suas mo phost in Edmonton agus nuair a d'fhág mé Paul.

Ar ndóigh, thuig mé gur chur amú ama is fuinnimh é a bheith ag caitheamh i ndiaidh an tsaoil a bhí thart. An obair an leigheas is éifeachtaí ar an chrá croí is ar an suaitheadh intinne. Sin an mana a bhí agam riamh. Dhéanainn mo dhícheall díriú ar an tasc a bhí le comhlíonadh agam.

Maidin amháin sa dara seachtain bhí mé ar Shráid Fleet. Bhí mé tar éis uair an chloig a chaitheamh ag labhairt le heagarthóir *The Times* a thug gealltanas dom go seolfadh sé amach iriseoir le hagallamh a chur ar an Uasal Reid a thúisce is a bheadh an Gníomhaire Ginearálta socair san oifig. Ina theannta sin, bhí an fear céanna i ndiaidh insint dom go mbeadh spás aige sa nuachtán an tseachtain dár gcionn le haghaidh ailt ar nuamhodhanna curadóireachta in Alberta. Bheadh orm an píosa sin a chur le chéile go pras agus mé ag ceadú na gcáipéisí a bhí tugtha agam liom ó Edmonton.

Nach mé a bhí ag baint aoibhnis as aimsir the shéimh an fhómhair nuair a shiúil mé go mall i dtreo na hoifige in Áras Trafalgar. Bhí ord agus eagar ag teacht ar an obair is ar an oifig is bhí mé lánchinnte go mbeadh an tUasal Reid sásta lena raibh curtha i gcrích agam. Is ar mhaidin gheal ghréine mar sin, bhí mé deimhin de go socróinn síos roimh i bhfad. Rachainn i dtaithí na cathrach coimhthíche sin agus chuirfinn aithne ar Cheanadaigh eile, ar scríbhneoirí is ar iriseoirí.

Bhí mé ag fálróid thart le huimhir 77 Sráid Fleet nuair a shiúil fear agus bean amach as doras. De dheasca an fhuadair a bhí fúthu agus an easpa airde a bhí agam ar an bhealach romham, dóbair gur bhuaileamar faoina chéile. Ghabh an fear a leithscéal liom go béasach. Thit leabhar as a láimh is chrom seisean síos chun é a phiocadh aníos ón chosán. Labhair an bhean lena cara i dteanga nár aithin mé gur fhreagair seisean í sa teanga chéanna.

"Cén teanga í sin?" arsa mise. Bhí a fhios agam nárbh í an Fhraincis í. Ní raibh dul na Gearmáinise uirthi ach oiread.

Arbh í an fhiosracht ba dhual do sheaniriseoir faoi deara an cheist sin? Arbh í an chinniúint í? Ar chomhtharlú é? Nó arbh í toil Dé í? Níl a fhios agam go fóill ach ba í an cheist bheag bhídeach sin ar Shráid Fleet i Londain Shasana ar lá deas galánta san fhómhar 1913 a d'athraigh cúrsa mo shaoil.

"An Ghaeilge atá ann," arsa an fear.

"Nach bhfuil sí sin marbh mar theanga?" arsa mise, agus mé ag iarraidh cuimhneamh ar rudaí a bhí léite agam i nuachtáin i gCeanada.

Rinne an bhean gáire beag agus phointeáil i dtreo an dorais isteach.

"Imigh suas ansin agus abair sin leosan. Abair leo go bhfuil sé chomh maith acu uilig an oifig a dhúnadh, a ghabháil abhaile agus scor den obair ó tharla gur agatsa atá an scéala is úire go bhfuil an Ghaeilge marbh."

D'imigh an bheirt leo agus iad ag caint agus ag gáire le chéile.

D'fhan mise i mo sheasamh ar an chosán, leathshúil agam ar dhroim na beirte is an leathshúil eile ar an doras ar dheis.

Iriseoir cruthanta is ea an spaisteoir a thiocfadh ar scúp mór nuachta le linn dó a bheith amuigh ag siúl agus a ghadhar ar éill aige. Sin ceann de na ráite ab ansa le mo sheanbhas, Frank Oliver, foilsitheoir an *Edmonton Bulletin*. Bhuel, arsa mise liom féin, seo deis le fiosrúchán is le fionnachtain a dhéanamh. Ba dhócha nach raibh an bhean ach ag magadh fúm. Mar, mura raibh an teanga Ghaeilge marbh féin, ní bheifeá ag súil lena chloisteáil ar shráideanna phríomhchathair na hImpireachta. Mar sin, mura mbeadh bunús le caint na díse, ní bheadh mórán ama curtha amú agam. Dá mbeadh bunús léi, b'fhéidir go mbeadh ábhar ailt ann le haghaidh an *Bulletin*.

Shiúil mé isteach ar dhoras Uimhir 77. Bhí staighre os mo chomhair. Sheiceáil mé na trí bhosca poist ar an bhalla ar clé. Bhain an chéad cheann le comhlacht árachais. Ba le hiris sheachtainiúil do bhuachaillí an dara ceann. Gaelic League/Conradh na Gaeilge a bhí scríofa ar an cheann deireanach.

Dhreap mé suas an staighre go dtí an chéad urlár, áit a raibh oifigí na hirise is an chomhlachta árachais. Thuas ar an dara hurlár a bhí an Gaelic League/Conradh na Gaeilge seo, níorbh fholáir. Thug mé aghaidh ar an staighre suas.

Nuair a bhain mé barr an staighre amach, chonaic mé doras ar leathadh os mo chomhair. Chuaigh mé trasna an léibhinn chuig an doras is bhuail air go bog. Bhí fear meánaosta istigh agus é ina sheasamh ag casadh chos inneall cóipeála. Bhí sé chomh gafa leis an obair mhaslach nár thug sé mé faoi deara i dtosach.

"Gabh mo phardún," arsa mé.

Gheit sé, chas thart is dúirt rud éigin i nGaeilge. Nuair

a d'aithin sé nár thuig mé cad a bhí ráite aige, bheannaigh sé dom i mBéarla is d'iarr orm teacht isteach san oifig.

Ar ndóigh, ní raibh mé cinnte cad a bhí mé ag gabháil a rá leis. Tar éis dom cuimhneamh ar a ndúirt an bhean liom amuigh, ní raibh mé ag iarraidh a dhath a rá a chuirfeadh olc ar an té os mo chomhair.

"Ba mhaith liom . . . ba mhaith liom . . . a thuilleadh a fháil amach faoin Ghaeilge," arsa mé go stadach cúramach.

"Tóg leat cóip den nuachtán ansin . . . Is ea, an ceann sin."

B'fhollas saothar anála ar an fhear de réir mar a bhí sé ag casadh chos an innill, ag iarraidh na cóipeanna nua a chur i gcarn, agus ag labhairt liom.

"Tá brón orm nach dtig liom labhairt leat anois . . . In aice leis, tá liosta de na ranganna sa chathair, bunranganna, meánranganna, ardranganna . . . Is ea, tóg leat é sin fosta . . . De ráite na fírinne, ní oibrím anseo. Níl ann ach go gcaithfidh mé na ceachtanna seo a thógáil amach go Southwark le haghaidh na ranganna anocht . . . Tá na ranganna go léir i ndiaidh tosú ó thús na míosa ach má fheiceann tú ceann sa liosta a fhóireann duit, labhair leis an mhúinteoir roimh an rang . . . De ghnáth, ní bhíonn an oifig seo oscailte go dtí a haon a chlog . . . Tig leat an táille a íoc leis an mhúinteoir . . . Tá aiféala orm, ach caithfidh mé brostú."

Níor thúisce mise amuigh ar an léibheann arís ná eisean ag brostú amach as an oifig faoi ualach mór páipéar agus é ag déanamh ar an staighre síos.

"Maith an mhoill dom, a bhean uasal. Tá súil agam go bhfeicfidh mé thú arís is go mbeidh dreas cainte againn le chéile ansin. Art Ó Briain is ainm dom."

Bhí an fear imithe as radharc is as éisteacht faoin am ar tháinig mé amach ar Shráid Fleet. Chuaigh mé isteach i dteach itheacháin is thosaigh ag dul tríd an ábhar a fuair mé san oifig aisteach sin.

Ní raibh sé thar mholadh beirte ó thaobh deartha nó leagan amach de. Ach ba san uimhir sin de *An Claidheamh Soluis* a tháinig mé ar an tuiscint go raibh saol agus sochaí agus cultúr amuigh ansin a ceileadh orm mar "Éireannach" i gCeanada. Léigh mé is d'athléigh mé cuid de na hailt, idir chur síos ar ghluaiseacht na Gaeilge in Éirinn agus thar lear . . . is ea, bhí daoine ann a labhair an teanga is a bhí ag foghlaim na teanga i Meiriceá agus i Sasana . . . is tráchtaireacht ar chúrsaí reatha is ar chúrsaí polaitíochta in Éirinn. Ba é an rud ba bhuaine a chuaigh i gcion orm de réir mar a d'fhéach mé ar an nuachtán sin ná go raibh míreanna móra de i dteanga a raibh mé dall uirthi scun scan. Ba ansin a rinne mé suas m'aigne go raibh mé chun an teanga sin a fhoghlaim.

De réir mar a bhain mé súimíní as mo chuid tae, scrúdaigh mé an liosta ranganna. Ón phlé a bhí déanta agam leis an Uasal Reid sular fhág mé Edmonton, bhí a fhios agam go gcaithfinn a bheith ar fáil gach maidin Shathairn. Ach d'fhéadfainn a bheith saor ón obair go luath ar an Chéadaoin. Is ea, bhí bunrang ar siúl amuigh ag an scoil ar Bhóthar Kennington i Lambeth trasna Abhainn na Tamaise in oirdheisceart na cathrach. Ba leor sracfhéachaint ar an léarscáil a bhíodh i mo mhála i gcónaí agam le cinntiú go bhféadfainn gabháil ansin go díreach ar an bhóthar iarainn ó Stáisiún Charing Cross.

30ú Meitheamh

"Féachaigí, a scoláirí, tá Caitlín tar éis bronntanas beag a thabhairt dom. Is ea, bronntanas. Sin focal nua dúinn anocht. Abraígí é. BRONN-TAN-AS. Is é sin nuair a thugann tú rud deas do dhuine eile, cuirim i gcás, le haghaidh lá breithe nó le haghaidh na Nollag. Breathnaígí ar cad atá againn anseo, a chairde. A Sheáin, tá an focal seo agat. Is ea, úll atá ann. Maith thú, a Sheáin! Agus, a Threasa, cén dath atá ar an úll? Ní hea, ní ceann gorm é. Mo ghraidhin thú, a Ailbhe, is úll dearg é. Tá Caitlín tar éis úll deas dearg a thabhairt dom mar bhronntanas. Go raibh maith agat, a Chaitlín. Is blasta an bronntanas é sin. Is ea, itheann tú úll, a Úna. Cad é sin a dúirt tú a, Shiobhán? 'Tá Caitlín máistir peata.' Éist go cúramach, a Shiobhán. 'Is í Caitlín peata an mháistir.' Abraígí go léir é, a scoláirí. 'Is í Caitlín peata an mháistir.' Arís, go deas ard an iarraidh seo. 'Is í Caitlín peata an mháistir.'"

Nach ormsa a bhí an ceann faoi! Nós ba ea féirín an úill dheirg a bhíodh againne sa bhaile i bhfad siar nuair a ba mhaith linn a thaispeáint don mháistir nó don mháistreás gur mhór linn a gcuid iarrachtaí ar ár son. B'fhollas nach raibh an múinteoir seo nó na scoláirí féin eolach ar a leithéid. Ní raibh san úll dearg ach comhartha buíochais . . .

Úll dearg é ar nós an chinn bhig ar an tábla os mo chomhair. Cuid de mo réim cógais é. Ceann in aghaidh an lae, ar ordú an Dochtúra Dwelly. Ach cogar! Nach seasann an t-úll dearg don chathú fosta? Do chathú na collaíochta go háirithe agus, nuair a géilleadh dó i nGairdín Éidin, dár lean de . . . an titim is peaca an tsinsir féin. Dála na nathrach nimhe sin sa Ghairdín, tá an Rí Séamas in áit na garaíochta! Is ea, *Geineasas*, Caibidlí a Dó agus a Trí. Féach gur ordaigh Dia d'Ádhamh is d'Éabha gan blaiseadh de thoradh chrann fhios na maitheasa is an oilc sa Ghairdín. Ní luaitear úll, dearg, glas nó buí.

Ach i mbéal an phobail, siombail den chathú é go fóill.

Bronntanas beag deas is ea úll.

Bia folláin is ea é.

Baoite is ea é, baoite le seilg a mhealladh is lena sáinniú.

An cheist atá agam orm féin ná an mise Éabha nó an mise an nathair nimhe?

Sílim nach raibh mé ag iarraidh aird a tharraingt orm féin san am. Theastaigh uaim go mbreathnódh mo mhúinteoir is na scoláirí eile orm mar ghnáthscoláire a thagadh chuig na ranganna gach seachtain go pointeáilte, a chríochnaíodh m'obair bhaile go slachtmhar is a dhéanadh mo dhícheall le máistreacht a fháil ar rúndiamhra ghramadach na Gaeilge. Is ea, theastaigh uaim fosta go dtabharfadh m'oide faoi deara gur mhac léinn speisialta mé a bhí éagsúil leis na scoláirí eile ó thaobh cúlra, aicme, oideachais is saoltaithí de. Is ea, gan fiacail a chur ann, bhí uaim go mbreathnódh mo mhúinteoir orm is go n-aithneodh sé gur scoláire ar leith mé. Ach ní raibh a dhath eile uaim—i dtosach, cibé ar bith. Sílim . . .

Ón chéad rang sin nuair a tháinig mé isteach go mall leithscéalach gur bhaist sé mé as an nua—agus mé ag smaoineamh ar an Bhíobla go fóill, imeacht siombalach is ea an baisteadh, deasghnáth an tumtha—gur chuir sé mé i mo shuí ag ceann an tseomra, thaitin Pádraic Ó Conaire liom mar mhúinteoir. Bhíodh sé gealgháireach i gcónaí fiú nuair a chuirimis go bun na foighde é. Mhíníodh sé an riail ghramadaí sin arís eile, cheartaíodh sé an chomhréir cham gan beag is fiú a dhéanamh de ghiolla an iomraill, agus spreagadh sé an té a raibh beaguchtach air. De ghnáth, d'fhéachadh sé le cloí leis an téacsleabhar ach uaireanta ní bhíodh a chroí san obair fhoirmiúil sin nó thuigeadh sé go raibh athrú ábhair de dhíth orainn. Na tráthnónta sin, chaitheadh sé *Easy Lessons* Uí Ghramhnaigh ar leataobh, tharraingíodh sé gach aon neach againn thart air i bhfáinne is chromadh ar scéalta a insint dúinn faoi Fhionn mac Cumhaill nó faoi Ghiolla an Deacair nó faoi Thuatha Dé Danann. Mo dhála féin, níor thuig na scoláirí eile sa rang cuid mhaith de na scéalta nuair a scaoileadh sé na ruthaig chainte de. Ach idir an gheáitsíocht is an ghothaíl a dhéanadh sé, thiocfadh linn éirim an scéil a thabhairt linn. Ach thar aon rud eile, bhímis faoi dhraíocht ag a ghlór binn meallacach agus ag ceol is ag rithim na teanga sin a bhí á foghlaim againn.

Bhí Pádraic thart ar thríocha bliain d'aois. Mar sin, bhí sé bliana agam air. Ní raibh sé ró-ard, cúig troithe is cúig horlaí, déarfainn. Bhí orlach nó dhó agam air. Bhí folt dubh aige, folt a raibh tonnadh ann. Ag an am sin, bhí sé fostaithe go fóill mar chléireach i Rannóg na Meánscolaíochta den Roinn Oideachais. Thagadh sé go díreach ón obair le haghaidh an ranga amuigh i Kennington, agus na héadaí oibre air fós. Éadaí ba ea iad a bhí néata ach a raibh cuma chaite go leor orthu. Chaitheadh sé bríste chorda an rí is bróga troma dubha go hiondúil. Bhíodh léine air agus carbhat scaoilte ag an mhuineál. Uaireanta, bhíodh cairdeagan gan mhuinchillí air nó seaicéad a raibh paistí leathair ar an dá uillinn ann.

Cailíní ba ea formhór na scoláirí sa rang. Nuair a bhímis ag fanacht leis an Mháistir Ó Conaire teacht isteach sa seomra ranga, bhídís ag caint faoina saol féin, faoina saol sóisialta go háirithe, faoi na céilithe is faoi na seilgeanna a d'fhreastalaídís orthu i hallaí séipéil agus scoile ar fud London. Níl a fhios agam ar cheap na cailíní nach raibh mé ag éisteacht lena gcomhrá nó nach raibh spéis agam san ábhar cainte sin. B'fhéidir gur amharc siad orm mar dhuine seachantach toisc go raibh mé ciúin. B'fhéidir gur cheap siad go raibh mé róshean le bheith ag dul chuig na himeachtaí sóisialta sin? Nach raibh mé aosta go leor le bheith ina máthair ag cuid acu?

Bhíodar contráilte amach is amach. Chuir mé sonrú mór sa chaint sin faoi na céilithe is faoina leithéid. Déanta na fírinne, bhíodh súil agam go dtabharfaidís cuireadh dom dul chuig an chéad cheann eile ina gcuideachta. Bhí cíocras orm freastal ar chéilí den chéad uair ach gan fonn orm dul ann liom féin.

Bhí cuid de na daltaí i ndiaidh bualadh leis an mháistir ag imeachtaí sóisialta de chuid an Chonartha.

"Fear mór ban é," arsa Úna oíche amháin. "Chaith sé an tráthnóna ar fad ag caint is ag rince le Brighid de Priondargás ag céilí i Kilburn Dé Sathairn seo caite is shiúil sé abhaile léi ina dhiaidh sin."

"Bhuel," arsa Treasa, "chuala mise gur thug Bláthnaid Ní Shíthigh an deargeiteach dó an tseachtain roimhe sin tar éis na seilge ag Duke Street. D'éirigh idir an Máistir Ó Conaire is deartháir Bhrighid. Deirtear go raibh cúpla deoch ar bord ag an mhúinteoir."

"Tá an deoch ar an mbord . . .," arsa Siobhán. Ba í seo a séú bliain sa bhunrang.

Amhail cailín scoile a thuigeann den chéad uair go bhfuil beatha ag an mhúinteoir is fearr léi taobh amuigh den seomra ranga, chuir mé sonrú san fhaisnéis phearsanta sin is bhain tátal aisti. Ba é an post státseirbhíse a bhí aige faoi deara dó a bheith ag caitheamh carbhait. Bhíodh sé ag siúl amach le mná éagsúla: ní raibh sé pósta, mar sin. Toisc nach raibh sé pósta, mhínigh sé sin an easpa slachtmhaireachta a bhíodh air agus an tsaoirse a bhí aige a bheith amuigh de shiúl na hoíche. Ba ar éigean a bhí mé sásta leis an scéala go mbíodh sé ag ól, ach chuirfeadh cuing an phósta deireadh pras le míthreoir an chineáil fhirinn a thúisce is a chasfadh bean a dhiongbhála air.

Rith dairt bheag áthais tríom an chéad uair dá bhfaca mé scéal le mo mháistir in *An Claidheamh Soluis*. Ní múinteoir amháin a bhí ann, ach scríbhneoir, mo dhála féin. Ní cuimhin liom cén scéal a bhí ann, ceann de na cinn a bhí in *An Chéad Chloch* ina dhiaidh sin, más buan mo chuimhne. Rinne mé dia beag de an lá sin. Sheas sé don Ghaelachas a raibh dúil agam ann as an nua. Pearsantú idéalach a bhí ann ar an chultúr is ar thír mo shinsear. Chuaigh mé ar lorg a chuid leabhar, is nuair nár éirigh liom teacht orthu go héasca, d'ordaigh mé cóipeanna de *Nóra Mharcuis Bhig*, *Deoraidheacht*, agus a leabhar nuafhoilsithe, *An Sgoláire Bocht*, tríd an phost ó Bhaile Átha Cliath. Bhíodar ródheacair dom ach chuir mé romham mo chuid féin a dhéanamh den Ghaeilge ionas go bhféadfainn iad a léamh. Thug mé faoi deara go raibh an leabhar úr tiomnaithe do Mháire Ní Riain. Cérbh í siúd? arsa mé liom féin.

Ba bhreá liom seans a bheith agam aithne níos fearr a chur air, a bheith ag labhairt leis faoin scríbhneoireacht. Níorbh ionann sin is le rá go raibh mé ag iarraidh a bheith mór leis ar aon bhealach rómánsúil. Gan trácht ar an bhearna aoise is airde eadrainn, tháinig mé go Londain le héalú ó chumann mí-ámharach. Ní raibh mé ar lorg cumainn eile. Bíodh sin mar atá, ba dheacair dom gan aithint go raibh Pádraic i gcodarsnacht ghlan le Paul—agus liom féin, de ráite na fírinne. Ba bheag a bhí idir an stuaim fhuarchúiseach Phrúiseach sin a bhí ag rith trí fhéitheacha Paul agus an chiallmhaireacht sin a bhí ionam ó dhúchas is ó oiliúint. Ach bhí Pádraic beoga, lán spleodair.

Uaireanta nuair a bhíodh an rang thart, théadh scoláirí suas chuig an mháistir le teanntás a dhéanamh leis faoi cheachtanna nó faoin obair bhaile. Shuíodh sé ag an tábla, agus é ag labhairt leo ar a seal. Corruair, d'fhanainn féin go mbíodh an múinteoir saor is ansin théinn chun cainte leis faoi m'obair scoile. Chuireadh sé ceist orm cad é mar a bhí ag éirí liom? . . . Cad a bhí ar siúl agam i Londain? . . . Ar thaitin an chathair liom? . . . Níor thug sé le fios dom go raibh spéis ar leith aige ionam a bheag nó a mhór. Chaitheadh sé go deas cuiditheach liom. Ba mar sin a chaitheadh sé leis na daoine eile fosta.

Ansin oíche amháin tar éis do gach scoláire eile imeacht, tharla go rabhamar beirt ag fágáil na scoile ag an am céanna. Shiúlamar chomh fada leis an stáisiún traenach ag Kennington. Bheadh moill ar an chéad traein eile go Charing Cross. Chuamar chun cupán caife a fháil.

1ú Iúil 1924. Lá Thiarnas Cheanada.
Ar aifreann ar maidin.

I m'ainneoin féin, ní thig liom gan smaoineamh ar mo thír dhúchais. Agus is doiligh dom gan smaoineamh ar chúrsa mo shaoil. Rugadh i gCeanada mé, thíolaic mé mo bheatha d'Éirinn, ach táim ar deoraíocht i Meiriceá. Nuair a thug mé suas saoránacht de chuid na Breataine Móire mar Cheanadach, chreid mé go raibh mé le cur fúm in Éirinn mar shaoránach de chuid Phoblacht na hÉireann. Ní mar sin a tharla sé. Ní hann don Phoblacht. Níl mé in Éirinn. Ach dá mbeinn agus pas de chuid an tSaorstáit agam, bheinn i mo shaoránach de chuid na Breataine Móire is a hImpireachta go fóill! Ní bhainim le haon áit anois. Ar nós Chlann Iosrael, tá fán fada orm.

Tráthnóna
Thosaigh mé ar an chúrsa raidiam ar maidin. Anois faoin tráthnóna, tá maolú beag i ndiaidh teacht ar na rachtanna samhnais a bhí ag rith trí mo chabhail. Thug an Dochtúir Dwelly foláireamh dom gur mar sin a bheadh sé. Ach is maith an rud é go bhfuil an cúrsa cóireála faoi lánseol faoi dheireadh mar is amhlaidh is túisce a bheidh sé thart. Caithfidh mé mo mhuinín a chur i nDia. Caithfidh mé a chreidbheáil go ndíothófar an galar. Idir an dá linn, is fearr

dom gan a bheith ag machnamh ar a bhfuil i ndán dom barraíocht. Is mór is fiú dom dá réir leanúint leis an chuntas seo ó thógann sé m'intinn ón mhíchompord colainne is ón lagmhisneach croí.

".... Dá bhfeicfeá Pálás Geimhridh an tSáir i St. Petersburg! . . . Ní raibh an oiread is rúbal rua agam le haghaidh an lóistín. Mar sin, suas liom chuig an bpríomhgheata, mhínigh mé don chaptaen a bhí ar diúité ansin go raibh mé tar éis teacht an bealach ar fad ó Éirinn de shiúl na gcos. Bhí an Fhraincis ar a thoil aige, mo dhála féin, is fuair mé amach gur dhuine é a raibh an-chur amach aige ar na sean-Reisimintí de chuid na nGéanna Fiáine san Eoraip dhá chéad bliain ó shin . . . agus an chéad rud eile ná gur lig sé isteach mé chun an oíche a chaitheamh i seomra sa bpálás . . . 'Fan chomh fada agus is mian leat,' arsa an captaen groí liom. A leithéid de ghalántacht, ní fhaca tú riamh, a Chaitlín. Bhí ballaí mo sheomra leapa faoi thaipéis agus an troscán greagnaithe le clocha bua chomh mór leis na liathróidí sneachta a chaitheadh na tachráin sráide le garda an pháláis. D'ordaigh an captaen dinnéar mór caibhéir dom agus braonán maith *vodka* le mo ghoile a shocrú. Nach mé a bhí ar mo sháimhín só ansin ar feadh seachtaine agus rogha gach bia is togha gach dí agam. Bhí an Sár féin is an teaghlach ríoga i Moscó . . . Ach creid uaimse é, a Chaitlín, feic saolta is ea an boc sin Rasputin . . ."

Stop Pádraic go tobann drámata amhail is go raibh sé ag iarraidh a chinntiú go raibh cluas le héisteacht orm féin gur lean sé dá scéal.

"Fan go gcloise tú seo, a Chaitlín, a chroí. Oíche, nuair a bhí mé ag ithe an dinnéir, isteach le Rasputin agus cuma chorraithe air. Sheas sé ag ceann an tseomra agus sruth mór gibirise uaidh a chuirfeadh ceo ar intinn Euclid féin. Diabhal ciall a bhain mé as an gcaint chéanna cé go raibh tuairim mhaith agam nárbh é an Paidrín Páirteach a bhí á rá aige. 'Bhuel, tig le Gael gaoiseach an cleas ceannann céanna a imirt,' arsa mise liom féin, agus chrom ar *Laoi na Seilge* a reic os ard. Rinne sin balbhán den mhanach gur chas sé ar a sháil is bhailigh leis amach as an seomra gur líon mé mo chabhail leis an gcaibhéar is leis an *vodka* an athuair. Nach mé a chodail chomh sámh sásta le hAinnir an tSuain Fhada an oíche sin!"

Nuair a thosaigh mé ag gáire, d'ardaigh Pádraic leathlámh.

"Cogar, a Chaitlín, níl deireadh ráite agam fós. An bhfuil a fhios agat cad a tharla ansin? . . . Dheamhan bréag atá ann . . . Bhrostaigh an captaen cóir isteach chugam ar chéad bhloscadh na camhaoire. 'Bí i do shuí, a chara, is gread an bóthar gan mhoill,' ar sé i bhFraincis. 'Tá Rasputin le tú a fheallmharú anocht. Creideann sé gur misteach tú atá ag iarraidh teacht idir é agus teaghlach an tSáir. Tá ordú tugtha aige do chócaire an pháláis do chuid dinnéir a bheith lán luchtaithe le harsanaic.' Bhuel, is leor nod don Chonnachtach ciallmhar. Ní raibh mise le feitheamh ann go dtabharfaí nimh dom a leagfadh go talamh Goll mac Mórna féin. Bhuail mé bóthar ar an bpointe agus ní dhearna mé stad mara ná cónaí oíche gur bhain mé Éire amach arís . . . Is mar sin a d'éirigh liom éalú ó ghreim is ó nimh an scabhaitéara ghruagaigh sin, Rasputin."

Stad Pádraic is stán idir an dá shúil orm amhail is go raibh sé ag tabhairt mo dhúshláin amhras a chur in an oiread is mionsonra nó mórshiolla amháin dá scéal.

Thaitin sé le Pádraic a bheith ag cumadh scéalta. Scéalta faoin taisteal a bhí déanta aige. Faoi na tíortha is faoi na cathracha móra a bhí feicthe aige. Faoi na rudaí iontacha a bhí i ndiaidh tarlú dó ar an bhealach siar is aniar, ó thuaidh is aduaidh. Agus thaitin sé liomsa a bheith ag éisteacht leis na scéalta céanna.

Cumadóireacht amach is amach a bhí ann. Ní raibh Pádraic ar Mhór-Roinn na hEorpa riamh. Ní raibh aige ach smeadar Fraincise de chuid na scoile. Ba mhó go deo an taisteal a bhí déanta agam. Bhí samhlaíocht bheoga ag Pádraic agus cumas scéalaíochta, níorbh fholáir. Bhí rud eile ann fosta, déarfainn, rud a chuaigh siar chuig a óige. "Nach mise an díol trua agus gan ionam ach dílleachta bocht? . . .," a deireadh sé go minic. An chéad uair dá ndúirt sé sin liom, chrom mé ar an seitgháire. Ní raibh ann ach cleas áibhéalta eile dá chuid—cleas den saghas a chleachtann fir an domhain mhóir, is an tUasal Weston orthu—go mbeadh bá ag bean leis is le cluain a chur uirthi. Bhí sin ann, gan aon agó, i gcás Phádraic. Ach bhí a thuilleadh ann. Dílleachta a bhí ann ó bhailigh an t-athair leis go Meiriceá gur cailleadh ansin é is go bhfuair máthair Phádraic bás nuair nach raibh an gasúr ach dhá bhliain déag d'aois. Is ar éigean a bhí aon bhunáit ag Pádraic ina dhiaidh sin ach é i measc strainséirí tigh a uncail amuigh i gConamara nó sna scoileanna cónaithe. Is éard a bhíodh sna scéalta bréagacha dírbheathaisnéise sin a bhíodh aige áis éalúchais le déileáil leis an uaigneas a bhíodh air is le maolú ar phian an choimhthís. B'fhusa dó sólás a lorg i scéalta samhlaíocha ina mbíodh an pháirt lárnach aige féin ná smaoineamh ar an dóigh nach raibh saol teaghlaigh aige ina óige.

Tar éis dúinn dul amach chun cupán caife a ól den chéad uair sin, rinneamar nós de sin tar éis an ranga. Dea-chuideachta a bhí i bPádraic, gona stóras staróg. B'eol dó éisteacht fosta, faoi mo chuid oibre, faoi na hiarrachtaí a bhí ar siúl agam le leabhair staire de chuid na hÉireann a léamh, faoin scríbhneoireacht a bhí déanta agam féin. Bhronn mé air cóipeanna de mo leabhair féin—beathaisnéis an Ardeaspaig Cornelius agus beathaisnéis Le Père Albert Lacombe agus d'iarr sé orm iad a shíniú. *"Do mo mháistir foighdeach, Pádraic Ó Conaire, Le meas i gcónaí, ó scoláire bocht, Caitlín Ní Aodha, 6 mí na Nodlag 1913"* an nóta tiomnaithe a chuir mé leis an chéad leabhar. Bhí mé rud beag ní ba dhána is ní ba phearsanta sa dara ceann. *"Do mo chara ionmhain, Pádraic, ó Chaitlín, Le gean, 6 mí na Nodlag 1913."*

An tseachtain dár gcionn, d'iarr mé air na trí leabhar leis a bhí ceannaithe agam a shíniú dom. *"Do Chaitlín, peata an mháistir. Pádraic, 13.XII.1913"* a scríobh sé ar gach ceann acu. Tá an oiread sin leabhar agus cáipéisí caillte agam i gcaitheamh na mblianta, ach coinním na trí cinn sin in aice le mo leabhair féin i gcónaí.

"Beidh orm leabhar a thíolacadh duit," ar seisean liom ansin. "Tá an chéad cheann eile, *An Chéad Chloch,* ag na clódóirí faoi láthair . . . ach an ceann ina dhiaidh sin."

Ba mhinic a chuir sé ceist orm faoi Mheiriceá Thuaidh, faoi Iarthar Mheiriceá, faoi bhuachaillí bó is faoi na hIndiaigh Dhearga. Nuair a chuala sé gur chaith mé seal ag teagasc i scoileanna Indiacha, bhí tréan ceisteanna faoi dhálaí shaol an Chine Dheirg aige.

"Ba mhaith liom dul ann am éigin," ar seisean "go bhfeicfidh mé Nua-Eabhrac, is San Francisco agus na Rockies."

"Ó tharla go bhfuil craobhacha de chuid an Chonartha amuigh ansin, nárbh fhéidir leo siúd cuireadh a thabhairt duit gabháil amach le labhairt leo agus le léamh ag feiseanna is ag ranganna. D'fhéadfá cúpla dollar a shaothrú air fosta."

Rinne sé gáire.

"Smaoinigh air sin," ar seisean. "Cúpla dollar a

shaothrú as a bheith ag scríobh is ag léamh as Gaeilge . . .
B'fhéidir go dtiocfadh an cuireadh sin lá éigin fós, ach cogar,
tá mé ag smaoineamh ar leabhar a scríobh faoi Mheiriceá
. . . faoi fhear de mhuintir Uí Allmhúráin as Cladach na
Gaillimhe a bhí ar bord loinge le Columbus nuair a chroch
sé a sheolta go Meiriceá an chéad lá riamh . . . Éirigh as an
ngáire. Lomdáiríre atá mé . . . Dheamhan bréag atá ann in
aon chor."

2ú mí Iúil

"Ní raibh tusa ag céilí nó seilg riamh! Dar príost, ní mór
dúinn an t-iomrall sin a chur ina cheart gan mhoill. Beidh
Céilí Mór na Nollag ar siúl ag an scoil Chaitliceach ag
Holborn Circus Dé hAoine. Beidh Çonraitheoirí ó limistéir
Londan ann is cuid mhaith de do chomhscoláirí freisin.
Tiocfaidh mé i d'araicis sa gcathair is rachaimid suas ann le
chéile."

Ó tharla nach bhféadfainn a bheith cinnte cén t-am a
mbeinn ag críochnú na hoibre san oifig, shocraigh mé le
Pádraic go mbuailfinn leis ag an chéilí féin.

Bhí slua measartha i láthair faoin am ar bhain mé an
halla amach timpeall a naoi a chlog an tráthnóna Dé hAoine
sin. Bhí banna ceoil ag seinm thuas ar an ardán, agus fear
an tí ag glaoch ar dhaoine déanamh réidh don chéad chúrsa
rince eile. D'aithin mé cérbh é ar an toirt. Ba é an fear sin,
Art Ó Briain, ar labhair mé leis an lá cinniúnach sin ag 77
Sráid Fleet é. Shiúil mé timpeall an halla féachaint an
bhféadfainn teacht ar Phádraic. Ní raibh tásc ná tuairisc air.
Cheannaigh mé deoch ghlas is bhuail fúm ag taobh an
tseomra. Níor thúisce mé i mo shuí nuair a bhuail fear bleid
orm is rug ar mo sciathán go garbh.

"Amach leat go ndéanfaidh tú cúrsa liom."

Bhí boladh an óil as cé nach raibh an t-alcól ar díol sa

halla. Thosaigh mé ag míniú dó nach raibh na rincí ar eolas agam. Ní raibh sé le glacadh leis an diúltú ach ar ámharaí an tsaoil, chonaic mé mo chomhscoláirí, Siobhán agus Treasa, Úna agus Seán, ar an taobh eile den halla.

"Caithfidh mé gabháil chun bualadh le mo chairde," arsa mise agus d'imigh uaidh go gasta.

Nárbh iontach an spórt a bhí agam leo ina dhiaidh sin. Théinn amach ag rince leis an triúr cailíní, le Seán agus le cúpla cara leosan. Agus cur amach agam ar chéimeanna rincí tíre Fhrancóirí Québec, níorbh fhada mé ag dul i dtaithí bhunghluaiseachtaí Ionsaí na hInse, Thonnta Thoraí is Bhallaí Luimní. Rinne mé botúin go leor, ach idir an gháire is an spreagadh a fuair mé ó mo chomhdhaltaí, ní dhearna mé feic díom féin.

Bhí mé féin ag coimeád súile ar an doras féachaint an raibh Pádraic i ndiaidh teacht. Ba í Siobhán a chonaic é faoi dheireadh, le linn dúinn a bheith ag cur caoi orainn féin le tabhairt faoi Bhaint an Fhéir. Bhí sé díreach i ndiaidh teacht isteach gur stop le labhairt le cúpla duine a bhí ag crochadh thart in aice leis an doras.

"A mháistir, a mháistir," arsa Siobhán de bhéic. "Teacht istigh anseo . . . brostaigh." Cibé bearnaí a bhí ina cuid Gaeilge, ba leor mar mhíniú a cuid geáitsíochta. Tháinig Pádraic anall chugainn, bheannaigh dom, is thóg a áit trasna uaim. Nuair a thosaigh an ceol, chuir sé iontas orm nach raibh na céimeanna aige. Áit a raibh mé ag súil leis go mbeadh sé ag gluaiseacht chomh grástúil le heala, seo é go hanásta spágach le . . . bhuel, le meisceoir.

"Níor éirigh liom máistreacht a fháil ar na céimeanna mallaithe seo," ar seisean go hard leithscéalach liom nuair a thug sé faoi deara mé a bheith ag stánadh air. "Ach níl aon chaill ort."

Tar éis don chúrsa rince críochnú, mhoilligh mé gur

tháinig sé suas liom. Ó tharla gurbh eisean a thug cuireadh dom teacht chuig an chéilí, rinne mé talamh slán de go rabhamar le suí síos chun dreas cainte a dhéanamh le chéile.

"Tá cúpla cathaoir ag tábla an dreama sin," arsa mé ag pointeáil i dtreo mo chomhscoláirí.

"Ní féidir liom fanacht i bhfad anocht," a d'fhreagair Pádraic.

"Ó, bhuel . . ." Ní raibh a fhios agam cad ba cheart dom a rá.

"An bhfuil tú faoi réir, a Phádraic?"

Bhí bean dhonn a raibh aghaidh leathan aici, bean a bhí thart ar dheich mbliana fichead d'aois, i ndiaidh teacht trasna chugainn. Bhí sí ag caitheamh cóta mór amhail is go raibh sí réidh don bhóthar.

"Beidh mé leat faoi cheann nóiméid . . .," ar seisean leis an bhean.

De réir dealraimh, bhí Pádraic ag dréim leis go n-imeodh an bhean dhonn. Ina ionad sin, níor chorraigh sí.

"Seo scoláire liom, Min," ar seisean faoi dheireadh. "A Chaitlín, seo Máire Ní Riain. Min, is í seo Caitlín Ní Aodha."

"Meiriceánach thú?" arsa an bhean dhonn.

"Ní hea. Is as Ceanada dom."

"Ó," ar sise amhail is nár léir di difríocht a bheith i gceist. Chas sí chuig Pádraic. "Ní mór dúinn brostú nó beimid mall."

"Tá brón orm, a Chaitlín . . ." Labhair sé go mall. "Feicfidh mé thú ag an gcéad rang eile tar éis na laethanta saoire."

"Fan nóiméad le do thoil." Dá mba rud é go raibh mé ag smaoineamh air i gceart ní dhéanfainn é, go háirithe tar éis eachtra an úill dheirg. Bhrostaigh mé anonn chuig an tábla is rug ar mo mhála gur fhill ar an áit a raibh Pádraic ag fanacht in éineacht leis an bhean dhonn. Thóg mé amach beartán beag. "Seo bronntanas beag duit. Nollaig Shona duit, a Mháistir."

Ba léir domsa an bhean dhonn ag cur na súl tríom nuair a bhí Pádraic ag oscailt an bheartáin.

"Tá mé millte agat, a Chaitlín. Ó, nach deas an carbhat é seo. Breathnaigh air, a Mháire."

"Go han-deas," arsa an bhean dhonn go fuaránta míchéadfach, "ach ní mór dúinn imeacht gan mhoill."

Cibé fonn a bhí airsean fanacht, chuir glór mí-fhoighdeach na mná eile deireadh leis.

"Bíodh Nollag Shona mhór agat féin, a Chaitlín," arsa Pádraic agus é ag imeacht.

Chuaigh mé siar chuig an tábla agus mé idir dhá chomhairle an raibh mé i ndiaidh mé féin a náiriú.

"Tá Caitlín peata máistir arís," arsa Siobhán. "Tabhair sí é bronntanas. Níl a fhios agam an focal."

"Carbhat," arsa Seán.

"Is ea, carbhat."

"Cérbh í an bhean dhonn sin a d'imigh leis an mhúinteoir?" arsa mé.

"Min Ryan is ainm di . . . nó Máire Ní Riain mar is fearr léi é ar na hócáidí Gaelacha seo," a d'fhreagair Treasa. "Is as Loch Garman ó dhúchas di. Múinteoir Fraincise í."

"Tá an chuma ar an scéal go bhfuil sí féin agus an Máistír Ó Conaire an-mhór le chéile." Bhí súil agam nár thug mo chairde an faobhar ar mo ghuth. Ghoill sé orm go raibh Pádraic i ndiaidh imeacht léi chomh héasca sin tar éis di glaoch air, mar a ghlaofadh duine ar choileán. Ní éad a bhí ann, arsa mé liom féin go diongbháilte, ach an cantal a thagann ar bhean nuair a fhaigheann bean eile an ceann is fearr uirthi.

"Chuala mise gur mhaith leis an mháistir a bheith an-mhór le Min, má thuigeann tú mé," arsa Úna. "Ach níl sise ag géilleadh dó."

"Bhuel," arsa mise, agus is ar éigean a bhí mé sásta leis na focail de réir mar a chuir mé friotal ar na smaointe i m'aigne, "ise a bhí ag tathant air imeacht léi ansin díreach."

3ú mí Iúil

Thiomnaigh sé leabhar di ach cibé dúil a bhí ag Pádraic i Máire Ní Riain, ní raibh sí le cur i gcrích aige. Bhí Min ceanúil air. D'inis sí an méid sin dom nuair a bhuaileamar le chéile i mBaile Átha Cliath san earrach 1922. Faoin am sin, bhí sí pósta ar Risteárd Ua Maolchatha. Tháinig sí i m'araicis ag Teach Ósta an Shelbourne.

"Tá a fhios agam nach n-aontaíonn tú leis an Chonradh—nó leis an seasamh atá tógtha ag Dick agus ag Mick," arsa Min. "Ach bíodh a fhios agat, a Chaitlín, go bhfuil an rud ceart á dhéanamh againn ar son na tíre."

Dóbair gur fhiafraigh mé di ar chreid sí i ndáiríre go mbeadh a seanchara—an fear a mbíodh sí luaite leis lá den saol—go mbeadh a seanchara Seán Mac Diarmada ar thaobh an Chonartha mhallaithe chéanna fosta. Déanta na fírinne, is í an chuimhne is glinne agus is seirbhe atá agam ar Bhaile Átha Cliath '22 na huaireanta a raibh orm glassnaidhm a chur ar mo theanga nuair a bhuailfinn le seanchomrádaithe a bhí ag glacadh le scilling agus le coróin an Rí agus leis an mhóid dílseachta don Rí ceannann céanna agus iad go léir ag tabhairt an leabhair go mbeadh gach tírghráthóir ó Wolfe Tone go Pádraig Mac Piarais ar aon fhocal leo.

Is ea, bhí Máire ceanúil ar Phádraic agus í in éad le mná eile, mo dhála féin, a bhíodh in éineacht leis, b'fhéidir, ach ní raibh sí le titim i ngrá leis. Bhí sí róchiallmhar le ligean dó sin titim amach. In ainneoin a phoist lae, bhí saol róneamhrialta ag Pádraic ag an am sin féin, agus in ainneoin na haimhrialtachta a bhain le saol Min ina dhiaidh sin nuair a phós sí an Maolchathach sa bhliain 1919, níorbh ionann an dá chineál neamhrialtachta: ba chuid de chomhstreachailt an náisiúin úir ceann amháin acu; ní raibh sa dara ceann ach leithleachas an scríbhneora nár fhás suas riamh.

Ceist nár chuir mé ar Mháire ná an raibh a fhios aici i bhfad siar i Londain faoi ghné neamhrialta eile de bheatha Phádraic, mar atá a bhean is an chlann, mura raibh beannacht na hEaglaise is séala an stáit air mar phósadh riamh. Is rídhoiligh a shamhlú nach raibh a fhios ag go leor de phobal na Gaeilge i Londain faoin teaghlach. Ní hé go raibh an bhean is an chlann i gcathair nó i dtír eile ar fad. Ach tá daoine ann a n-éiríonn leo an taobh poiblí is an taobh príobháideach dá saol a choinneáil scartha óna chéile. Is fusa go mór d'fhear a leithéid a chur i gcrích, fad is a bhíonn an bhean is an chlann dingthe as radharc sa bhaile. Míniú amháin ar an scéal ná go raibh a fhios ag go leor daoine san am faoi theaghlach Phádraic ach gur chreid siad nach rachadh ach stiúsaí gan náire—bean dhíomhaoin Cheanadach thuas sna tríochaidí, b'fhéidir!—ina ghaire nó ina ghaobhar. I ndeireadh na dála, is cuma cé chomh minic is a smaoiním siar ar an tréimhse sin i Londain, áfach, ní léir dom go bhfuair mé gaoth an fhocail faoi dhála tí Phádraic riamh agus—más doiligh dom féin an tsaontacht a thuigbheáil nó a chreidbheáil anois—níor chuir mé ceist ar Phádraic cé go baileach a bhí in aontíos leis.

Ní dúirt sí é suas le mo bhéal, ach thug Máire Ní Riain le fios dom an lá sin sa Shelbourne go raibh a fhios aici go raibh mé i gcumann le Pádraic.

"Ní fheicim é chomh minic sin anois," ar sise liom i dtosach nuair a luaigh mé go raibh mé ag iarraidh teacht suas le Pádraic sula bhfágfainn Éire. "Ach ba cheart dó a bhean agus a chlann a thabhairt anall ó Shasana. D'fhéadfadh sé cur isteach ar phost Státseirbhíse anseo i mBaile Átha Cliath . . . rud éigin a bhaineas leis an Ghaeilge. Thiocfadh le Dick nó le Mick féin post bog éasca a fháil dó."

"Is dócha é," arsa mé go patuar, agus mé ag cur sonrú sa dóigh a dtugadh Min tús áite do Dick i gcónaí (ábhar scoilte ann, b'fhéidir . . .). Ar scor ar bith, bhí idir neamhchinnteacht orm go bhféadfadh Pádraic gnáthphost lae a choinneáil agus leisce orm a admháil gur ag Mick, Dick is gach Seán Státaire eile a bheadh an chumhacht feasta daoine a cheapadh ina bpost—nó a bhriseadh astu.

"Labhróidh mé le Dick faoi," arsa Máire. "Má éiríonn leat teagmháil a dhéanamh le Pádraic idir an dá linn, ní miste duit comhairle a leasa a chur air. Seo seans breá dó chun bun a chur air féin is chun an teaghlach a thabhairt le chéile arís."

Bhí mé ag cogaint na círe sin nuair a lean Máire di go ciúin.

"Is iomaí bean ar chuir Pádraic cluain uirthi i Londain . . . mná nach raibh a fhios acu a dhath faoina chúram tí." Stop sí agus stán orm amhail is go raibh sí ag tabhairt cuireadh dom mo rún a ligean léi. Nuair nach ndúirt mé a dhath, labhair sí arís.

"An saghas duine atá i bPádraic ná fear a bhíonn de shíor ar lorg na máthar sin a chaill sé nuair a bhí sé sna déaga luatha. Bean a bheadh in ann díriú air féin amháin, faoi mar a dhéanfadh máthair lena páiste féin. Ach ar nós an pháiste aonair mhillte, ba dhoiligh dó déileáil leis nuair a rugadh páistí eile dá mháthair. Níl a fhios agam cén cineál mná atá i mbean Phádraic. Níor casadh orm í riamh. Ach thabharfainn buille faoi thuairim gurbh in ceann de na fáthanna gur thréig sé í. Ní thiocfadh leis cur suas le páistí beaga, lena chlann féin a thagadh idir é agus aird na mná . . . Dála an scéil, ar bhuail tusa le bean Phádraic riamh?"

4ú mí Iúil. Lá Neamhspleáchais Mheiriceá.

Bhí paráid mhór ar siúl timpeall thailte fearainn an San ar maidin. Bhí idir fhearg agus chantal orm nuair a thuig mé go gcuirfí an seisiún cóireála ar ceal inniu. Cuirfidh sin le mo sheal agus le mo chostais anseo. Údar faitís is ea é fosta go laghdódh an mhoill ar éifeacht na cóireála. Nuair a luaigh mé sin leis an Dochtúir Dwelly, d'fhreagair sé gur chuid de bhunphrionsabail an Dochtúra Kellogg iad an tógáil croí is an t-ardú meanman a thagann le lá siamsaíochta amuigh faoin aer. D'fhéadfadh sin a bheith chomh tábhachtach leis an chóireáil féin. Cibé ar bith, bhí sé cloiste aige ón bhanaltra go raibh mé ag caitheamh barraíocht ama thuas i mo sheomra sa tráthnóna in ionad a bheith ag coinneáil is ag déanamh cuideachta . . .

Mar sin, tar éis an bhricfeasta (murab ionann is na maidineacha eile, canadh "The Star Spangled Banner"; an t-aon bhua a bhaineas leis mar amhrán ná nach é "God Save the King" é!), bhailigh mé mo hata panama, is rinne ar an Fhorhalla go ndeachamar amach chuig an Fhaiche Mhór os comhair an San. Rinne mé mo dhícheall Bean Wien agus a páirtí a sheachaint. Agus an tUasal Weston. A bhuí le Dia, chonaic mé Delia Keane, an bhanaltra Chiarraíoch atá ag obair sa lárionad cóireála agus chuaigh mé trasna chuici. Chaith mé cuid mhaith den lá ina teannta, agus muid ag caint is ag comhrá le chéile faoi Chiarraí, go háirithe faoi Chill Airne. Duine lách í Delia. Bhíodh sí i gCumann na mBan. Dála fhormhór glan na mban calma sin, agus in ainneoin dhíspeagadh scannalach fhir áirithe ar an taobh eile, chuir Delia i gcoinne an Chonartha. Ní raibh a dhath i ndán di sa bhaile tar éis an Chogaidh Chathartha is thug sí agus deirfiúr léi an loch amach orthu féin.

Tá taispeántas tine ealaíne tar éis a bheith ar siúl amuigh. Ó tharla gur deacair luí isteach ar an scríbhneoireacht mar gheall ar an torann is ar na soilse amuigh, tá mé i ndiaidh a bheith ag léamh cuid den ábhar thuas. Tá an baol ann go gcaillfidh mé snáithe leanúnach an scéil agus mé ag pocléim siar is aniar ó thaobh imeachtaí agus ama de. Cheapfá tar éis dom trí bheathaisnéis a scríobh gurbh éasca dom cloí le hord is le cróineolaíocht scéil. B'éasca. Ach amháin nuair a bhíonn tú ag gabháil do do scéal féin.

Téimis ar ais chuig an eachtra sin nuair a d'fhág Pádraic Céilí Mór na Nollag in éineacht le Máire Ní Riain. Ní fhaca mé é arís go dtí gur atosaigh na ranganna in athbhliain 1914.

"A Chaitlín, ba mhaith liom labhairt leat ag deireadh an ranga," ar seisean nuair a tháinig sé isteach sa seomra scoile.

"Máistir peata . . . peata máistir . . . máistir peata," arsa Siobhán de chogar liodánach taobh thiar díom.

"Imímis le cupán tae a fháil," arsa Pádraic liom nuair a bhí mo chomhscoláirí imithe leo.

"An bhfuil tú cinnte go bhfuil cead imeachta agat?" arsa mise leis le teann diabhlaíochta. "B'fhéidir go mbeadh do chara, Máire, crosta leat."

Lean mé de bheith ag spochadh as nuair a bhíomar inár

suí sa teach itheacháin. In ionad fearg a chur air, ní raibh ann ach gur thosaigh sé ag gáire.

"Bean bhreá í Min . . . ach tá a croí lán le rudaí eile," ar seisean.

"Níl aon chumann eadraibh, mar sin," arsa mé ar nós na réidhe. "Mheas mé gur chuala mé duine éigin ag rá go bhfuil, oíche an chéilí."

"Cumann eadrainn! Bhuel, tá, is dócha. Ach ní cumann den saghas sin atá ann." Stop sé agus é ag tabhairt mo dhúshláin an chéad cheist eile a chur air.

"Cén cineál cumainn é mar sin?"

Ba le teann drámatachta a bhain Pádraic súimín as a chuid tae sular fhreagair sé.

"Ar chuala tú trácht ar Chumann na mBan?"

"Cumann na mBan? Cad é sin?"

"Tá a fhios agat go bhfuil eagraíocht nua mhíleata in Éirinn le cinntiú nach gcuirfidh Carson agus an Dream Buí stop leis an bhFéinrialtas in Éirinn . . . na hÓglaigh a thugtar orthu . . . eite na mban de na hÓglaigh is ea Cumann na mBan."

"Ní thuigim cén bhaint atá aige sin leis an scéal?" Agus níor thuig ach oiread!

"Ba í Min a bhunaigh Cumann na mBan i Londain. Bhí fear mór sna hÓglaigh . . ."—Seán Mac Diarmada a bhí i gceist aige, ar ndóigh—"bhí sé i ndiaidh teacht ó Bhaile Átha Cliath le labhairt leo oíche an chéilí, más go míthráthúil é sin, agus ó tharla go raibh aithne agam air, d'iarr Máire orm dul ina cuideachta."

"Ó," arsa mise agus mé ag féachaint leis an fhaisnéis sin uilig a shuaitheadh is a chíoradh. Dá mba rud é go raibh Conradh na Gaeilge i Londain, agus Cumann na mBan . . . "Tá na hÓglaigh féin anseo i Londain, níorbh fholáir? An bhfuil baint agatsa leo, a Phádraic?"

"Agamsa! Nach bhfaca tú mé oíche an chéilí is gan mé in ann na bunchéimeanna rince a dhéanamh! An féidir leatsa mise a shamhlú i mo shaighdiúir tráthnóna is dheireadh seachtaine agus mé ag máirseáil agus ag glacadh le horduithe . . . clé, deas, clé?"

Bhí a fhios agam nárbh fhreagra é sin.

"Caithfidh go bhfuil aithne agat ar na daoine atá páirteach ann . . . ar na boic mhóra i Londain."

"Bhuel, cloisim gur iarscoláirí de mo chuid céatadán ard acu," ar seisean ag gáire. "Cheap mé nach raibh mé ach ag múineadh na mbriathra neamhrialta dóibh."

Stán mé air. Ba mhinic a d'inis mé dó faoi na leabhair faoi stair na hÉireann a bhí á léamh agam, nó faoin alt amaideach seo nó faoin eagarfhocal aineolach sin sa *Times* faoin fheachtas um fhéinrialtas in Éirinn a chuireadh le cuthach mé. Ní deireadh sé mórán agus ba í an chiall a bhain mé as sin gur bheag spéis a bhí aige sa pholaitíocht is gur ar éigean a bhíodh sé ag éisteacht liom. Thuig mé go tobann go mbíodh sé de shíor do mo mheas agus ag meá mo chuid tuairimí.

"B'fhéidir go dtiocfadh liom do chuid iarscoláirí a chur i dteagmháil le húinéirí is le hiriseoirí nuachtán i Meiriceá Thuaidh . . . ionas go bhféadfaidís a dtaobh den scéal a chur os comhair an phobail ansin."

"Bhuel, má bhuailim le haon duine acu fán na slí, luafaidh mé do thairiscint fhial leis."

9ú mí Iúil

Bhí orm an dáta a sheiceáil le Delia mar tá mé tar éis a bheith chomh breoite sin le cúpla lá anuas nach é amháin nach raibh a dhath breactha sa chuntas seo agam ach go raibh dearmad déanta agam ar cén lá den tseachtain a bhí ann.

Mothaím go bhfuil feabhas beag i ndiaidh teacht orm. Bhí suipéar éadrom agam anocht.

Bhí an Dochtúir Dwelly i ndiaidh insint dom roimh ré go gcuirfeadh an chóireáil raidiam idir thuirse colainne is samhnas goile orm. Is ar éigean a chreid mé go mbeadh sé chomh cloíte sin, go mbraithfinn an leigheas a bheith níos measa ná an galar féin. Ach ciallaíonn sé sin go bhfuil an raidiam ag fáil an ceann is fearr ar chruimheanna an ghalair, á mbarraíocht, á dtreascairt agus á ruaigeadh as mo chabhail.

A bhuí le Dia na Glóire is lena Mháthair go raibh Delia in ann a bheith liom thar oíche. Go gcúití Siad a saothar leis an bhean uasal. Thug an Dochtúir Dwelly cead speisialta di tocht a thabhairt isteach i mo sheomra. D'fhan sí liom, í ag freastal orm nuair ba chall leis, ag rá an Phaidrín, do mo shuaimhniú nuair a mhúsclaínn san oíche. Ba í a chuir fios ar an Athair Werner a tháinig is a chuir an ola dhéanach orm ar eagla na heagla . . .

Tá breis is leathchuid den chúrsa trí seachtaine curtha díom agam. Is doiligh sin a chreidbheáil is gan cuimhne cheart agam ar gach lá. Ar ndóigh, is ionann gach lá nach mór. Mura mbíonn Delia ar diúité, tagann duine de na banaltraí chun cuidiú liom dul san fholcadán. Cé nach mbíonn ocras orm, bíonn orm greim trom stalcach a ithe le mo ghoile a réiteach don raidiam a bheag ná a mhór. Ansin, tugtar anuas ar chathaoir rotha go dtí an t-ionad cóireála mé. Uaireanta, is beag moill a chuirtear orm ansin. Ach tá sé i ndiaidh tarlú cúpla uair gur tugadh othar isteach i gcás éigeandála agus gur ghá mo sheisiún cóireála a chur siar.

Níl aon neart ar an phráinn. Cuirtear mé i seomra beag feithimh ansin. Tá leabhragán ann ach is doiligh dom díriú ar an léitheoireacht. Éirím corrthónach míchéadfach.

Is maith an rud mar sin go bhfuil an cuntas seo agam. Ach caithfidh mé a admháil nach bhfuil mé róshásta lena bhfuil scríofa agam go dtí seo. Is ar éigean atá éirithe liom blas na tréimhse sin i Londain a thabhairt i gceart. Tá teipthe orm Pádraic a chruthú ina steillbheatha. Níl sa phearsa atá cruthaithe agam ach scáil an fhir a bhfuil—a mbíodh—aithne agam air.

"Cad a dúirt siad?"

"Tá . . . tá leisce orthu labhairt leat!"

"Ach . . . ach cén fáth? Ní thuigim sin. Tig liom iad a chur i dteagmháil le daoine tábhachtacha i Meiriceá."

"Dúirt mé sin leo. Ach tá . . . tá siad in amhras ort."

"In amhras orm! Cén fáth?"

"Tá . . . tá eagla orthu gur spiaire de chuid Rialtas Shasana thú."

Thit an lug ar an lag orm.

"Spiaire! . . . Ach nár inis tú dóibh go bhfuil mé i do rang?"

"Dúirt mé sin leo . . . agus d'fhreagair siad nach tusa an chéad spiaire Sasanach a d'fhéach le faisnéis a bhleán trí mheán na Gaeilge. De réir dealraimh, tá bunranganna an Chonartha i mBaile Átha Cliath plódaithe le *G-men* díograiseacha atá ag iarraidh dul i ngleic leis an gcopail—is eolas a bhailiú do mhuintir an Chaisleáin."

"Ach . . . Ach . . ." Faoin am sin, bhí mé le ceangal chomh mór sin gur dhoiligh dom labhairt.

D'fhéach mé ar Phádraic. Phléasc sé amach ag gáire ó tharla go raibh éirithe leis bob a bhualadh orm.

An tseachtain ina dhiaidh sin tar éis an ranga, in ionad dul chun cupán tae a fháil, shiúlamar go stáisiún na traenach gur thaistealaíomar isteach sa chathair. An ceann scríbe ná taobhshráid gar do King's Cross ar a raibh an

Giomnáisiam Gearmánach (nárbh iad siúd na laethanta saonta roimh thús an Chogaidh Mhóir—is an Éirí Amach!). Bhí mé ag súil leis go bhfeicfinn fir faoi éide airm ag druileáil faoi mar a bhí feicthe agam sna páipéir nuachta, agus bhí scanradh de shaghas orm go raibh rud éigin a raibh blas mídhleathach air á dhéanamh agam. Ba chinnte an rud é nár mhaith leis an Ghníomhaire Ginearálta Reid fáil amach faoi seo. Ach is éard a bhí le feiceáil ar dhul isteach dúinn scata fear a raibh gnáthfheisteas lae orthu a bhí ag éisteacht le caint. Is ea, ní raibh an oiread is aon bhean eile ann. Bhuaileamar fúinn is thug cluas don chaint. Léacht a bhí ann ar "Mhodhanna Treallchogaíochta na mBórach" agus ní raibh ann i ndáiríre ach fear ag léamh sleachta fada as leabhar le Jan Smuts. Is beag ceist a cuireadh ar an chainteoir ag an deireadh, ach is cuimhin liom gur sheas fear amháin suas a mhaígh nach raibh a dhath le foghlaim ó mhodhanna cogaíochta na mBórach. Nuair a thiocfadh an lá mór nuair a d'fhearfadh na Gaeil cogadh ar na Gaill, ba ar mhachaire catha ar nós Eachdhroma is Fontenoy a tharlódh sin. Bhí a bhformhór ar aon tuairim leis, ach thug mé faoi deara fear amháin a bhí ina shuí i lár an tseomra leis féin a bhí ag ligean sraothanna déistine as.

Nuair a bhí an lucht éisteachta ag scaipeadh i ndiaidh na cainte, ghlaoigh Pádraic ar an fhear sin.

"Tá speabhraídí ar na hamadáin bhochta sin má cheapann siad go mbuafaidís ar na Sasanaigh ar mhachaire catha choíche," ar seisean le Pádraic sular chas sé chugam. "Agus cé atá agat anseo?"

"Mise Caitlín Ní Aodha."

"An bhfuil a fhios agat, a Chaitlín, nár mhair an bligeard seo seachtain ghlan i m'ardrang?" arsa Pádraic liom. "Agus an bhfuil a fhios agatsa, a Mhíchíl, go bhfuil croí Shorcha Rua briste fós?"

"Ara, a Phádraic, ní fhéadfainn ligean duit mo bhlas breá Muimhneach a thruailliú leis an nglagaireacht cham Chonnachtach sin. Ní bheadh oscailt nó fliuchadh mo bhéil agam in Iarthar Chorcaí arís. Pé scéal é, tá a fhios ag Sorcha cá bhfuil teacht orm. Más fíor a bhfuil cloiste agam ar an ngaoth, tá sí ag caitheamh súil na glasóige ar Sheosamh Mac Coillte cheana."

Cad is féidir liom a rá faoin fhear óg sin a bhí ag caint le Pádraic? Dá ndéarfainn nár thaitin Mícheál Ó Coileáin liom, gur ghlac mé col buan leis an chéad oíche sin i Londain deich mbliana ó shin, gur mhothaigh mé go raibh sé rógharbh róchallánach, an mbeadh aon chuntas mar sin intrust? Mar in ainneoin mo sheacht ndícheall le bheith fírinneach fuarchúiseach, bheadh a scríobhfainn faoi anáil is faoi smál an Chonartha Angla-Éireannaigh sin a shínigh an Coileánach céanna i Londain seacht mbliana ina dhiaidh sin. Agus ar bhonn pearsanta, ar ar tharla idir é is mo Harry ionúin mar gheall ar Kitty Kiernan.

"A Phádraic, bhí duine de na leaids ó Chiarraí ag rá liom an lá faoi dheireadh nach mór duit do chéad leabhar eile a aistriú go Gaolainn . . ."

Ní dheachaigh mé i taithí na gcluichí beaga cainte is cumhachta a chleachtadh na hÉireannaigh riamh. An dóigh a chuirfeadh an chéad duine ordóg mhagaidh sa dara duine is a leanfadh de bheith ag spochadh go mícharthanach míthrócaireach nuair nárbh ann don ghreann a thuilleadh.

"Stop na pílir Seáinín Ua Súilleabháin nuair a bhí sé ag tuirlingt den mbád ag Fishguard an tseachtain seo caite. 'Cén drochbholadh atá ag síothlú aníos as do mhála?' arsa an bleachtaire. Lig siad dó na hispíní lofa a choimeád ach ghaibhnigh siad an chóip de *Nóra Mharcuis Bhig* toisc go raibh sé brocach . . ."

Agus mé ag éisteacht leis an Choileánach ag séideadh

faoi Phádraic, tháinig ruibh oilc orm. B'iúd ógfhear nach raibh aon dintiúir aige, nár léir dom ag an am—nó ó shin i leith—go raibh spéis aige i leabhair, ag déanamh beag is fiú de dhuine d'fhathaigh liteartha na Gaeilge. Bhí meas mór dlite do Phádraic ach seo an gamall óg ag déanamh fonóide faoi. Chuir sé alltacht orm agus fearg lena cois go raibh Pádraic ag cur suas leis an díspeagadh sin. Níor rith sé liom ag an am, ach tháinig mé ar an tuairim ó shin, go raibh seisean in éad leis an ógfhear sin a raibh an oiread sin muiníne aige as féin.

"Iriseoir Poncánach thú, a deir Pádraic," arsa an Coileánach liom faoi dheireadh.

"Is ea," arsa mise gan bacadh le ceachtar den dá bhotún a cheartú.

"Agus ba mhian leat labhairt le boc mór éigin sna hÓglaigh faoi chúrsaí poiblíochta."

"Ba mhian."

"Mar sin, beidh ort labhairt le foireann na Ceanncheathrún i mBaile Átha Cliath. Tá brón orm ach turas in aisce a bhí ann duit. Níl a dhath le rá ag aon duine anseo."

"Mura bhfuil tú ag iarraidh labhairt faoi chúrsaí míleata, ba leor píosa cainte faoi chúrsaí polaitíochta."

D'fhéach an Coileánach orm amhail is nár thuig sé cén fáth a raibh mé ag iarraidh leanúint le comhrá, comhrá a raibh sé féin i ndiaidh deireadh a chur leis.

"Níl spéis againn sa pholaitíocht. Anois, leis an turas fada ó Mheiriceá a chúiteamh leat, a bhean, téimis le deoch a fháil sa Duke of Wellington trasna an bhóthair. Gabh i leith, a Phádraic, go n-ólfaimid sláinte an Éireannaigh chóir sin! Fear forásach é, ambaiste, fear uasal a thugann cead isteach do na béithe!"

Chaith mé uair an chloig leis an bheirt acu. Magadh is

mionchomhrá amháin a bhí ar siúl acu is pionta pórtair an duine á ól acu. Deoch ghlas amháin a bhí agam. Aon uair a d'fhéachfainn le tosú ar chúrsaí polaitíochta, d'athraíodh an Coileánach an scéal go mear. Faoin am ar fhág mé slán ag an bheirt acu, agus iad ag ól go fóill, ní raibh a fhios agam faoi thalamh an domhain cén chiall a bhí le baint as an chomhrá. Ar dhuine é an Coileánach nach raibh spéis aige sa pholaitíocht i ndáiríre? Ba dhoiligh sin a chreidbheáil ó tharla go raibh sé gníomhach sna hÓglaigh. Nó b'fhéidir, ar nós Phádraic, gurbh fhearr leis agus dó an spéis sin a choinneáil faoi cheilt toisc go raibh an bheirt acu i dtaobh le fostaíocht i bpríomhchathair na hImpireachta de shiúl an lae agus nárbh eol dóibh i ndáiríre cé a bhí iontaofa.

10ú mí Iúil

I rith an earraigh go tús an tsamhraidh 1914, bhí méadú ar an teannas idir an Bhreatain Mhór is an Ghearmáin. B'iomaí tráchtaire is eagarfhocal nuachtáin a rinne tuar agus tairngreacht ar an chogadh a bhí ar na bacáin. Níor thuig aon duine againn cé chomh fada is cé chomh fuilteach is a bheadh Cogadh Mór na nIlimpireachtaí agus an dóigh ina ndéanfadh sé claochlú ar chúrsaí an domhain mhóir, is ar Éirinn féin.

Ba ag an am sin a chuaigh mé go hÉirinn den chéad uair. Bhí an Gníomhaire Ginearálta den tuairim go ndéanfadh feachtas poiblíochta ann tairbhe d'obair na hoifige. I dtosach, bhí sé féin ag caint ar dhul siar go Baile Átha Cliath. Ach b'fhearr leis an saol sócúlach sóisialta i Londain gona chóisirí garraí is rásaí bád ar an Tamais ná seachtain in Éirinn áit nach raibh aithne aige ar aon duine agus áit nach bhféadfadh sé a bheith cinnte go mbeadh an aimsir nó na dúchasaigh thar mholadh beirte.

Luaigh sé liom go bhféadfainn dul ina ionad. Lig mé dó

a cheapadh go raibh mé ag déanamh gar mór dó. Ansin thapaigh mé an deis le tathant air ceadú dom mo chuid laethanta saoire a chur le seachtain an turais.

"Tá mise ag imeacht go hÉirinn," arsa mé le linn an chomhrá sa chéad rang eile. "Tá mé ag imeacht ann ar mo laethanta saoire."

Bheadh orm an rud seo agus an duine sin a fheiceáil, arsa gach duine faoi seach.

"Tá mé le seachtain a chaitheamh i mBaile Átha Cliath. Agus tá mé ag dul siar ansin."

I dtosach, bhí uaim déanamh ar Chonamara, ach tharla gurbh ionann an tseachtain shaor seo agamsa agus Oireachtas is Ardfheis Chonradh na Gaeilge a bheith ar siúl i gCill Airne, rinne mé suas m'aigne gurbh ann a bheadh mo thriall.

Thug Pádraic litir dom chun mé a chur in aithne do chara leis i mBaile Átha Cliath. Iriseoir ba ea Piaras Béaslaí, ar seisean, agus é ar choiste na nÓglach fosta.

"Caithfidh gur rugadh is gur tógadh i Sasana thú," arsa mise le Béaslaí nuair a bhuail mé leis Tigh Ósta Wynn i mBaile Átha Cliath. Inaitheanta más ar éigean a bhí an blas Sasanach ar a chuid cainte.

"Chaith mé seal ann le linn m'óige," ar seisean ar bhealach a thug le fios nach raibh uaidh leanúint den chomhrá. Fuair mé amach ó Phádraic ina dhiaidh sin gur fhear lánfhásta a bhí sa Bhéaslaíoch sin faoin am ar tháinig sé a chónaí in Éirinn agus gur i Learpholl a d'fhoghlaim sé a chuid Gaeilge. Ach in ionad glacadh leis go raibh an-chreidiúint dlite dó as an Ghaeilge a thabhairt leis chomh paiteanta sin, seo é ag iarraidh a chúlra a cheilt. Cibé rud is féidir le daoine a chur i mo leith, níor fhéach mé riamh le mo fhréamhacha ar Prince Edward Island a cheilt.

Tar éis dom olc a chur ar Bhéaslaí, ba léir dom gurbh

fhearr leis deireadh a chur leis an choinne. D'fhéadfainn a bheith i dteagmháil leis ag Craobh an Chéitinnigh den Chonradh arís, ar seisean, ach ón dóigh dhiúltach ar labhair sé liom, thuig mé nach mórán cabhrach a bheadh le fáil uaidh le hagallamh a chur ar cheannairí na nÓglach.

Ar scor ar bith, is beag am saor a bhí agam i mBaile Átha Cliath. Bhí sé socair agam roimh ré go rachainn le cuairt a thabhairt ar Fhear Ionaid an Rí, An Tiarna Obar Dheathain, is ar a bhean chéile, An Bhantiarna Tamara, amuigh i bPáirc an Fhionnuisce. Seanchairde ba ea iad le Le Père Albert ón tréimhse a bhí caite acu i gCeanada. Bhuail mé leis na gníomhairí inimirce a bhí fostaithe ag Rialtas Cheanada i mBaile Átha Cliath agus i mBéal Feirste agus muid ag plé úsáid na laindéar draíochta mar chuid den fheachtas poiblíochta. Chaith mé seal eile ag labhairt le heagarthóirí an *Irish Times* is an *Daily Mail*. An t-aon tráthnóna a bhí saor agam, d'imigh mé go hAmharclann na Mainistreach le breathnú ar dhráma le Pádraic Colum (ar ndóigh, cairde is comrádaithe ba ea mise, Pádraic is Mary Colum sna Stáit Aontaithe ina dhiaidh sin.)

Cad is ceart dom a rá faoin tseachtain i gCill Airne ina dhiaidh sin? Ní gá dom cur síos air anseo ó tharla go bhfuil cín lae agam a bhaineas leis an chuairt sin ar ais i Nua-Eabhrac agam.

Is leor a rá anseo gur dhaingnigh an tseachtain ghlórmhar sin i measc na nGael an creideamh úr ionam gur dhual dom dul ag obair ar son na hÉireann.

Agus chuir sé ar mo shúile dom an comhbhréagnú mór a bhain le mo phost lae i Londain, post as ar eascair an chuid oifigiúil den chuairt sin ar Éirinn. Seo mé ag mealladh aos óg na hÉireann le dul ar imirce, na mná le tabhairt faoin sclábhaíocht chistine i dtithe galánta Edmonton is Calgary, na fir le tabhairt faoin sclábhaíocht feirme ar fhásach féir nár threabh soc céachta riamh. Mo mhisean úr ná cuidiú le hÉireannaigh óga fanacht sa bhaile is páirt ghníomhach a imirt i mbunú a stáit féin.

11ú mí Iúil

"Cogadh fógartha! Cogadh fógartha!" Níor thúisce ar ais i Londain mé gur fhógair Rialtas na Breataine Móire cogadh i gcoinne na Gearmáine an 4ú Lúnasa 1914. Ar nós maidrín lathaí de choilíneacht, lean Ceanada a shampla ar an toirt.

Níor ghá dom a bheith buartha faoi chúrsaí imirce is faoi aos óg na hÉireann feasta. Bheadh deireadh leis an inimirce go Ceanada fad is a mhairfeadh an cogadh. Chuir Rialtas Alberta Oifig an Ghníomhaire Ghinearálta ar fáil don Rialtas in Ottawa le tacú leis an fheachtas cogaíochta. Thar oíche, bhí orainn cromadh ar na hullmhúcháin le haghaidh na mílte saighdiúir Ceanadach a bheadh ag teacht go Sasana an fómhar sin.

Ar feadh míosa nó mar sin, is ar éigean a bhí nóiméad saor agam, de réir mar a bhíodh cruinnithe againn le státseirbhísigh is le hoifigigh mhíleata faoi na campaí a bheadh ag an leathchéad míle saighdiúir i bhFórsa Sluaíochta Cheanada a bheadh ar a slí go Sasana roimh i bhfad. Ní fhéadfá éalú ón chaint ar fad ar an chogadh. Ar bharr theanga gach duine a bhí sé. Lomlán a bhí na páipéir nuachta leis. In ainneoin na hoibre, in ainneoin na tuirse corpartha a bhí orm, bhí smaoineamh cinnte amháin i ndiaidh fabhrú i m'aigne. Cad é mar a bhí sé de dhánaíocht ag Rialtas Shasana a bheith ag caint ar an Bheilg bheag a shaoradh ó chos ar bolg na nGearmánach nuair nach raibh an Rialtas céanna sásta cearta saoirse na hÉireann a aithint?

Ní fhéadfainn tacú leis an chogadh mór impiriúil sin, ach cad é mar a d'fhéadfainn post eile a fháil a thabharfadh an tsaoirse dom cúis na hÉireann a chur chun cinn . . . Ar ámharaí an tsaoil timpeall an ama seo, tháinig an Ridire William Van Horne, an fear a thóg an Canadian Pacific Railroad, ar cuairt go Londain agus tugadh cuireadh dom freastal ar fháiltiú ina onóir in Ard-Choimisiún Cheanada. Ba sheanchara leis an Père Albert an Ridire William agus bhí sé i ndiaidh mo bheathaisnéis ar Le Père a mholadh go hard. Chuir mé mé féin in aithne don Ridire ag an fháiltiú, chaith sé seal ag caint liom faoin sagart is rinneamar coinne le bualadh le chéile an lá dár gcionn. Ba ag an chruinniú sin a bhain mé an ceann den scéal faoi leabhar a scríobh ar an pháirt a d'imir Van Horne i dtógáil an CPR. An toradh a bhí ar an chomhrá gur shocraíomar ar a bheith i dteagmháil lena chéile nuair a bheadh Van Horne ar ais i gCeanada. D'fhill mé ar an oifig is ar an fheachtas ar son na cogaíochta is dóchas agam den chéad uair go raibh slí éalaithe agam uathu araon.

Ní raibh Pádraic feicthe agam i rith na tréimhse sin. Thagainn ar chorrthagairtí dó ar *An Claidheamh Soluis*, go raibh sé i ndiaidh a bheith ar an Spidéal i gConamara, cuirim i gcás, mar aon le corrphíosa scríbhneoireachta leis. Ag tús Mheán Fómhair, chláraigh mé sa mheánrang a bhí á theagasc ag mo sheanmháistir i scoil Kennington. "Á, a Chaitlín," ar seisean liom nuair a shiúil mé isteach sa seomra ranga an chéad oíche. "Is aoibhinn liom tú a fheiscint arís."

Ní raibh ach corrchomrádaí ó mo sheanrang ar ais liom. Atmaisféar difriúil a bhí ann ar chúis eile fosta. De dheasca an Chogaidh, bhí imní ar go leor Éireannach go raibh na húdaráis ag coinneáil súile orthu agus gur bhaolach go gcuirfí an phreasáil i bhfeidhm go luath. Thug na fir ar fad sa rang an leabhar go bhfillfidís ar Éirinn in ionad éide an Rí a tharraingt orthu.

An fómhar sin bhínn gníomhach go leor san oifig i rith an lae. Bhíodh clár lán imeachtaí seachoibre agam—ón rang Gaeilge go freastal ar chéilithe is ar chorrchluiche iománaíochta féin. Oíche Shamhna, chuaigh mé agus dornán de mo chomrádaithe úra le hamharc ar *Bairbre Ruadh*, dráma le Pádraic, a bhí á stáitsiú ag an ardrang i Scoil Kennington. Tar éis an dráma, d'imigh scaifte againn amach chun cupán tae a fháil. Shuigh mé agus Pádraic le chéile gur thosaigh ag caint ar an drámaíocht.

"An bhfuil a fhios agat gur thosaigh mé ar dhráma a scríobh," arsa mé leis go faiteach. "Níl sé ar shlí a chríochnaithe fós . . ." Stop mé ar eagla go mbraithfeadh sé go raibh air ligean air go raibh spéis aige sa rud. Ar ndóigh, bhí súil agam go gcuirfeadh sé suim sa scríbhinn. Dráma é a bhí suite i Winnipeg, áit a raibh baniriseoir ar nuachtán na cathrach i ndiaidh scúp mór a fháil go raibh fear gnó mór le rá—agus seanleannán léi—ar tí a bhean chéile a thréigean is éalú le stiúsaí Meiriceánach a raibh dúil aici ina chuid airgid.

"Ar mhaith leat go mbreathnóinn air? . . . Ach más amhlaidh go mb'fhearr leat gan sin a dhéanamh? . . ."

"Ba bhreá liom sin . . . bheinn faoi chomaoin mhór agat, a Phádraic . . . Ach caithfidh tú a bheith macánta liom faoin scríbhinn . . . Mura bhfuil aon mhaitheas ann . . ."

Thug mé clóscríbhinn "The Cherry Bird" dó sa chéad rang eile.

Bhí díomá orm an tseachtain ina dhiaidh sin nuair nár thagair Pádraic don dráma. Ná an tseachtain ina dhiaidh sin ach oiread. Ach d'iarr sé orm fanacht siar ag deireadh an chéad ranga eile is thug cuireadh dom dul leis chun cupán tae a fháil. Nuair a bhíomar inár suí sa taeshiopa, thóg sé amach an scríbhinn is d'fhág í ar an tábla os ár gcomhair.

"Tá go leor oibre déanta agat air," ar seisean.

"Tá ach níor éirigh liom an scríbhinn a dhéanamh drámata go leor."

Leanamar den chaint air. An toradh a bhí air sin ná gur shocraíomar ar bhualadh le chéile arís d'aon turas leis an scríbhinn a phlé.

Rinneamar coinne le teacht le chéile ag m'oifig ag Áras Trafalgar ar a haon a chlog an Satharn dár gcionn. B'annamh a bhíodh an tUasal Reid istigh san oifig ar an Satharn. Nuair a thagadh sé féin, bhíodh sé imithe i gcónaí faoi mheán lae.

Bhuail Pádraic isteach san oifig thart ar cheathrú chun a haon an Satharn ina dhiaidh sin.

"Nach tú atá pointiúil," arsa mise leis. Bhí mé ag cur an dlaoi mhullaigh ar dhornán litreacha a bhí le dul amach sa phost déanach.

Le linn domsa a bheith ag obair, bhí sé ag amharc ar na póstaeir ar na ballaí. Póstaeir ildaite iad a léirigh trí mheán na bpictiúr geal is na bhfocal bog an dóigh eiseamláireach a raibh fir mhatánacha ghriandaite ag saothrú thalamh méith Alberta le linn dá mná tí folláine gealghnúise a bheith ina seasamh ag féachaint amach uathu ag póirsí na dtithe slachtmhara.

"Uaireanta, bíonn aiféala orm nár imigh mé a chónaí i Meiriceá blianta fada ó shin," arsa Pádraic go tobann.

"Níl sé rómhall, tá a fhios agat. Níl a dhath do do choinneáil anseo . . ." Stop mé agus dairt an aiféaltais tríom. "Ar ndóigh, tá rud amháin do do choinneáil anseo."

Chlis sé, chas thart agus stán orm.

"Cad é sin?" ar seisean faoi dheireadh agus faobhar beag ar a ghuth.

"Is í an Ghaeilge atá á maíomh agam. Cad eile a bheadh ann?"

"Is ea," ar seisean, agus seirbhe nár mhothaigh mé ina

ghuth riamh roimhe sin. "Tá an Ghaeilge do mo choinneáil i Londain Shasana."

"Féach," arsa mise go héadrom de réir mar a chuir mé an litir dheireanach i gclúdach. "Nuair a bheidh an dráma seo críochnaithe againn, b'fhéidir go mbeadh ár n-ainm i mbéal an phobail ar an dá thaobh den Aigéan Atlantach. Bheadh ort teacht amach go dtí an tOileán Úr ansin."

"Ach do dhráma atá ann," ar seisean.

"Má thugann tú lámh chuidithe dom, is cóir dom sin a aithint . . ." Go dtí sin, ní raibh mé cinnte cad a bhí mé ag iarraidh a rá. "Comhúdar a bheidh ionat, ar ndóigh." Ghlan mé barr na deisce ionas go mbeadh spás oibre aige taobh liom.

"An bhfuil a fhios agat nach bhfuil a dhath scríofa agam i mBéarla le fada an lá?" ar seisean, agus é ag bualadh faoi.

"Smaoinigh air mar seo. Má chríochnaímid é seo agus má tá rath air, tabharfaidh sé saoirse duit díriú ar do chuid scríbhneoireachta i nGaeilge."

Chaitheamar cúpla uair an chloig ag cur is ag cúiteamh faoi phlota an dráma. Ansin thugamar faoin chéad radharc a athscríobh. Ormsa a thit sé an chlóscríbhneoireacht a dhéanamh ar thrí chuntar. Ba liomsa an clóscríobhán. Thiocfadh liom clóscríobh go gasta. Agus ní raibh clóscríobhán úsáidte ag Pádraic riamh. Ba le peann a bhreacadh sé síos a dhréachtaí scríbhneoireachta. Shocraigh mé ar pheann dúigh nua a cheannach dó mar bhronntanas, rud a rinne mé don Nollaig 1914.

"An cheist mhór atá le freagairt agat," ar seisean, "ná an bhfuil tú chun an milleán a chur ar aon duine ar leith?"

"Nach bhfuil sé soiléir go leor gurb í The Cherry Bird féin an coirpeach mór atá ann. Ise atá ag iarraidh pósadh a bhriseadh tríd an fhear céile a sciobadh léi," arsa mé.

Bhíomar dís inár suí ag proinnteach Rúiseach an

Lóchrainn Dheirg ar Adam Street gar don Strand. Mar gheall ar an phobal mór Ucránach in Edmonton, bhí mé breá cleachtach ar bhia lár na hEorpa. In ainneoin a sheala ag St. Petersburg na Rúise, mar dhea, ní raibh aon ghoile ag Pádraic don *borscht* nó do na rollaí cabáiste . . .

"Ní mar seo a bhruitear an cabáiste in Éirinn," ar seisean agus cuma na déistine air.

"Is é an feall nach bhfuil aon chaibheár acu anseo," arsa mise, agus tuairim mhaith agam cén freagra a gheobhainn: níor loic Pádraic orm.

"Ó, is fearr liom an stuif sin a sheachaint ó chuir Rasputin roimhe mo chuid bia a luchtú le nimh."

Níor ghearánta do Phádraic an Tae Rúiseach a raibh steall mhaith *vodka* air.

"Ró-éasca a bheadh sé an milleán ar fad a chur ar an mbean Phoncánach sin, The Cherry Bird," ar seisean faoi dheireadh agus gothaí na hanamúlachta air. "Céard faoi na daoine eile? . . . an bhean chéile atá róbhog róghéilliúil? . . . nó an t-iriseoir sin, Pat Desmond, nach bhfuil in ann gan a ladar a chur i ngnótha nach mbaineann léi . . . an t-eagarthóir atá ar lorg an scanaill . . . nó an buachaill báire sin, Dick . . ."

"Ach ní fhéadfá a bheith ag súil lena mhalairt ó fhear. Tuigeann na mná cén saghas iad agus is gá dóibh sin a chur san áireamh nuair a bhíonn siad ag plé leo. Uirthi féin atá an locht má ligeann bean d'fhear cluain a chur uirthi."

Is ea, sin an rud a dúirt mé le Pádraic. Thug mé faoi deara go raibh sé ag stánadh orm, ach lánchinnte a bhí mé gurbh é an Tae Rúiseach ba chúis leis sin.

D'iarr Pádraic an bille ar an ghiolla. Chuir mé ina choinne sin. D'fhéadfaimis an costas a roinnt eadrainn, arsa mise. Ach ba eisean a d'iarr orm teacht amach, a d'fhreagair sé, ag tógáil nóta deich bpunt amach as póca a chasóige.

Thuig mé nach bhféadfadh seisean costas trom an bhéile a sheasamh ar thuarastal rialtais, áit a raibh mise in ann laghdú ar mo chuid caiteachais ar ócáidí poiblí go leor trí chostaisí a éileamh. Ach níor mhaith liom é a ghortú nó é a náiriú. Cibé ar bith, ba dhócha go raibh cúpla punt sa bhreis de theacht isteach aige de bharr na múinteoireachta is na scríbhneoireachta.

Agus greim aige ar m'uillinn, shiúlamar ar ais le chéile chomh fada le Charing Cross, áit a bhfaigheadh sé an traein go hiarthuaisceart na cathrach. Bhí cónaí air trasna ó Regent's Park, ar seisean. Cén uair a d'fhéadfaimis bualadh le chéile, arsa mise, chun leanúint leis an obair ar an dráma? Is ea, bheadh sé saor an Satharn ina dhiaidh sin. Bhí Pádraic ciúin go leor amhail is go raibh fuacht an tráthnóna bhig i ndiaidh an anamúlacht a bhíodh ann a leá.

Nuair a stopamar ag Charing Cross, thug mé cuireadh dó teacht isteach sa teach ósta chun deoch an dorais a fháil. Níor mhór dó a bheith ag imeacht, ar seisean. Ansin thug sé póigín éadrom dom ar mo leiceann is bhailigh leis i dtreo mhórdhoirse an stáisiúin. D'fhan mé i mo sheasamh ansin agus mé ag féachaint air ag imeacht uaim. Ní raibh sé chomh staidéartha sin ar a dhá chois. Bhí súil agam go mbainfeadh sé a lóistín amach go slán sábháilte.

2:50 ar maidin: "The Cherry Bird" athléite agam tar éis dom fanacht i mo shuí. An rud ba mhó a rith liom le linn dom a bheith á léamh ná cé chomh saonta simplí is a bhí mé mar dhuine san am ainneoin go raibh mé ag iarraidh blas na sofaisticiúlachta a chur orm féin mar scríbhneoir. A thiarcais!

12ú mí Iúil
Tá an Dream Buí amuigh ar a bParáid mhór i Charlottetown ar PEI—agus i mbailte móra Cheanada inniu. Go maithe Dia a n-aineolas dóibh.

Bhí drochlá agam inné. Chuir an Dochtúir Dwelly an seisiún cóireála ar ceal maidin inné nuair a thosaigh mé ag caitheamh aníos. Chuaigh cúrsaí chun donais ansin. Chaill mé guaim orm féin. "Ní thig liom é seo a sheasamh a thuilleadh," a bhéic mé. "Níl sé ag marú an ghalair. Mothaím é ag creimeadh mo bhoilg . . . Nach féidir libh é a dhíothú?" De réir mar a ghlac an taom scaoill seilbh orm, de réir mar a thosaigh mé ag caoineadh is ag screadaíl, de réir mar a bhraith mé mo shaol iomlán ag titim as a chéile, b'údar iontais dom rud eile. Bhí na banaltraí ag coimeád súile orm ach bhíodar ag leanúint dá gcuid oibre amhail is nach raibh a dhath as an ghnáth ann. Faoi mar a mhínigh an Dochtúir dom ina dhiaidh sin tar éis do Delia teacht is mé a shuaimhniú, tagann aothú mar sin ar gach othar atá ag dul don raidiam. Bhí iontas air, ar seisean, nár tharla sé dom roimhe sin.

Dhúisigh mé de gheit uair nó dhó i rith na hoíche agus slaod fuarallais orm. Ar nós aingeal coimhdeachta, bhí Delia ann le fóirithint orm.

Bhí mé neirbhíseach go leor ar maidin ach d'éirigh liom teacht tríd an lá gan ligean don samhnas nó don scaoll an ceann is fearr a fháil orm. Táimid ag déanamh ar bhuaic an chúrsa, arsa an Dochtúir Dwelly.

Tá mé ag déanamh ar bhuaic an chuntais seo fosta.

Ba eisean mo mháistir; ba mise a scoláire. Ba chomhúdair ar dhráma ar chuireamar an dlaoi mhullaigh air faoi mhí na Nollag 1914 sinn. Faoi Eanáir 1915 bhíomar inár leannáin.

Fiméineach mé, tá a fhios agam. Duine mé a chraobhscaoileadh os ard is os íseal mo chreideamh diongbháilte Caitliceach. Chuir mé uaim an creideamh céanna a thúisce is a dhruid mé doras an tseomra leapa i mo dhiaidh.

Ní raibh sé beartaithe agam. Ach thuig mé tar éis dúinn dul ag obair le chéile go raibh sé le tarlú. Toisc gur aithin mé na comharthaí sóirt ach nach ndearna mé a dhath le stop a chur leis, thoiligh mé leis. Tig liom teacht ar leithscéal bog: ag an am sin nuair a bhí na húdaráis ag teannadh shreangáin is snaidhmeanna an tsaoil shibhialta mar gheall ar riachtanais an chogaidh, bhí an greim ar mhoráltacht an phobail á scaoileadh ag riachtanais an chogaidh chéanna. Bhí na fir óga ag ullmhú le déanamh ar na trinsí is gan a fhios acu an dtiocfaidís abhaile luath nó mall nó choíche; bheadh ar na mná óga déanamh gan iad go fóillín nó go brách; dá réir, ba mhó an cathú an deis a thapú blaiseadh den chollaíocht ar eagla nach mbeadh an dara deis ann. Ach níorbh aon déagóirí anabaí mise agus Pádraic. Choill mé reacht na hEaglaise mar gheall ar an ghrá.

Focal ilbhríoch is ea an focal "leannán." Is gá a bheith beacht gan a bheith mídhiscréideach.

Leannáin a bhí ionainn sa dóigh gur thit mé i ngrá leis— agus gur chreid mé go raibh sé i ngrá liom. B'fhéidir go raibh sé, ina shlí féin, ach go raibh ceangal na gcúig gcaol air cheana.

Leannáin ba ea muid agus muid inár ndlúthchairde a dhéanadh iarracht an oiread ama is ab fhéidir linn a chaitheamh le chéile. D'fhreastalaímis ar an aifreann thíos i Westminster ar an Domhnach: ón dóigh idir shúgradh is dáiríre ina luaidh sé cúrsaí eaglaise, thuig mé nach gcomhlíonadh sé a oibleagáid de ghnáth agus dhéanadh sé magadh fúm is a rá go maithfeadh Dia mór na Glóire peacaí na colainne dom toisc go raibh mé i ndiaidh peacach a mhealladh ar ais ar bhóthar a leasa spioradálta. Ansin théimis ag siúl i Hyde Park nó thagaimis ar ais go dtí an teach ósta. Uaireanta le linn domsa a bheith ag clóscríobh litreacha, bhíodh seisean sínte ar an leaba, leathanach os a chomhair, a pheann dúigh úr ina ghlac agus é ag scríobh is ag scríobh is ag scríobh.

Leannáin a bhí ionainn ar nós fir chéile is mná céile. Lom atá an cuntas céimiúil sin.

Is ar éigean a thugann sé le fios an bealach ina raibh mé doirte ar Phádraic, agus murar labhraíomar faoi, gur chreid mé gurbh é an pósadh a bhí daite dúinn.

Níor chodail mé féin agus Paul le chéile in Edmonton riamh. Thug Pádraic le fios go raibh teacht aige ar choiscíní rubair. Ach ba dhoiligh a rá an mbeidís siúd—agus an mbeimisne—intrust. Nárbh iomaí bean mhí-ámharach a casadh orm nuair a bhínn ag obair leis an Catholic Women's League in Edmonton? Nach mé a bhíodh sotalach ceartaiseach san am nuair a mhaínn gurbh iadsan a tharraing an trioblóid agus an táirchéim orthu féin de dheasca an easpa féinsmachta? Ní raibh mé le dul sa seans agus mé le Pádraic. Tá bealaí eile ag bean lena fear a shásamh . . .

Thagadh eagla orm scaití nuair a smaoineoinn go raibh mé i ndiaidh mo phost Rialtais a chur i mbaol dá bhfaigheadh an tUasal Reid amach cad a bhí ar siúl agam ar chúla téarmaí. Ba dhoiligh a shamhlú go gcreidfeadh an Gníomhaire Ginearálta go raibh mé ag cur le dea-ainm Alberta. Bhí sé féin is a bhean chéile gnóthach i gcónaí agus iad ag blaiseadh de shaol sóisialta London, ach cheana féin, bhí seisean i ndiaidh cur in iúl dom nár thuig sé cén fáth nach raibh mé sásta freastal ar chóisirí is ar ócáidí foirmiúla eile leo a thuilleadh . . . "An bhfuil fear óg Sasanach i ndiaidh sonrú a chur ionat?" ar seisean liom lá amháin. "Oifigeach airm, b'fhéidir?" Tar éis dó is dá bhean roinnt iarrachtaí eile a dhéanamh chun mé a chur in aithne d'fhir uaisle Shasanacha, déarfainn go rabhadar cinnte gur sheanmhaighdean a bheadh ionam go deo.

Ach dá bhuartha mé, is amhlaidh gurbh í an lúcháir as cuimse is mó a bhíodh orm sna laethanta sin. In ainneoin ar tharla ina dhiaidh sin, ba í an tréimhse ghearr sin i Londain an seal ab iontaí agus ba bheoga i mo shaol príobháideach. Tá an grianghraf beag sin os mo chomhair, an t-aon ghrianghraf den bheirt againn le chéile, ina chuimhneachán ar na laethanta breátha sin: an gáire leathan ar m'aghaidh, mé lán dóchais, lán pleananna, agus Pádraic— Cad is féidir liom a rá anois? San am, chreid mé go raibh fear an cheamara i ndiaidh an soicind contráilte a roghnú chun an grianghraf a thógáil agus gur theip air gnáthdhreach áthasach gealgháireach Phádraic a ghabháil. Ba é fírinne an scéil nár theastaigh ó Phádraic a bheith sa ghrianghraf ar chor ar bith ach amháin gur thathantaigh mé air rud a dhéanamh orm. Cad chuige a mbeadh sé ag iarraidh a bheith ann nuair a bhí bean agus clann aige sa bhaile?

Ní den chéad uair, tá mé ag teacht romham féin i mo scéal féin . . .

Tar éis na mblianta fada nuair nach ndéanainn móran machnaimh orthu, tagann chun cuimhne anois chomh glinn leis an chéad phóg ag cailín óg na hócáidí sin a chaithinn le Pádraic san earrach 1915. Ba iad na comhráite a bhíodh againn le chéile buaic na tréimhse sin.

Labhraíodh an bheirt againn le chéile faoinár gcúlra agus faoinár saol díse a bhí, ar an chéad amharc, chomh héagsúil sin le chéile. Eisean nach raibh cuimhne mhaith ar a thuismitheoirí aige; mise a raibh beirt cheanúla agam; eisean ina dhílleachta; mise a raibh deirfiúracha agus deartháireachta agam le súil a choinneáil orm. Ar a laethanta scolaíochta a d'fhág gan forbairt gan fás an mianach cruthaitheach a bhí ann; an córas scolaíochta a d'fhéach le cur ina luí orm nach mbeadh ionam choíche ach máistreás scoile sheargtha nó bean chéile fhadfhulangach. Ar an dóigh nach raibh ciall lena shaol nó stiúir faoi go ndeachaigh sé go Londain is gur músclaíodh a shuim i gcúis agus i litríocht na Gaeilge. Ar an dóigh nach raibh mórán céille le mo shaol féin, in ainneoin a raibh déanta agam, gur tháinig mé ar an Ghaeilge i Londain de thaisme ghlan. I ndeireadh na dála, ní rabhamar chómh héagsúil sin lena chéile.

Ar Éirinn agus ar a todhchaí ghlórmhar a labhraímis . . . Thabharfaí an Ghaeilge slán. Cibé rud a tharlódh d'Impireachtaí na hEorpa de dheasca na cogaíochta, bheadh saoirse pholaitiúil ag Éirinn. Is nárbh iad na Gaeil i gcéin a chuirfeadh bonn láidir eacnamaíochta faoin stát nua trí earraí Éireannacha a cheannach, a deirinn arís is arís eile. Trí chur ina luí ar chlann na nGael ar fud an domhain—na Géanna Fiáine a thug mé orthu—gur fúthu a bhí slánú an tseanfhóid, chruthódh a maoin shaolta is a ngrá dá dtír dhúchais obair in Éirinn chun an t-aos óg a choimeád sa bhaile. Bheadh slí mhaireachtála ag Pádraic is ag a leithéid as a bheith ag cumadh litríochta den scoth.

"Ródhorcha róghruama atá *Deoraidheacht*," arsa mé leis lá agus muide i mo sheomra óstáin. Faoin taca sin, bhí mo chuid Gaeilge sách láidir go bhféadfainn dul i ngleic leis an scéal a bheag ná a mhór. Agus foclóir le mo thaobh mar aon le cóipleabhar ina mbreacainn síos focail is cora cainte nár thuig mé go dtí sin, ba ghnách liom leathanach nó dhó den úrscéal a léamh gach oíche sula dtéinn a chodladh.

"An drúis . . . an t-adhaltranas . . . scaradh na lánúine . . . Bíonn cuid mhaith de phobal na Gaeilge—sagairt pharóiste is a máistreásaí scoile a bhformhór—ag tabhairt amach dom faoina leithéid i mo scríbhinní ach . . ." Tháinig aoibh ar aghaidh Phádraic. "Más buan mo chuimhne bhí tagairtí agat dóibh siúd uile i mbundréacht 'The Cherry

Bird'—i bhfad Éireann sular leag mé mo chrúba cáidheacha ar an scríbhinn."

"Is ea . . . tá an ceart agat ach nach ndearna mé cinnte de nár éirigh leis an réabóir teaghlaigh, gur cuireadh an ruaig uirthi, agus go ndearnadh athmhuintearas idir an lánúin? Agus níor chuir tusa i gcoinne an chlabhsúir sin."

"Níor chuir . . . toisc gurbh é do shaothar é. Ach . . ." Stad Pádraic.

"Lean ort," arsa mise go dúshlánach leis. Chas mé chuige, rug greim bog ar chaolta a lámh, is stán idir an dá shúil air. "Dá mba é do shaothar féin é . . . beag beann ar aon chomhúdar . . ."

"Tá fios do ghnóthaí féin agat mar scríbhneoir, a Iníon Ní Aodha . . ."

"Ná déan uasal le híseal orm, a Mhic Uí Chonaire." Theann mé mo ghreim ar a lámha beagán. "Ní chuirfinn ceist ort mura mbeadh spéis agam i do fhreagra."

"Bhuel, The Cherry Bird féin . . . ise mar phearsa . . ."

"Bhí a fhios agam é! Ise an phearsa is suimiúla leat sa dráma, nach í?"

"Is í . . ." Rinne Pádraic gáire beag. "Ise an duine a shéideann faoi choinbhinsiúin a linne, atá sásta dul sa seans."

"Ach bean scriosta teaghlaigh í."

"Bean í a chreideann nach bhfuil an dara rogha aici nó go bhfuil an saol ag cur crua uirthi."

"Seo," ar mise agus mé ag cur dúile sa chomhrá. "Tuigim gur mise a tharraing a leithéid de phearsa isteach . . . agus tá do scríbhinní féin breac le deoraithe cráite agus le donáin dhearóile agus le daorbhacaigh dhíblí . . ." Scaoil mé mo ghreim ar chaolta a lámh is shnaidhm mo mhéara ina mhéara. "Ró-éasca atá sé géilleadh don éadóchas is don suarachas an lá is fearr riamh. Is deacra éalú uathu agus cogadh mór dearg á fhearadh ar fud na hEorpa. Ach is í Éire úr atá ar thairseach a saolaithe is cúram dúinne. Tugaim do dhúshlán, a Phádraic . . . is tugaim mo dhúshlán féin. Cuirimis romhainn úrscéal a scríobh i bpáirt le chéile, úrscéal taitneamhach spreagúil a thabharfadh misneach is uchtach do na Gaeil i mbaile agus i gcéin."

"Agus cad is ábhar don úrscéal mór spreagúil sin?" Thug mé spléachadh ar Phádraic féachaint an raibh sé ag magadh fúm ach bhí cuma dháiríre ar a aghaidh.

"Níl a fhios agam . . ." Agus ní raibh a fhios agam ach oiread ach scaoil mé le mo theanga is le mo shamhlaíocht. "Cad faoi Éireannach a fhilleann ar a thír dhúchais tar éis dó blianta a chaitheamh thar sáile? . . . Éireannach a bhfuil pleananna móra aige ar son a thíre? . . . Nó . . ." Ní fhéadfainn cur suas den deis. ". . . Nó Éireannach a thagann ar ais lena bhean chéile . . . Gael í a rugadh is a tógadh thar sáile." Dóbair go raibh m'anáil i mbarr mo ghoib tar éis an tsrutha cainte sin.

"Agus bheadh críoch shona shásta leis an scéal . . ."

"Tar éis ghnáthchora crua an tsaoil . . ."

"Bhuel, ar a laghad, ligfeadh sin dom an drúis . . . an t-adhaltranas . . . scaradh na lánúine . . . agus bean scriosta teaghlaigh a thabhairt isteach fán na slí . . . fad is a bheadh críoch shona shásta ann, ar ndóigh . . ."

"Ag magadh fúm atá tú anois, a Phádraic." Ba dhoiligh domsa gan gáire a dhéanamh.

Tharraing sé mé chuige agus phóg mé go dásachtach sular ísligh sé mé ar an leaba.

"Beidh orainn ár sáith taighde a dhéanamh, ar an drúis go háirithe, má tá craiceann le bheith ar an scéal . . .," ar seisean.

Ar ócáidí eile, bheinn sna trithí gáire aige, agus é ag insint staróg faoi chairde is faoi chomhghleacaithe i saol na

Gaeilge . . . faoi iarscoláirí barrúla leis . . . faoi na heachtraí a tharla dó, mar dhea, nuair a théadh sé ar cuairt chuig an Fhrainc nó chuig an Danmhairg agus a ndéanfadh sé cuntas lán orthu nuair a scríobhfadh sé scéal a bheatha amach anseo.

"Níl a fhios agam cad a déarfaidh tú fúm sna cuimhní cinn sin?" arsa mise.

"Ar nós an dreama eile, beidh ort íoc as do chóip féin go bhfeicfidh tú," ar seisean agus gáire ar a bhéal.

"Sílim go dtuigim cad a bheidh ann." I bhfách le moladh a bhí mé. "Murab ionann is an bhé sin in 'Ná Lig Sinn i gCathú' a chrapann féith na hinspioráide san ealaíontóir, is mise do chomhealaíontóir a choimeádfaidh splanc na samhlaíochta ar lasadh ionat."

Is ea, ba chuma nó gearrchaile baoth a bhí dallta meallta ag an ghrá mé! Tuigim anois nár thuig mé Pádraic féin i ndáiríre, idir a shaol seachtrach is a smaointe intinne. Níor fheil sé dom a admháil gur mar sin a bhí. B'fhearr liom díriú ar an dílleachta d'ealaíontóir is neamhhiontas a dhéanamh de na leideanna ina chuid scríbhinní gur dhuine eisean a raibh cur amach aige ar striapacha ar nós Nóra Mharcais Bhig. B'fhusa dom a chreidbheáil go raibh gach rud de réir na rúibricí ná a fhiafraí díom an raibh aithne sách maith agam ar an fhear sin agus ar chúinsí a shaoil. Ar nós daill i scéalaíocht Phádraic nach raibh in ann an log a fheiceáil os a chomhair sa ród, níorbh fhada go mbainfí barrthuisle asam.

"Ba chóir dúinn a bheith cúramach," arsa Pádraic. Bhí sé i ndiaidh a chuid éadaí a tharraingt air le camhaoir an lae tar éis dúinn an oíche a chaitheamh le chéile sa teach ósta.

"Ceart go leor," arsa mise agus aoibh ar mo bhéal. "Fanfaidh mé ar mo thaobhsa den leaba feasta—is siar uait."

"Ní hé sin atá á mhaíomh agam. Ar eagla go bhfeicfeadh daoine muid."

"Ná bíodh imní ort," arsa mé. "Tá an oiread sin den tseanfhoireann imithe isteach san arm. Ceapann bainisteoir úr an tí ósta go bhfuilimid pósta . . . agus go bhfuil tusa i ndiaidh teacht ar ais ar shaoire bhreoiteachta ón Raj. D'fhiafraigh sé díom an lá faoi dheireadh cad é mar atá Mr. Hughes!"

"Na Gaeil atá á maíomh agam . . ." Ní dhearna Pádraic gáire. "B'fhearr gan insint d'éinne faoin gcumann seo againne. Níor thúisce duine amháin ar an eolas ná fios fátha an scéil a bheith ag gach craobh den Chonradh . . . agus muintir *An Claidheamh* ag déanamh claontagairtí dó."

Luigh an míniú sin leis an chiall . . . Nó sin mar a rith sé liom ag an am. Cad é mar a bheadh a fhios agam go raibh *An Claidheamh* céanna i ndiaidh grianghraf a fhoilsiú cúpla bliain roimhe sin ina raibh Pádraic is a bhean? De réir dealraimh, chaith sé seal fada ag insint dá lucht aitheantais i Londain gur botún a bhí san fhotheideal a bhí déanta ag an nuachtán! Ar scor ar bith, nach raibh mo chúiseanna féin agam le bheith discréideach. Is cuimhin liom gur bhuail mé le Máire Ní Riain ar the Strand timpeall an ama sin. Ní raibh d'ábhar cainte aici ach an claochlú ar Phádraic . . . go mbíodh cuma an-néata air na laethanta seo agus go raibh daoine ag déanamh iontais de sin agus ag fiafraí dá chéile cad ba chúis leis . . . Chuir mé gothaí an anbhiosáin orm, is ní dúirt a dhath. Nach ormsa a bhí an mórtas as an mhíorúilt bheag a bhí curtha i gcrích agam!

Satharn go luath ina dhiaidh sin bhuail mé féin is Pádraic le chéile ag am lóin. Chuamar ag spaisteoireacht sa tranglam sráideanna timpeall Shráid Oxford. Stopaimis anois is arís le hamharc isteach sna fuinneoga . . . siopa leabhar anseo . . . siopa éadaí ansin . . . siopa tobac ansiúd. B'eisean a mhoillig ag fuinneog shiopa seandachta. Rinne mé mo shlí ar ais chuige tar éis dom tabhairt faoi deara go raibh sé stoptha. Ag amharc ar dhealbh Chlasaiceach éigin a bhí sé, a dúirt Pádraic, gur luigh mo dhá shúil ar chás beag gloine ina raibh ceithre líne d'fháinní. Bhí fáinní áirithe mór agus gáifeach: cinn eile ildaite agus ornáideach. Agus bhí ceann amháin ann, ar ghnáthfháinne lom óir é gan cloch lómhar ann. Níor bhean mhór seodra mé riamh ach, ar an phointe, shantaigh mo chroí an fáinne beag simplí sin. Chas mé chuig Pádraic, rug ar leathláimh leis is mheall isteach sa siopa é. Thóg bé an tsiopa seandachta an fáinne amach as an chás gloine. Chuir mé ar mhéar an fháinne é. Bhí mo thomhas ann go beacht. D'fhéach mé ar Phádraic a raibh cuma mhíchompordach air, dar liom. Ba leor nod don eolach, b'fhéidir, dá mba bhean mé nach raibh ceo draíochta an ghrá ar mo shúile. Ba é an rud a rith liom san am gur ghnáthfhear é nach raibh dúil aige sa tsiopadóireacht.

"A Phádraic," arsa mé agus aoibh an gháire ar m'aghaidh, "nach bhfóireann an fáinne seo dom?" Shín mé mo lámh chlé amach go bhféadfadh sé lán na súl a bhaint as an fháinne.

"Fóireann, is dócha . . ."

"Níl aon rud foirmiúil eadrainn . . ." Lean mé de. "Inseoidh an aimsir cad a tharlóidh ach táimid i gcumann le chéile agus . . ." Stad mé le ligean dó adhmad a bhaint as mo chuid cainte. Má deirim anois deich mbliana i ndiaidh na heachtra nach raibh mé ag iarraidh leid a thabhairt dó gur mhithid lámh agus focal a bheith eadrainn agus nach raibh uaim ach bronntanas, an mbeinn ag insint na fírinne glaine? Ní dócha é.

"Tá aiféala an domhain orm," a d'fhreagair sé faoi dheireadh. "Ní féidir liom é a cheannach duit . . . níl an t-airgead agam."

"Ó, mo leithscéal, a Phádraic," arsa mé ag breith ar a

láimh. "Ní raibh mé ag iarraidh tú a náiriú. Ná bíodh imní ort faoi sin."

D'fhág mise an siopa seandachta sin agus mo dhá lámh chomh fada lena chéile. D'fhág Pádraic é agus an suíomh agus an teideal do cheann de na scéalta i *Seacht mBuaidh an Eirghe-Amach* ina dhiaidh sin neadaithe i gcúl a aigne aige.

Ba é bun agus barr an scéil ná gur fhill mé ar an siopa seandachta cúpla lá ina dhiaidh sin gur cheannaigh mé an fáinne. D'aithin bé an tsiopa seandachta mé. D'fhéach sí orm go biorach. Thug a tost le fios dom go raibh sí in ann na fir sin nach raibh deifir chun na haltóra orthu a phiocadh amach go héasca . . .

Níor chaith mé an fáinne go poiblí san am ach amháin nuair a bhíodh imní ag teacht orm go gcuireadh lucht an tí ósta ceist orm faoi 'm'fhear céile.' Ní raibh sé de mhisneach agam an fáinne a thaispeáint do Phádraic go fóill ach bhí a fhios agam i mo chroí gurbh é sin an ceann a chaithfinn lá mo phósta . . . B'fhéidir nár cheannaigh seisean dom é go hoifigiúil. Ba leor go raibh Pádraic ann nuair a chonaicemar é agus gur sheas an fáinne dár ngrá dá chéile.

Is ea, ba bhinn béal ina thost go fóillín ach thiocfadh an lá nuair a bheadh lámh agus focal eadrainn, nuair a d'fhógróimis go hard is go poiblí an cumann a bhí eadrainn. "Fear óg atá ann, cinnte," arsa an tUasal Reid liom lá nuair a tháinig sé orm agus mé i mbun brionglóidí. "Tá imní ag teacht orm go gcaillfidh mé mo rúnaí pearsanta go luath." Ní dhearna mise ach gáire fann a dhéanamh is athdhíriú ar mo chuid oibre. Ba leor insint dó amach anseo faoin scríbhneoir Éireannach a raibh grá tugtha agam dó agus a phósfainn . . . Ansin tar éis an phósta, rachaimis a chónaí in Éirinn, áit a leanfadh Pádraic de bheith ag scríobh, le linn domsa a bheith páirteach lárnach sa ghluaiseacht chultúrtha is náisiúnaíoch.

Ach cogar, cé chomh hintrust is atá an cuntas sin thuas? Rachaimis a chónaí in Éirinn? Tá a fhios agam go raibh mé ag smaoineamh air sin, cinnte. Ach caithfidh mé a admháil go raibh síol beag eile i ndiaidh fabhrú i m'intinn. Bhí mé i dteagmháil leis an Ridire Van Horne i gcónaí agus muide ag caint ar an choimisiún a bheadh agam le stair an Canadian Pacific Railway a scríobh. Ceann de na coinníollacha a bhain leis an choimisiún go bhfillfinn ar Montreal, áit a raibh áras ag an Ridire, ionas go bhféadfainn tarraingt ar a pháipéir phearsanta ina chartlann bhaile. Níor luaigh mé an comhfhreagras sin le Pádraic san am. Rith sé liom gurbh fhéidir leis-sean teacht go Meiriceá Thuaidh liom go bhfeicfeadh sé Nua-Eabhrac agus California agus na Rockies agus na hiontais eile sin uile a mbíodh sé ag caint orthu. Tar éis dom an coimisiún a chur i gcrích, d'fhéadfaimis filleadh ar Éirinn ansin tar éis cúpla bliain.

Is é fírinne an scéil nach féidir liom a rá go cinnte anois cén plean ba mhó a bhí chun tosaigh i m'aigne sna laethanta sin. Déarfainn go mbínn idir dhá chomhairle ó lá go lá. An t-aon rud a raibh mé deimhin de ná go raibh mé féin agus Pádraic le chéile agus go bhfanfaimis le chéile go deo na ndeor.

13ú mí Iúil
Bhrostaigh Delia isteach chugam timpeall a seacht ar maidin.

"Seo ordú an Dochtúra Dwelly," ar sise go gealgháireach gearranálach. "Tá mise díomhaoin inniu, tá tusa saor agus tá carr fruilithe agam don lá. Déan deifir, beidh an tiománaí anseo go pointeáilte ar a hocht. Táimid ag dul ar thuras lae."

"Ach mothaím spíonta amach is amach agus tá mo ghoile ag cur as dom," arsa mé go lag. "Má tá lá saor agam, tig liom fanacht sa leaba."

"Seo ordú an Dochtúra chóir agus is mairg a chuirfeadh ina éadan," ar sise. "Cibé ar bith, seo cuid den chóireáil leighis. Lá deas amuigh faoin aer. Agus ar mhaith leat filleadh ar Nua-Eabhrac i gcionn cúpla lá is a rá leis an dream ardnósach ansin gur ar éigean a chorraigh tú cos taobh amuigh den San is nach bhfaca de bhaile mór Battle Creek ach an séipéal Caitliceach?"

Ní raibh aon dul as. Ní raibh Delia le glacadh leis an eiteach. Tharraing mé mé féin amach as an leaba is gheall di go mbeinn thíos staighre faoina hocht.

"Agus cuir ort an gúna is gile atá agat. Agus do hata panama. Lá breá gréine a bheidh ann," arsa Delia agus í ag brostú an doras amach.

Tá mé traochta ceart go leor mar gheall ar an chóireáil raidiam atá i ndiaidh an gus a bhaint asam. In ionad faoiseamh an tsuain a bheith agam san oíche, tá an brú síceolaíoch a leanann an chóireáil i ndiaidh cur isteach ar mo chuid codlata. In ainneoin mo chreidimh i nDia is ina Mháthair Bheannaithe, is doiligh an ruaig a chur ar na tonnta lagmhisnigh a bhuaileann mé i lár na hoíche, ar nós na maidhmeanna toinne a bhriseann i gcoinne chósta thuaidh PEI sa gheimhreadh. De réir mar atá mé ag druidim le deireadh an chúrsa cóireála, is mó agus is minice a bhraithim faoi léigear, is mé clúdaithe ag ceo dubh an bheagmhisnigh a leathann anuas orm. Áit a raibh cúrsa trí seachtaine romham chun an galar a chloí, níl agam ach dhá lá eile. Agus . . . agus cad atá i m'oirchill mura raibh feidhm leis an chóir leighis fós? An leor an dá sheisiún dheireanacha chun an galar a bharraíocht? Uaireanta, is doiligh creideamh láidir a bheith agat . . .

Cibé ar bith, rinne mé réidh mar a bhí ordaithe ag Delia, d'imigh síos staighre le greim gasta bricfeasta a bheith agam, thug faoi deara go raibh Bean Wien ag aon tábla leis an

Doctúir Kellogg, is bhuail le Delia san Fhorhalla ar bhuille a hocht. Ceart go leor, bhí an carr, Buick díonoscailte, taobh amuigh den doras.

"Cá bhfuil ár dtriall?" arsa mise le Delia nuair a bhíomar ag imeacht amach trí mhórgheataí an San, agus an dís againn istigh sa suíochán cúil.

"Nach tú atá fiosrach!" a d'fhreagair sí. "Suigh siar ansin, a Chaitlín. Agus, Michael," ar sise de ghlór ard leis an tiománaí, ógfhear ard a raibh blas Corcaíoch ar a chuid cainte, "ná bí ag tiomáint chomh mall sin! Níl tú ar an bhóthar sléibhe go Sciobairín!"

Seal ag tiomáint timpeall an bhaile mhóir, ag amharc ar thithe galánta thoicithe Battle Creek . . . picnic taobh le lochán tuaithe . . . agus ansin ar ais in Battle Creek san iarnóin, ag rásaí na gcapall áit ar shaothraíomar cúpla dollar. Tógáil croí is meanman araon ba ea é éalú amach ó atmaisféar múchtach an San agus dearmad a dhéanamh ar a raibh curtha díom agam le tamall agus ar a bhfuil i ndán dom maidin amárach agus sna laethanta is sna míonna is sna blianta atá romham. Faoin am ar bhaineamar an San amach sa tráthnóna, bhí mé spíonta arís. Ach tuirse fholláin nádúrtha a bhí ann.

"Cuir uait an cur i gcéill," arsa mé le Delia. Bhíomar inár suí san Fhorhalla. "Tá rud éigin ar siúl idir tusa agus Michael. Tá a fhios agam go bhfuil an ceart agam."

Rinne Delia gáire is tháinig lasadh ina grua. "Ní raibh mé cinnte go dtabharfá faoi deara é."

"Murar leor na catsúile a chaith sibhse lena chéile nuair a shíl sibh nach raibh mé ag féachaint, b'fhollas do dhall ón dóigh a ndearna tú cinnte de go bhfuair sé greim maith le hithe ag am lóin gur cara ionúin leat é. Ní mar sin a chaitheann muintir Chiarraí le Corcaíoch i gcónaí!"

"Tá aithne agam air le cúpla mí. Is leis-sean garáiste

beag. Tá sé ag tathant orm é a phósadh. Uaireanta, nuair a bhíonn sé ag dul go bog is go crua orm, deirim leis, 'Michael, dá mba rud é nach raibh uaim ach Corcaíoch a phósadh, níor ghá dom Éire a fhágáil riamh' . . . Ar ndóigh, dá mbeinn sa bhaile, ní bheadh sé d'éadan orm Corcaíoch a thabhairt abhaile liom go Ciarraí!" Stop Delia amhail is go raibh sí tar éis teacht ar léargas tuisceana úr. "Má tá mé le haon fhear a phósadh anseo, nach cóir dom Éireannach is Caitliceach a phósadh, mo dhála féin?"

"Bhuel, bheadh súil agam go bpósfá é toisc go bhfuil sibh i ngrá le chéile fosta."

Rinne Delia gáire beag eile.

"Agus cad fút, a Chaitlín? Cad chuige nár phós tú riamh?"

Chrom mé ar an liodán atá úsáidte agamsa aon uair dár chuir aon duine an cheist bheag sin orm . . . faoin deichniúr a chuir ceiliúr pósta orm . . . aon duine dhéag má chuireann tú Tommy beag McKenna sa scoil aonseomra ar PEI san áireamh . . .

Is sa chín lae seo amháin a bhreacfaidh mé síos an fhírinne ghlan. Nó an fhírinne shearbh smeartha.

Tá súil agam go mbeidh saol sona ag Delia—agus ag Michael, más dual dóibh a bheith le chéile.

14ú mí Iúil

De bharr dhualgais mo phoist bhíodh tréimhsí ann ag deireadh an earraigh 1915 nuair nach bhfeicinn Pádraic ó rang go rang. Bhí ormsa corr-rang féin a chailliúint mar gheall ar an bhrú oibre. Nuair a bhainfinn an rang amach an tseachtain ina dhiaidh sin, ba dheacair dom fanacht go mbeadh an ceacht féin thart go bhféadfaimis, mé féin agus Pádraic, imeacht·amach le chéile. Den chéad uair i mo shaol, nuair a chloisinn an dóigh bhog mhealltach ina labhraíodh sé lena scoláirí, leis na mná óga go háirithe, thagadh éad orm. Uaireanta féin, ní fhéadadh sé dul amach liom tar éis an ranga nó bheadh comhscoláirí liom inár dteannta nuair nach raibh uaimse ach go mbeimis dís inár n-aonar le chéile.

"Níl tusa sásta tú féin a bhuaireamh le bualadh liom," arsa mise leis go feargach oíche amháin tar éis an ranga nuair a dúirt sé liom nach mbeadh sé saor an Satharn dár gcionn. "Ar nós na bhfear go léir, níl suim agat ach in aon rud amháin." In ionad sult a bhaint as an am teoranta a bhí againn le chéile, níorbh fhada go raibh sé sin ina chnámh spairne eadrainn.

"Ná tóg ormsa é má bhíonn tusa cruógach i gcónaí," ar seisean.

"Ansin nuair a fhaighim seans le héalú ag an nóiméad deireanach ag an deireadh seachtaine, níl aon bhealach agam le teagmháil a dhéanamh leat. Níl de rogha agam ach teachtaireacht a fhágáil ag oifigí an Chonartha ar an chaolseans go dtiocfá isteach. D'fhéadfainn bualadh isteach ag do theach féin ach níl a fhios agam cá bhfuil cónaí ort."

"Ar mhaith leat teacht go prochóg de theach atá á roinnt agam le mórsheisear eile?"

Ar nós méaldráma—nó faoi mar a deiredh léirmheastóirí áirithe ag an am agus ó shin i leith—ar nós scéil le Pádraic Ó Conaire, bhí faill agam cuairt a thabhairt ar a theach roimh i bhfad.

Tar éis bhriseadh na Cásca, bhí Pádraic as láthair ón rang. Níor lia scoláire ná tuairimí faoi cá raibh sé. Bhí sé tinn . . . bhí sé in Éirinn . . . bhí sé ar meisce . . . b'fhéidir gur gabhadh é . . . nó gur chreid sé ceann de na ráflaí sin go raibh na húdaráis chun an phreasáil a chur i bhfeidhm gan mhoill. In ainneoin an chumainn seo againne, ní fhéadfainn aon cheann acu a bhréagnú toisc nárbh eol dom cá raibh sé. Cinnte, d'inseodh sé dom roimh ré dá mbeadh sé ar intinn aige dul ar cuairt go hÉirinn. Ach cad é mar a bheadh a fhios agam dá mba rud é go raibh a dhath cearr leis?

Níor chuala mé focal ó Phádraic i rith na seachtaine. Ní nach ionadh, mhéadaigh ar m'imní agus ar m'fhearg. Nárbh fhiú leis líne ghairid a chur chugam nó glao gutháin a chur orm ag Oifig an Ghníomhaire Ghinearálta le hinsint dom cad a bhí ar bun aige?

Tráthnóna Dé hAoine, rinne mé mo shlí go hoifigí an Chonartha ar Shráid Fleet ach ní raibh tásc ná tuairisc air ansin agus ní raibh sé feicthe ag aon duine de mo lucht aitheantais ann. B'fhéidir go raibh sé tinn . . . nó in Éirinn . . . nó ar meisce, ar siadsan.

Ag an deireadh seachtaine bhí orm imeacht amach go Deptford i Kent, áit a raibh bunáit ag na fórsaí Ceanadacha. Lánchinnte a bhí mé go mbeadh rud éigin cloiste agam nó go mbeadh Pádraic féin romham faoin am a mbainfinn amach an teach ósta ag Charing Cross an Luan dár gcionn. Bhuail taom anbhá mé nuair nach raibh romham ach an bosca poist folamh agus an seomra bánaithe. Is ar éigean a chodail mé néal an oíche sin. An tráthnóna lá arna mhárach, shroich mé an rang go pointeáilte is d'fhan go mífhoighdeach corrthónach de réir mar a tháinig mo chomhscoláirí isteach agus iad ag cur is ag cúiteamh an mbeadh an Máistir i láthair don rang.

Bhailigh cúpla duine leo tar éis fiche nóiméad nuair nár tháinig Pádraic. Faoina cheathrú chun a hocht, mise an t-aon duine amháin a bhí fágtha. Bhí mé ag déanamh réidh le himeacht nuair a bhuail Art Ó Briain an doras isteach.

Ar an phointe chum mé scéal i mbarr hata faoi iriseoir liteartha Meiriceánach a raibh uaidh agallamh a chur ar Phádraic agus ar an deis mhór sin lena ainm is lena shaothar a chur os comhair léitheoirí thall. Nuair nár leor sin chun a raibh uaim a fháil ó Art, mhínigh mé go mbeadh an t-iriseoir ag imeacht go Southampton an lá dár gcionn le himeacht ar an línéar go Meiriceá. Ba go fiarshúileach amhrasach a d'amharc Art orm sular tharraing sé leabhar beag dubh amach as póca a chasóige, d'iniúch an leabhar ar feadh soicind sular bhreac sé síos seoladh ar bhlúirín páipéir.

15ú mí Iúil

. . . Uimhir a 19 . . . Uimhir a 21 . . . Uimhir a 23 . . . Uimhir a . . . Stop mé. Ní raibh aon uimhir ar an doras sin ach caithfidh gurbh é seo Uimhir a 25. An teach ceart. Teach Phádraic.

Ar nós na dtithe eile ar Bhóthar Fitzroy, ba theach tionóntáin é Uimhir a 25 agus gan cuma aon phioc níos slachtmhaire nó níos díblí air dá dheasca. Bhí an gairdín beag os comhair gach tí mar chuimhneachán ar na seanlaethanta nuair ba cheantar measúil meánaicmeach é seo trasna ó Regent's Park. Léiriú ar an phobal neamhbhuan oibrithe a chuirfeadh fúthu ansin ach nach bhfanfadh fada go leor ba ea na fiailí sna gairdíní agus an dramhaíl bhréan. Caithfidh gur glacadh seilbh ar na ráillí iarainn a dhealaigh na tithe gona ngairdíní ón bhóthar le lón cogaidh a dhéanamh do na saighdiúirí sna trinsí.

Ar thráthnóna gréine, níorbh fholáir go mbeadh páistí na sráide amuigh ag spraoi. Ó tharla go raibh sé ag cur de dhíon is de dheora, ní raibh duine ná deoraí le feiceáil. Ní raibh mo scáth fearthainne agam liom agus bhraith mé na braonacha báistí ag imeacht isteach trí mo chóta.

Níorbh aon am moilleadóireachta é, mar sin. Chuaigh mé suas chuig an doras is bhuail cnag éadrom air. Ansin ceann níos fórsúla ná sin. Thug mé faoi deara cuirtín fuinneoige á tharraingt siar: bhí duine sa bhaile. Bhuail mé ar an doras arís. Ansin d'oscail cailín óg timpeall deich mbliana d'aois an doras agus chonaic mé gasúr eile taobh thiar di.

"Deir mo Mhamaí nach bhfuil aon airgead againn inniu. Tá sí ag fanacht le litir ó mo Dhaidí atá sa Fhrainc," ar sise i nglór liodánach a thug le fios go raibh an ruthag cainte sin de ghlanmheabhair aici.

"Níl mé ar lorg airgid . . . An bhfuil cónaí ar fhear darbh ainm Pádraic Ó Conaire i gceann de na hárasáin sa teach seo?"

"A Mhamaí, tá bean strainséartha ar lorg mo Dhaidí."

Is ar éigean a bhí am agam a raibh ráite ag an chailín a scagadh i m'intinn nuair a tháinig bean go dtí an doras agus í ag cuimilt a lámh ar a naprún. Bean bheag chatach í sna tríochaidí, ach bhí an liathadh luath uirthi roimh a ham, ar nós mná a bhí críonna caite ag an streachailt laethúil.

"Is ea?" ar sise agus í ag tógáil mo mhiosúir.

"An bhfuil an tUasal Ó Conaire anseo?" Ní fhéadfainn a chreidbheáil go huile is go hiomlán cad a bhí ag tarlú dom. Caithfidh go raibh míniú ciallmhar loighciúil air seo dá bhféadfadh Pádraic a theacht agus é a léiriú dom.

"Níl . . . níl m'fhear céile anseo. Cad chuige a bhfuil sé uait?" Cibé údar amhrais a bhí ag an bhean sin, go raibh airgead agam ar Phádraic nó go raibh rud ní b'urchóidí ná sin i gceist, bhí sí le tabhairt orm labhairt amach go neamhbhalbh—nó gan labhairt ar chor ar bith.

"An ndéarfaidh tú leis, a . . . a Bhean Uí Chonaire," arsa mé go teann, ". . . abair leis . . . go raibh iriseoir Ceanadach ar a lorg. Miss Katherine Hughes m'ainmse. Níl ann ach go raibh mé i Londain agus go raibh mé ag iarraidh agallamh a chur air." D'éirigh liom an sruth cainte sin a chur díom ainneoin nár leor an bháisteach chun an dreach céasta caillte ar m'aghaidh a cheilt. "Abair leis an Uasal Ó Conaire gur mór an trua nach bhfeicfidh mé é arís. Oíche mhaith."

Chas mé thart ar an toirt. Chaith mé aníos ag cúinne na sráide. Chaoin mé uisce mo chinn agus mé ag siúl i dtreo an stáisiúin faoi thalamh.

Tá an cúrsa raidiam críochnaithe agam. Tá mé leigheasta más í sin toil Dé.

17ú mí Iúil

D'fhág mé Battle Creek maidin inné. Thóg Delia agus Michael go dtí an stáisiún mé le slán agus beannacht a chur liom. Dá mbeadh go leor airgid agam (ba thrua nár chuir mé geall leath ar leath ar chúpla gearrán ag ráschúrsa Battle Creek!), mhoilleoinn i mBattle Creek go ceann roinnt laethanta eile go dtí go mothóinn breá láidir. Ach tá an t-airgead gann. Níl mo dhóthain agam le híoc as cóiste codlata féin. Mar sin, tá dalladh ama agam a bheith i mo shuí anseo sa charráiste traenach ag smaoineamh, ag léamh, ag ithe na n-úll dearg a thóg mé liom ón San, ag amharc ar na bailte móra is ar na ceantair thuaithe taobh amuigh den fhuinneog, agus, anois is arís, a bheith ag scríobh.

Agus a bheith ag scríobh . . . Cad eile atá le rá fúm féin is faoi Phádraic? Níor fhill mé ar a rang: bhí an cúrsa geall le bheith thart le haghaidh an tsamhraidh, cibé ar bith. Rinne Pádraic go leor iarrachtaí teagmháil a dhéanamh liom ina dhiaidh sin . . . ar an ghuthán . . . chuireadh sé litreacha chugam ag iarraidh rudaí a mhíniú dom . . . Bhí a fhios aige go raibh sé i ndiaidh mé a ghortú go smior . . . Ní dúirt sé a dhath liom faoina bhean is faoina chlann ar eagla go gcaillfeadh sé mé . . . Cibé ar bith, ní raibh seisean agus Molly McManus pósta go dleathach de réir reacht na hEaglaise is dhlí na tíre . . . Ar a laghad, bhí go leor fearúlachta ann nár shéan sé gurbh eisean athair na clainne a bhí feicthe agam. Is ea, agus ba í an deilgneach a bhí ar an chlann chéanna ba chionsiocair leis a bheith ar iarraidh an chéad lá riamh. D'fhág sé gan a rá an raibh sé sa bhaile an lá sin ar tháinig mé ar cuairt . . . Níor fhéach sé le míniú—in ainneoin a bhuanna cumadóireachta mar scéalaí, déarfainn nárbh fhéidir leis é a mhíniú dó féin fiú amháin—cad chuige ar thosaigh sé ar an chumann liomsa nuair nach bhféadfadh ach an t-aon chríoch amháin a bheith leis luath nó mall . . .

Thug Pádraic iarraidh ar labhairt liom trí theacht go dtí an oifig fosta. Tar éis don Uasal Reid an fear strainséartha a thabhairt faoi deara ag crochadh thart taobh amuigh den oifig, d'imigh sé amach chuige. Sheas mé ag an fhuinneog de réir mar a rinne an Gníomhaire Ginearálta air. Ní raibh mé in ann an chaint a chluinstin ach ó na gothaí a chuir an tUasal Reid air féin, bhí sé ag tabhairt rabhaidh don fhear eile.

"Bhagair mé na póilíní air dá bhfeicfinn anseo arís é," arsa an Gníomhaire Ginearálta i ndiaidh dó teacht isteach. "D'fhreagair sé mé i ngibiris iasachta éigin nár thuig mé . . . an tSlavais, b'fhéidir. In aimsir chogaidh, caithfimid a bheith ar ár n-airdeall. Cibé rud atá ar bun ag an diúlach sin, ní hé ár leas é. Inis dom má fheiceann tú arís é."

Tar éis do Phádraic teacht ar mo lorg ag an teach ósta is nótaí a fhágáil dom nuair nár ráinig leis teacht orm, d'aistrigh mé go hurlár eile is chuir in iúl don bhainisteoir úr (bhí an té a bhí ann roimhe sna trinsí faoin am sin) nár cheadmhach don fhoireann insint d'aon duine cén seomra ina raibh mé. Faoin am sin, ba rímhinic mé as láthair ón oifig is ón teach ósta féin, agus mé ag taisteal na tíre go dtí na bailte móra is na bunáiteanna ina raibh saighdiúirí Ceanadacha lonnaithe.

Ní fhéadfainn leanúint leis an saol mírialta sin, mé ag tacú le cogadh nár aontaigh mé leis, agus mo chroí searbh mar gheall ar a raibh déanta ag Pádraic. Scríobh mé chuig an Ridire Van Horne is tar éis dúinn roinnt litreacha a mhalartú ar a chéile, réitíomar go bhfillfinn ar Cheanada sa samhradh le tosú ar shraith leabhar faoin CPR is ar chuimhní cinn an Ridire William a chur i dtoll a chéile.

Faoin am ar fhág mé Londain san fhómhar 1915, bhí an Ridire marbh ach thathantaigh a mhac orm beathaisnéis a athar a scríobh. Agus an coimisiún sin romham, cóip de "The Cherry Bird" i dtaisce i mo thrunc, agus mo chroí briste, thug mé aghaidh ar Nua-Eabhrac sula rachainn go Montréal. Ní raibh Pádraic feicthe agam. Íorónta go leor, nuair a cheannaigh mé cóip den *Claidheamh Soluis* i Nua-Eabhrac, an chéad rud ar luigh mo shúile air ná an blúirín eolais go raibh Pádraic Ó Conaire i ndiaidh filleadh ar Éirinn "agus nach nglacfaidh sé leis an bpreasáil." Ba dhoiligh a shamhlú go mbacfadh na Sasanaigh lena leithéid. Chomh dócha lena athrach a bhí sé gur thug a bhean an bata is an bóthar dó tar éis di a fhoghlaim gurbh í an bhean strainséartha sin a tháinig ar a lorg a leannán.

18ú mí Iúil

Cúpla uair an chloig eile agus beidh mé ar ais i Nua-Eabhrac. Beidh mo dhóthain romham ansin . . . lámh chuidithe a thabhairt d'fheachtas uachtaránachta Bob La Follette, na Géanna Fiáine, ag mealladh thoicithe Ghael-Mheiriceá le hairgead a bhronnadh chun post mar scríbhneoir cónaitheach a chruthú do Phádraic ar an ollscoil i nGaillimh, agus—tá súil agam—ag cromadh ar mo chuntas ar fheachtas 1916-1922, i gcomhpháirt le Mary Morrison.

Táthar ann nach dtuigfeadh choíche cad chuige a mbeinn sásta cuidiú leis an fhear a d'fheall is a loic orm. Ní dhearnadh aon athmhuintearas eadrainn sna blianta tar éis dom imeacht ó Shasana. Níor scríobh mé chuige; ní bhfuair mé oiread is líne i bpeann luaidhe nó i mo pheann dúigh féin uaidh. Níor thíolaic sé an chéad leabhar eile dom. Nuair a cheannaigh mé *Seacht mBuaidh an Eirghe-Amach*, chuir mé sonrú sa toirbhirt leabhair. Cérbh í an Anna Ghordún sin dár thiomnaigh sé an leabhar—*mo* leabhar? arsa guth beag géar i mo chloigeann. An leannán is déanaí a bhí aige, níorbh fholáir. Ní fhaca mé Pádraic arís, fiú amháin nuair a bhí mé in Éirinn i mí an Mhárta 1922. Ó tharla go bhfuil Baile Átha Cliath chomh beag sin, bhí mé cinnte go gcasfaimis ar a chéile. Ach cheana, bhí an dream a ghlac leis an Chonradh Angla-Éireannach ag taobhú na n-amharclann faiseanta is na bproinntithe galánta; bhíomar, Poblachtaigh, ag taithí ár láithreacha cruinnithe féin. D'fhiafraigh mé de chorrdhuine an raibh Pádraic feicthe acu. Chuala mé gur bhuail drochthaom breoiteachta é agus go raibh sé ag téarnamh agus ag teacht ina neart arís thiar i gConamara.

I ndiaidh an Chogaidh Chathartha nuair nach raibh le cluinstin i measc na bPoblachtach i Meiriceá ach na glamanna garbha agus na gártha dearga le haghaidh fhuil an díoltais, bheartaigh mé ar na Géanna Fiáine a bhunú. Eagraíocht a bheadh ann a thabharfadh na sean-chomrádaithe le chéile, a thaispeánfadh dár muintir gurbh fhéidir linn an Phoblacht a fhíorú dá gcuirfimis le chéile is dá seasfaimis gualainn le gualainn. Ach ba ghá an t-athmhuintearas i dtosach. Ba ghá don chéad duine a lámh a shíneadh chuig seanchara i ngníomh siombalach athmhuinteparais. Gníomh goilliúnach pianmhar a bheadh ann tar éis bharbarthacht is fhíoch fola Chogadh na gCarad. Gníomh tírghrá a bheadh ann a leigheasfadh an chneá i gcroí an Náisiúin. Ormsa a thitfeadh sé an gníomh sin a dhéanamh go leanfaí m'eiseamláir.

Cé eile a roghnóinn ach mo sheanleannán, Pádraic Ó Conaire, fear a d'fheall orm, Státaire a bhris a mhóid dílseachta don Phoblacht, fear a bhfuil grá agam dó i gcónaí i ndiaidh scarúint na mblianta? Dá bhféadfainn athmhuintearas a dhéanamh leis-sean go pearsanta, nach bhféadfadh gach Éireannach gníomh den chineál céanna a dhéanamh? Ar ndóigh, ní raibh sé chomh lom simplí sin. B'fhada mé ag cur is ag cúiteamh liom féin. Faoi dheireadh, shuigh mé síos is scríobh mé chuig Pádraic faoi choimirce Chonradh na Gaeilge i mBaile Átha Cliath. Tar éis tamaill, d'fhreagair sé mo litir gan mórán a rá faoinar tharla eadrainn i Londain. Mhalartaíomar a thuilleadh litreacha ar a chéile. Ba ón chomhfhreagras stadach ciotach sin a shíolraigh an smaoineamh go bhféadfainn airgead a bhailiú i measc thoicithe Ghael-Mheiriceá le post ollscoile a chruthú dó i nGaillimh, post a cheadódh dó an chuid eile dá shaol a chaitheamh ag scríobh ar a dhícheall ar son an Náisiúin. Is é mo ghuí gurb é an toradh a bheidh ar mo chuid oibre gur céim bheag in athaontú na nGael í agus go bhfaighidh Pádraic faoi dheireadh agus faoi dheoidh an tearmann sin a ceileadh air i gcaitheamh a dheoraíochta dhá scór bliain.

Feicim tithe spéire Nua-Eabhraic ar íor na spéire thoir uaim. Mothaím sceitimíní áthais orthu siúd sa charráiste atá ag teacht go dtí an chathair mhór seo den chéad uair. Is é fásach seo Nua-Eabhraic m'áit chónaithe feasta go dtagann deireadh le mo pheannaid, agus le mo dheoraíocht féin.

Cuid a Trí

An tÉan Corr

Dick Hamilton: Bah! What do you know of the sorrows and longing of women less fortunately placed than yourself?—
Pat (*Airily*): So that was the plaintive role she chose to play with you! The Cherry Bird! A fitting name. Here today, gone tomorrow, robbing other women's orchards of their richest cherries . . .
Dick Hamilton (*Doggedly*): Why don't the other women look after their cherries?
Pat: A question for each of the other women to answer—
Dick Hamilton: —and while they try to find an answer their cherries are stolen. (*Sneeringly*): But they sit in judgement and remain good (*With a fresh sneer*) because they are too icy to know temptation.

Sliocht as "The Cherry Bird" le Katherine Hughes agus le Pádraic Ó Conaire.

Caibidil a hAon

-I-

"Ní aontaím leis sin ar chor ar bith," arsa Oliver Shannon de ghuth ard garbh. "Diomailt airgid atá sa phlean meargánta sin ó thús deireadh."

"Ach sin a mbeadh ó Chaitlín féin, go ndéana Dia trócaire uirthi," arsa Mary go teann. A thúisce is a labhair sí thuig sí go raibh sí i ndiaidh botún a dhéanamh.

"Cad é mar is féidir leatsa a rá thar aon duine eile againn cad ba mhaith le Caitlín?" Níor chaill Oliver an deis. Ná níor fhéach leis an tarcaisne ina ghlór a cheilt.

Ba ghá do Mary seift eile a tharraingt chuici. Ní bheadh sí in ann Oliver a shásamh choíche de dheasca na drochfhola eatarthu, ach dá mbeadh ciall lena moladh, bheadh tromlach na mball sásta tacú léi.

"Is cóir dúinn sos gairid a thógáil," arsa an tAthair Albert a bhí sa chathaoir ag an chruinniú. Thuig Mary nár thaitin an ghné phearsanta den díospóireacht leis. "Leanaimis den phlé ina dhiaidh sin. Tá braonán caife ar fáil ag bun an tseomra."

Ar feadh meandair, smaoinigh Mary ar chaolú amach as an seomra agus imeacht léi abhaile. Ach bhí a fhios aici nárbh fhéidir léi sin a dhéanamh anois. Bhí sé de dhualgas uirthi fanacht go dtí go mbeadh an cúram seo curtha di. Rinne sí ar an tábla chun caife a fháil—gheall sí di féin go ngearrfadh sí siar ar an mhéid a bhí á ól aici an mhaidin dár gcionn. Ba go pointeáilte a rinne sí neamhiontas d'Oliver a bhí ag labhairt go hanamúil teanntásach leis an Athair Albert.

Ba é seo an chéad chruinniú foirmiúil de na Géanna Fiáine ó adhlacadh Caitlín. I mí Iúil bhailigh deascán ball le chéile le hoíche chainte is cheoil a bheith acu mar chuimhneachán ar a gcara a bhí ar shlí na fírinne. Léigh siad dréachtaí filíochta Éireannaí agus chas amhráin, cinn le John McCormack ina measc. Ba thrua nach raibh Lauretta in ann a bheith i láthair ach bhí Alfie ar an drabhlás arís. Oíche bhreá airneáin a bhí ann, de réir mar a rinne na baill ceiliúradh ar bheatha Chaitlín agus ar a ndearna sí ar son chúis na hÉireann. Agus ag an deireadh, thugadar móid shollúnta go leanfaidís d'obair Chaitlín.

Is ea, ghealladar go léir go n-oibreoidís go dian dícheallach le haislingí Chaitlín a fhíorú. Ach bhí an comhrá anseo i ndiaidh cur ina luí ar Mary gur réidhe an chaint mhaoïthneach ná an gníomh éifeachtach. Ní raibh sa teannas idir í féin agus Oliver ach mionléiriú amháin ar a dheacra is a bheadh sé baill an chumainn a choinneáil le chéile tar éis don té a bhunaigh is a stiúraigh an cumann ón chéad lá riamh imeacht.

Ba í Caitlín croí agus anam na nGéanna Fiáine. Gan í a bheith ann chun an cheannasaíocht a thabhairt dóibh agus a n-aird a choimeád ar a misean, ní bheadh iontu ach daoine aonair agus díormaí beaga a bhí gan treoir nó, dála Oliver, a bhí ag tochras ar a cheirtlín féin le díoltas a imirt ar Mary.

Sin go díreach an rud a bhí ag tarlú anseo anocht, arsa Mary léi féin. B'eol don dall nach raibh ach meathaithne aige ar Chaitlín cad a ba mhaith léi go ndéanfaí. Ach ní dall a bhí Oliver Plunkett Shannon ach dúr dáigh.

"Cuirimis tús leis an chruinniú arís," arsa an tAthair Albert tar éis bhriseadh deich mbomaite. Lig Mary osna chléibh is d'fhill ar a cathaoir i lár an tseomra. Bhí Oliver a shuigh ar an taobh clé den seomra i ndiaidh buntáiste amháin a ghéilleadh di.

"Más féidir liom gearrchuntas a thabhairt ar a bhfuil cloiste againn, tá dhá mholadh ar leith againn faoin tslí gur cóir dúinn an t-airgead atá bailithe ag na Géanna Fiáine a chaitheamh. An chéad cheann . . .," agus sméid an sagart ar Oliver, ". . . an chéad cheann ná leacht cuimhneacháin a thógáil os cionn uaigh Chaitlín, ar dheis Dé go raibh a hanam uasal. Nó . . .," agus chas sé i dtreo Mary, ". . . an t-airgead a chur chuig an scríbhneoir Gaeilge sin, Ó Conaire . . ."

A thúisce is a mhoilligh an tAthair Albert, d'ardaigh Oliver a lámh is rinne réidh le héirí óna shuíochán ach lean an sagart de.

"Tá neart cainte cloiste againn faoina mbeadh ó Chaitlín féin ach is é fírinne an scéil nach bhfuil a fhios againn go cinnte cad a ba mhaith léi. Ach caithfimid a bheith dílis do na prionsabail ar sheas sí dóibh. Má chuimhnímid orthu sin, beidh fuascailt na faidhbe agam. Anois," agus bhí faobhar beag mífhoighde ar ghuth an tsagairt, "gan dul siar ar gach rud a dúradh cheana agus gan dearmad a dhéanamh ar nasc an tseanchairdis a cheanglaíonn le chéile muid, an bhfuil aon ní nua le rá ag aon duine? . . . Is ea, ar aghaidh leat, Oliver."

Is ar éigean a bhí Oliver ina sheasamh sular thosaigh sé ag labhairt.

"De réir mar a thuigim an scéal ó dhaoine a bhfuil aithne acu air in Éirinn, is meisceoir é an Conaireach sin atá tar éis imeacht le drabhlás an tsaoil. Ní luafaidh mé na rudaí eile atá cloiste agam faoi." Stop Oliver go méaldrámata le ligean do na focail sin dul i bhfeidhm ar a lucht éisteachta. Ansin lean sé ar a chuid cainte. "An ceart dúinn a bheith ag soláthar airgead bhiotáille do mheisceoir de scríbhneoir nach bhfuil buille sa bhéim ann a thuilleadh? Nach fearr an t-airgead a úsáid chun bean dár gcuid féin a chomóradh ionas gur féidir le Gaeil Mheiriceá a heiseamláir a leanúint?"

Thit croí Mary. Thug an dreach a bhí ar cheannaithe chuid de na baill le fios di gur aontaigh siad le hOliver. Cleas glic a bhí ann leid a thabhairt gur phearsa scannalach é an Conaireach. Thug Mary colgfhéachaint ar Oliver agus í ag iarraidh an déistin a bhí uirthi leis a chur in iúl dó. Ag an am céanna, mar aturnae, bhí uirthi Oliver a mholadh as an bheart céanna. Ní leomhfadh seisean amharc go díreach idir an dá shúil uirthi. An t-aon ábhar faoisimh a bhí ag Mary ná go bhféadfadh an scéal a bheith seacht n-uaire níos measa. Ní raibh a dhath ar eolas ag Oliver faoi chín lae Chaitlín ó Battle Creek. A bhuí le Dia nár thaispeáin sí féin í dó.

Sméid Mary ar an Athair Albert is d'éirigh ina seasamh. Ba mhithid di teacht i dtír ar a hoiliúint ghairmiúil.

"Níl ach cúpla rud le rá agam. Aontaím go huile is go hiomlán leis an Athair Albert nuair a deir sé go gcaithfimid a bheith dílis do mhórphrionsabail Chaitlín. Tuigim fosta go mbeadh daoine buartha faoi airgead a chur amú." Ní fhéadfadh aon duine a rá go raibh sí ag déanamh neamhshuime ina raibh le rá ag Oliver. "Ach . . ." Lig sí dá dhá shúil dul siar is aniar ar na baill amhail is go raibh sí ag labhairt le giúiré. ". . . tá a fhios againn uilig nár mhaith le Caitlín go gcaithfí airgead uirthi féin. Nárbh iomaí uair a chualamar í ag rá nach raibh sí le hairgead a dhiomailt trína chaitheamh ar a cuid costas dleathach oibre." Thug Mary faoi deara sciar maith de na baill ag aontú léi go ciúin, rud a thug ardú misnigh di. "Agus an dara rud. Bhí seanaithne ag Caitlín ar an Chonaireach. Bhí a fhios aici cén mianach a bhí ann. Bhí a fhios aici go paiteanta cérbh iad a shuáilcí is a dhuáilcí mar dhuine. Ina dhiaidh sin is uile, theastaigh uaithi teacht i gcabhair air i gcónaí. Dá socróimis ar gan an t-airgead atá againn a chur ar fáil don Chonaireach ansin, nárbh ionann é sin is a rá nárbh iontaofa linn breithiúnas Chaitlín?" Ba bhuille ceart d'Oliver féin an t-achasán deireanach sin, arsa Mary léi féin. Chuir sé leis an sásamh a bhí uirthi go raibh ag méadú ar chuthach Oliver de réir mar a bhí na baill ag taobhú léi. "Focal scoir amháin," ar sise. Botún a bheadh ann barraíocht eile a rá. "Ní leor an t-airgead atá i dtaisce againn le post a chruthú don Chonaireach ar an ollscoil i nGaillimh. Ach tá go leor ann le lámh chuidithe a thabhairt dó. Is leor é sin le haisling bheag de chuid Chaitlín a fhíorú. Ní beag sin sna laethanta duairce seo."

Shuigh Mary síos. Níor ghá duit amharc ar aghaidh dhearg Oliver. Bhí a fhios aici ina croí istigh go raibh an svae tugtha léi aici.

-II-

"Nach méanar don ghiolla ardaitheora a bhfuil teacht aige ar gach saghas áise," arsa Max go héadrom. "Seo, a thaisce, cuir orm é le do thoil."

Bhraith Mary a dhá lámh a bheith amscaí mar a d'fhill sí an coiscín rubair ar a bhod a bhí ina staic. "Ní dhearna mé seo riamh," ar sise agus gan a fhios aici ar chóir di a leithscéal a ghabháil nó gáire a dhéanamh. Ní raibh coiscín feicthe aici riamh roimhe sin.

"Tá sé agat," a dúirt Max agus é á phógadh go teann. "Seo, treoraigh mé isteach ionat. Níl uaimse tú a ghortú."

Tharraing Mary é chuici is lena deasóg threoraigh sí a bhall fearga isteach inti.

Mhothaigh sí a hanáil ag luathú agus a cholainn ag éirí righin mar a thosaigh an dá cholainn ag gluaiseacht le chéile. Is ar éigean a bhí faill ag Mary dul i dtaithí luail a colainne féin nuair a chrith cabhail Max. Mhaolaigh ar an teannas ina chorp gur shuaimhnigh a anáil gur dheasaigh sé isteach léi is a chloigeann crom ar a hucht. Thart a bhí an gníomh comhriachtana taobh istigh de bhomaite.

"Maith dom é," ar seisean agus ceann faoi air. "Ní raibh mé in ann moilliú a thuilleadh."

Theann sí an greim a bhí aici air. "Is deas liom muid a bheith gar dá chéile mar seo."

Phóg sé í go dil arís gur tharraing siar uaithi gur bhain sé de an coiscín. D'éirigh sé as an leaba is d'imigh isteach sa seomra folctha. D'amharc Mary ar an chlog balla. Fiche bomaite chun meán oíche a bhí ann. B'fhearr gan smaoineamh ar an mhochéirí is ar obair an lae amárach. Tharraing sí an súisín timpeall uirthi is d'éist le siansa shruth an uisce sa seomra folctha. Ar theacht ar ais do Max, mhúch sé an solas cois leapa, neadaigh isteach taobh léi is chrom ar a pit a chuimilt le méara a dheasóige.

"Tá mé rud beag íogair thíos ansin," ar sise á shrianadh lena láimh. Bhí rubar trom an choiscín i ndiaidh greadfach a chur ina pit. "Is leor mé a mhuirniú."

"Tá súil agam nár ghortaigh mé thú."

"Níor ghortaigh. Anois cuir do sciathán timpeall orm."

Níorbh fhada gur thit seisean ina chodladh. Agus é ag srannachtaigh go ciúin, luigh Mary ansin, greim aici ar láimh Max agus í ag iarraidh ciall a bhaint as a raibh i ndiaidh tarlú.

Sna trí bliana a chaith sí féin agus Oliver ag siúl amach le chéile, b'iomaí uair a chaith siad an oíche le chéile. In ainneoin ócáidí an chathaithe a bheith acu, agus méirínteacht idir throm is éadrom déanta acu ar a chéile, níor cuireadh a gcumann i gcrích riamh. Ach seo í i ndiaidh an gníomh comhriachtana a dhéanamh le fear nach raibh ach aithne shúl aici air go dtí cúpla mí roimhe sin.

Ón oíche sin nuair a chuidigh Max léi páipéir Chaitlín a thabhairt ar ais ón Bhronx, bheannaíodh sí dó i dtólamh agus stopadh le mionchomhrá a choinneáil leis mura mbeadh ach an dís acu ar an ardaitheoir. I lár an tsamhraidh, bhí Oliver i ndiaidh teach a thógáil ar cíos ar feadh seachtaine amuigh ar Long Island agus chuaigh Mary ann leis. Rith sé léi gurbh fhéidir go bhfeicfeadh sí Max amuigh ann ach ní raibh a fhios aici cén dúiche ná cén ceap árasán féin a mbíodh sé ag obair ann. Maidir le bualadh le duine trí sheans ar Long Island, bhí sé siúd sa samhradh chomh plódaithe le Manhattan féin ar ghnáthlá seachtaine.

Dála Oliver, níorbh fholáir, chreid Mary gurbh é an t-athmhuintearas an toradh a bheadh ar an tsaoire sin. Bheadh dalladh ama acu beirt le sult a bhaint as an athrú suímh is as an aimsir shamhraidh agus as a bheith ina n-aonar le chéile. Ní mar a shíltear bítear: bhí an aimsir cáidheach, bhí slaghdán trom ar Mary agus droch-ghiúmar uirthi dá réir, agus chaith sí féin is Oliver an tseachtain fhada fhliuch ag tabhairt na bhfiacla dá chéile. Faoin am ar fhilleadar ar chathair Nua-Eabhraic, bhíodar ar aon fhocal gur mhithid dóibh sos a bheith acu óna chéile.

Tráthnóna san fhómhar, bhí Mary ag fágáil Áras Woolworth go déanach. Bhí tuirse uirthi, bhí droch-mhisneach uirthi faoi stiúir a saoil agus í ag smaoineamh ar chur isteach ar phost i bhfo-oifig an chomhlachta i mBostún. Cé a bhuail léi taobh amuigh den Áras ach Max a bhí i ndiaidh a sheal oibre a chríochnú? Chaith siad tamall ag caint le chéile gur iarr sé uirthi an raibh an t-am aici le haghaidh chupán tae. Cibé cúis a bhí leis, gur bhraith sí go mbeadh sé mímhúinte diúltú dó tar éis a ndearna seisean di nó nach raibh uaithi filleadh ar a hárasán folamh fós nó nach raibh sí in ann leithscéal a chumadh ar an phointe, ghlac sí leis an chuireadh gur chaith uair an chloig ina theannta agus iad ag malartú scéalta faoina n-óige beirte. De shliocht iascairí trosc Éireannacha a mhuintir, idir fhir a théadh amach ar an fharraige mhór is mhná a bhaineadh as na héisc is a shailleadh iad.

"Ní thiocfadh liom boladh an éisc a fhulaingt riamh," ar seisean sula bhfuair sí seans an cheist a chur air.

Agus Mary i mBostún ar feadh seachtaine i mbun ghnótha an chomhlachta ina dhiaidh sin—áit ar tairgeadh an post di gur chuir sí suas dó ar chúiseanna nár thuig sí go hiomlán go fóill—ní bhfuair sí faill an comhar a íoc le Max go dtí gur casadh ar a chéile iad san ardaitheoir. Bhuailfidís le chéile ar a naoi a chlog an tráthnóna sin le haghaidh chupán caife.

Ghin an cuireadh sin an chéad chuireadh eile.

"Tá mé le harán a bhácáil Dé Sathairn," ar sise leis. "Ar mhaith leat cuidiú liom? Ar a trí a chlog." Má bhraith Max go raibh a dhath barrúil ag roinnt leis an chuireadh áirithe céanna, níor lig sé a dhath air ach d'iarr seoladh a hárasáin uirthi.

"Nós is ea é a d'fhoghlaim mé ó mo mháthair," arsa Mary leis mar mhíniúchán nuair a d'fhiafraigh sé di san árasán ar ghnách léi arán a bhácáil. "'Nuair a thagann crua ort agus nuair is mian leat d'aigne a shuaimhniú is dearmad a dhéanamh ar thinnis an tsaoil, déan builín aráin,' a deireadh sí i gcónaí."

"An bealach atá againn i dTalamh an Éisc le dearmad a dhéanamh ar thrioblóidí an domhain mhóir ná an deoch." Thóg Max buidéal amach as póca a chóta. "Ní raibh teacht agam ar *screech* nó ar fhuisce na hÉireann féin ach . . . tá súil agam go ndéanfaidh sé seo cúis?"

"Níor chall duit sin a fháil . . . agus an costas a bheadh ar an fhíon ar an mhargadh dubh," ar sise.

Chroith sé a chloigeann agus rinne gáire.

"Fuair mé an ceann seo saor in aisce. Sin buntáiste amháin a bhaineas le mo phost, go mbíonn orm teachtaireachtaí beaga a dhéanamh is earraí ar leith a aimsiú do bhoic mhóra sa chomhlacht. Bainisteoir Giúdach thuas ar an 36ú hurlár a thug seo dom."

Thóg Mary dhá ghloine anuas ón chófra cistine. Mar aturnae, b'fhearr di gan a dhath a bheith ar eolas aici faoi imeachtaí mídhleathacha. Bhí Max i ndiaidh dul sa seans trí bheith ag iompar alcóil. D'fhéadfaí fíneáil throm nó tréimhse phríosúnachta a ghearradh ort dá mbéarfaí ort na laethanta seo agus deoch níos cumhachtaí ná uisce sóide i do sheilbh agat. Ina theannta sin, cé go dtaitníodh corrghloine mhídhleathach léi anois is arís, chuir a tógáil mheánaicmeach Chaitliceach in iúl di go raibh rud éigin míchuí faoi bheith ag ól ar a trí a chlog san iarnóin. Ach tútach míbhéasach a bheadh sé gan deoch a roinnt le Max tar éis dó an buidéal a thabhairt di. Cibé ar bith, tar éis sheachtain mhaslach oibre eile, b'fhéidir nár leor arán a bhácáil chun í a shuaimhniú is go ndéanfadh deoch faoi shult an gnó. D'aimsigh Mary seanchorcscriú ag cúl an tarraiceáin, thug do Max é is tar éis dó an buidéal a bhearnú is na gloiní a líonadh, thóg sí a gloine, d'fhan gur ardaigh sé a cheann féin gur theagmhaigh an dá ghloine le chéile le cling cheolmhar éadrom.

"Sláinte," a dúirt sí, "Go raibh saol fada agat agus bás le ceannadhairt i bhfad ón fharraige mhór."

"Sláinte," a d'fhreagair sé. "Go raibh saol fada agat féin agus má stopann d'ardaitheoir gan choinne idir urláir, go raibh mé féin leat."

Shuigh sé ag cathaoir ard ag an chuntar bricfeasta agus d'fhéach uirthi de réir mar a bhailigh Mary le chéile na táthchodanna le haghaidh na bácála.

"Arán na hIodáile atá le déanamh agam."

"Cheapfá go mbeadh neart oideas le haghaidh arán rua nó bhairín breac na hÉireann agat ó do mháthair?"

"Ó, tá, ach nuair a bhí mé ar an ollscoil i St. Louis, bhínn in aontíos le scata cailíní Iodálacha agus bhídís siúd ag bácáil de shíor. B'fhéidir go bhfuilim i ndiaidh cúl a thabhairt le cine, ach is blasta liom go mór arán geal éadrom na hIodáile ná arán trom na hÉireann."

"Níor bhácáil mé arán riamh," ar seisean ag crapadh mhuinchillí a léine, "ach ba mhaith liom foghlaim."

Chuir Mary é ag meascadh an phlúir is na dtáthchodanna eile agus d'fhan ina seasamh ag amharc air agus í ag baint súimíní as an fhíon dearg. Bhí blas súmhar na gcaor air, cinnte. Tar éis di an t-oigheann a lasadh, thaispeáin sí dó an bealach chun an t-arán a fhuineadh. Ba le sásamh a thug sí faoi deara nár chall di iarraidh air a lámha a ní sular thug seisean faoin obair sin. Thug sí faoi deara fosta an dóigh mhall chúramach a raibh a méara fada ag fuineadh an aráin. Go tobann, rith seanrá de chuid a seanchairde Iodálacha léi: an fear a raibh bua fuinte an aráin aige, bhí bua na suirí aige. Ba go mear a dhíbir sí an smaoineamh sin as a haigne. Thaispeáin sí dó an bealach chun an taos a rolláil agus dhá phíosa fhada a ghearradh amach agus iad a fhí le chéile i gcruth builín Iodálaigh . . . Ina hainneoin féin, rith an dara nath Iodálach léi . . . níl de shamhail ar an bhuilín foirfe ach beirt leannán snaidhmthe ina chéile sa ghníomh comhriachtana . . . Bhraith Mary a leicne ag deargadh. Caithfidh go raibh a sáith fíona ólta aici. Thug Max an deargadh sin faoi deara fosta. "An bhfuil tú ceart go leor?" ar seisean, ag cur láimhe ar a gualainn.

Bhíodar ag pógadh a chéile nuair a chuala Mary cloigín an dorais. Ach amháin go raibh uaithi a smaointe a cheapadh, bheadh a fhios aici cé a bheadh ann agus dhéanfadh sí neamhiontas de bhualadh an chloigín. Chuir sí síos a gloine, d'imigh sall go dtí an doras, d'oscail é gur shiúil Oliver isteach. Nár mhíthráthúil a roghnaigh sé an iarnóin sin le teacht le méadaíocht a dhéanamh léi.

"Ó, tá plúr ar do shrón," ar seisean le Mary. Chúlaigh sí uaidh nuair a d'fhéach sé le caol a sróine a chuimilt. Caithfidh gurbh é Max faoi deara sin nuair a phógadar. "Nach tráthúil a tháinig mé agus tú ag bácáil?"

Níor thúisce Oliver thar thairseach isteach gur baineadh stad as. Chonaic sé Max i dtosach. Ansin luigh a dhá shúil fhaghartha ar an bhuidéal fíona leathfholamh ar an chuntar.

"B'fhéidir nach bhfuil sé chomh tráthúil sin," ar seisean agus faobhar ar a ghuth.

Ní raibh aon dul as ag Mary ach an bheirt fhear a chur in aithne dá chéile.

"Oliver, seo Max . . . Max, seo Oliver." Níor fhéach ceachtar acu le lámh a chroitheadh le chéile. D'fhan Oliver ina sheasamh i lár an urláir. D'fhan Max ina shuí taobh thiar den chuntar bricfeasta.

"Ar mhaith leat gloine fíona, Oliver?" arsa Max. Ba go córtasach a labhair sé ach bhí Mary lánchinnte gur aithin sí blas íseal magaidh ina ghuth.

"Níor mhaith liom," arsa Oliver go teann gan chorraí. "Ní ólaim in aon chor."

Agus Mary ina luí taobh le Max, chuir an chuimhne ar an tréimhse mhíchompordach tar éis d'Oliver teacht an croí ar crith inti. Ní raibh ann ach leathuair an chloig; ba gheall leis an tsíoraíocht é. Bhí sí féin in ann cuma ghnóthach a chur uirthi féin trí leanúint leis an obair. Chuir sí dhá bhuilín isteach san oigheann. Thosaigh ar an obair ghlanacháin. Ach in ainneoin a díchill le mionchomhrá a choinneáil leis an bheirt eile, bhí bior nimhe ar shúile Oliver. Nuair a d'amharc sí ar Max, sméid seisean a chloigeann le cur in iúl di go mbuailfeadh sé bóthar dá mba mhian léi sin. Chomharthaigh sise dó fanacht. Ba é Oliver an stocaire.

"Cén obair a dhéanann tú?" a d'fhiafraigh Oliver de Max faoi dheireadh.

"Tá mé ag obair in Áras Woolworth."

"Ó, an aturnae thú dála Mary? . . . nó bainisteoir?"

"Ní hea, is giolla ardaitheora mé."

"Ó." Ba léir gur chuir an freagra a sháith iontais ar Oliver nach raibh sé in ann buntáiste a bhaint as an fhaisnéis sin.

Bhí an dá bhuilín réidh is thóg Mary amach as an oigheann iad. Agus faoi dheireadh thiar thall, ar thuiscint d'Oliver nach raibh Max le bogadh, d'éirigh seisean. Ba mhithid dó imeacht, arsa Oliver go pusmhar.

"Seo. Tóg leat ceann de na builíní seo," arsa Mary leis amhail is gur leor sin mar chúiteamh ar ar tharla. Níor fhan sí leis an diúltú. Shac sí an builín te isteach i mála páipéir is bhrúigh isteach ina ghlac é.

D'imigh Oliver agus an toirtín mór is an mhallacht leis. Tháinig Mary ar an bhuilín ina luí ar radaitheoir sa halla an mhaidin dár gcionn. Níor chuala sí a dhath ó Oliver go hoíche an chruinnithe faoi airgead na nGéanna Fiáine an tseachtain roimhe sin.

D'imigh Max agus an toirtín beag is an bheannacht leis. Coicís i ndiaidh an tSathairn mhí-ámharaigh sin, ba leannáin í féin agus Max.

Ina gcíor thuathail a bhí a smaointe uilig faoi Max agus ba dheacair do Mary ord a chur orthu.

Gan cúrsaí creidimh a chur san áireamh a bheag ná a mhór bhí cúrsaí oibre agus eitice ann. Ise a bhí ina haturnae ag comhlacht Woolworth; eisean ina fhear oibre íseal ann. Bhí ráflaí cloiste aici faoi fheidhmeannaigh chumhachtacha de chuid an chomhlachta a bhí i ndiaidh a n-iúl a dhíriú ar rúnaithe óga agus faoin bhrú a bhíodh ar chuid de na rúnaithe géilleadh dóibh. Ba chuma nó admháil a ndúirt

Max féin ar ball go mbíodh daoine sinsearacha sa chomhlacht ar lorg coiscíní ar chúla téarmaí. Thairis sin, d'fhreastail Mary ar chruinniú an bhliain roimhe sin nuair a phléigh boic mhóra na hardoifige bagairt dlí ar bhainisteoir thall i New Jersey, bainisteoir ar cuireadh ina leith gur éignigh sé cailín i gceann de shiopaí an chomhlachta. Ach níorbh ionann cás Mary is cás an dreama eile. B'fhir iad siúd a bhí ag piocadh ar na mná. Cad a déarfaí dá bhfaigheadh daoine amach fúithi is faoi Max?

Las aghaidh Mary is chorraigh sí go míchompordach sa leaba nuair a smaoinigh ar an fhreagairt idir fhimíneach is fhrimhagúil a bheadh ann faoin aturnae mná a bhí i dtaobh leis an ghiolla ardaitheora. Thabharfaí an bata is an bóthar di agus do Max ar an toirt ó tharla nach bhféadfadh an comhlacht neamhiontas a dhéanamh d'ábhar oilbhéime mar sin. Níor thúisce an ruaig curtha acu orthu dís go mbeadh na boic mhóra chéanna ag reic scéalta gáirsiúla faoin dóigh a dtógadh Max suas agus anuas ina ardaitheoir í . . .

Ach, ar sise léi féin, agus í ag ardú lámh Max chun a leiceann a chuimilt, ní raibh ann ach cuid den scéal. Duine caoin cineálta a bhí i Max, duine ar mhothaigh sí ar a suaimhneas leis. Cheana bhí siad dlúth dá chéile ar dhóigh nach raibh sise is Oliver riamh. I ndeireadh na dála, murar chuir sí féin is Oliver a gcumann i gcrích riamh, níorbh é reacht na hEaglaise nó nósmhaireacht na sochaí ba chionsiocair leis sin. Ba é an fhírinne ghlan nárbh ann don phaisean, do phaisean na drúise féin, eatarthu. B'fhéidir nach raibh a chéad bhlaiseadh den chollaíocht de réir a teiste anocht ach dá mbeadh cúpla lá aici féin agus ag Max le chéile sa leaba, chruthódh seisean go maith roimh i bhfad . . .

Agus in ainneoin na ndifríochtaí aicme is gairme a dhealaigh óna chéile iad, thuig Mary cheana go gcruthódh sé go maith ar dhóigh eile fosta. Bhí súil aici nár nocht sí méid an iontais a bhí uirthi nuair a d'inis sé di an oíche faoi dheireadh go raibh scaireanna ceannaithe aige i gcuid de na comhlachtaí ba mhó i Meiriceá. Dá leanfadh sé de bheith ag obair go maslach is a bheith ag coigilt agus a bheith ag ceannach scaireanna de chuid mhórchomhlachtaí Wall Street agus dá mbeadh suí forais ar an stocmhargadh, bheadh sé féin ina shuí go maith faoi cheann cúig bliana.

"Faoin bhliain 1930, sula mbeinn tríocha bliain d'aois, ba cheart go mbeadh luach $100,000 ar mo chuid scaireanna."

Nuair a luaigh sé sin san am, níorbh é an tsuim airgid amháin a chuaigh i gcion uirthi ach a aois fosta. Bhí ceithre bliana aici air.

"Cad faoin chailín atá ag fanacht leat i dTalamh an Éisc?" arsa Mary leis ní ba luaithe an tráthnóna sin.

Den chéad uair, bhraith sí éiginnteacht ann.

"Bhuel, tá deireadh leis sin anois . . . má táimidne le bheith le chéile."

"Ach nach bhfuil lámh is focal eadraibh?"

"Scríobhfaidh mé chuici is míneoidh mé di go bhfuil an cumann thart."

Chreid Mary go ndéanfadh sé sin. Ach cad a bhí uaithi féin?

Faoi dhorchadas na hoíche de réir mar a chodail Max go ciúin taobh léi, bhí ar Mary a admháil nach raibh a fhios aici cad a bhí uaithi nó cad ba chóir di a dhéanamh. Go tobann, bhraith sí Caitlín uaithi. Dá mbeadh an bhean eile beo, rachadh sí le labhairt léi agus a comhairle a iarraidh uirthi. Mar, tar éis ar tharla idir í agus Pádraic Ó Conaire, bheadh an chiall cheannaithe sin a thagann leis an tsaoltaithí aici le roinnt le Mary.

Caibidil a Dó

-I-

Tar éis do Gertrude litreacha na maidine a thabhairt isteach, chaith Mary a súil tharstu go sciobtha. Diomaite den chomhfhreagras inmhéanach inoifige, bhain na cinn eile le gnó an chomhlachta ach amháin litir a raibh an focal *"Pearsanta"* scríofa air. D'aithin Mary an pheannaireacht. D'oscail sí an clúdach. Litir ghairid a bhí ann ó chisteoir chumann na nGéanna Fiáine mar aon le seic a bhí sínithe aige agus ag an Athair Albert. $600 glan an tsuim iníoctha. Ba é sin an t-airgead a bheadh ag dul chuig Pádraic Ó Conaire in Éirinn.

Lig Mary osna. Uirthi a thitfeadh sé mar aturnae gairmiúil is mar aturnae neamhfhoirmiúil an chumainn socrú a dhéanamh faoin airgead a sheachadadh chuig an scríbhneoir Gaeilge. Ba iad na $600 sin fuílleach an airgid i gcuntas bainc na nGéanna Fiáine. Ba é seachadadh an airgid an gníomh deireanach a dhéanfadh an cumann céanna. A thúisce is a bhrisfí an seic, dhruidfí an cuntas. Cheal Chaitlín bhí an tóin i ndiaidh titim as an eagraíocht in ainneoin na móideanna agus na mionn. Bhí formhór na mball i ndiaidh a gcúl a thabhairt d'imeachtaí polaitíochta Éireannacha. Bhí dornán comhaltaí i ndiaidh clárú in eagraíochtaí Éireannacha eile. Ón luaidreán a bhí cloiste ag Mary, bhí Oliver bainteach a bheag ná a mhór leis an mhionghrúpa

Poblachtach a d'fhear fáilte dhoicheallach roimh Risteárd Ua Maolchatha nuair a tháinig sé i dtír i Hoboken i New Jersey i mí Mheán Fómhair. Nuair nach raibh siad páirteach i scirmisí le lucht tacaíochta an tSaorstáit ag cruinnithe is ag céilithe is ag tabhairt achasáin dóibh faoin 77 laoch a bhí curtha chun báis acu, bhí an mionghrúpa céanna ag iarraidh fostaíocht a sholáthar do Phoblachtaigh a d'fhág Éire i ndiaidh an Chogaidh Chathartha. Bhí súil ag Mary go raibh go leor céille ag Oliver gan trioblóid a tharraingt air féin is a phost scoile a chur i mbaol.

Le déanaí, bhí sise tar éis cuireadh a fháil ó chumann Poblachtach tacú le camchuairt Mheiriceánach a bhí á heagrú le haghaidh Mary MacSwiney. Ach ní raibh a croí san obair sin anois, a thuig Mary. B'ann don lá nuair a bhí fáilte ghroí roimh chuairteoirí dá leithéid ó Éirinn, gaolta le mairtírigh go háirithe, ar nós dheirfiúr iar-Ardmhéara Chorcaí. B'ann don lá nuair a bhí tarraingt as cuimse i dtaisí na mairtíreach féin—an ciarsúr fuilsmeartha, más fíor, a tógadh ó chorp Phádraig Mhic Phiarais tar éis a anbháis, nó an Chóróin Mhuire a bhí ag James Connolly nuair a rinne sé a fhaoistin dheireanach i bPríosún Chill Mhaigh-neann nó na ribí gruaige a stoitheadh ó chloigeann Kevin calma Barry sular crochadh i bPríosún Mhoinseo é. B'fhearr san am gan ceist rócháiréiseach a chur faoi údaracht na dtaisí céanna, faoi chaimiléirí is faoi hucstaeirí. An rud mór tábhachtach ná an phoiblíocht is an t-airgead le haghaidh na Cúise.

B'in na laethanta órga roimh an Scoilt is an Chogadh Cathartha. Sheas eachtra bheag ghránna amháin ar chuala Mary fúithi cúpla seachtain roimhe sin don dóigh a raibh lucht na Cúise truaillithe scun scan ag a gCúis. Leath an scéal i measc na bPoblachtach go mbeadh taise ar leith ar taispeáint ag halla ar thaobh thoir Manhattan. Is éard a bhí sa taise, más fíor nó bréag é, an raidhfil a úsáideadh le

Mícheál Ó Coileáin a fheallmharú, raidhfil a smuigleáladh ó iarthar Chorcaí go Meiriceá siar, agus a bhí le láimhseáil agus le muirniú agus le pógadh féin ag an té a raibh dollar le bronnadh ar son na Cúise aige . . . Ba mhairg a d'fhéachfadh le teacht i dtír ar bhás seanchomrádaí, is cuma cén tuairim a bheadh agat faoina sheasamh polaitiúil. Ní thiocfadh le Mary páirt a imirt ina leithéid a thuilleadh. Cibé bá a bhí aici le tuairimí polaitíochta Mary MacSwiney nó léi go pearsanta mar ghníomhaí mná, ní raibh Mary Morrison le mioscais a fhadú. D'fhreagair sí nach mbeadh sí ar fáil le cuidiú le misean beartaithe Mary MacSwiney. Gheall sí go sollúnta di féin nach mbeadh baint aici le haon eagraíocht pholaitiúil arís go deo. Bréan a bhí sí de scoilteanna, d'aighneas, den ghangaid phearsanta is den truailliú anama a lean iad.

Chuir Mary an seic i dtarraiceán a deisce. Ba leor déileáil leis amárach. Bhí na Géanna Fiáine i ndiaidh é a fhágáil fúithi a shocrú cad é mar a gheobhadh an Conaireach an t-airgead. Cur chuige amháin, b'fhéidir, í a bheith i dteagmháil leis an ollamh sin, Ó Máille, i nGaillimh. Ach seans nach mbeadh seisean sásta a bheith freagrach as dáileadh an airgid. B'fhearr déileáil leis an Chonaireach go díreach. Bhí seoladh poist luaite ag Ó Conaire sa litir sin a bhí istigh le cín lae Chaitlín. Ba cheart di sin a aimsiú go luath, litir a dhréachtú ag cur síos ar fhoinse an airgid, agus idir litir agus seic a sheoladh chuig an scríbhneoir. D'iarrfadh sí admháil air le dearbhú go bhfuair sé an t-airgead agus ionas go mbeadh caoi ar leabhar na gcuntas nuair a scoirfeadh an cumann go dleathach.

Ach b'fhéidir nach raibh sé cloiste ag Ó Conaire gur cailleadh Caitlín. Ní dócha go bhfuair a bás mórán poiblíochta in Éirinn. Fiú dá luafaí é i bhfoilseacháin Phoblachtacha, ní hionann sin is a rá go bhfeicfeadh an

Conaireach é. Bhí Caitlín agus an scríbhneoir i dteagmháil le chéile an bhliain roimhe sin nuair a chrom Caitlín ar airgead a bhailiú ar a shon. Ar mhalartaigh siad litreacha ar a chéile ina dhiaidh sin? Ní bheadh a fhios acu choíche cad a bhí dóite ag Cornelia. Ach ba chóir do Mary labhairt le Lauretta gan mhoill is a fhiafraí di an raibh aon litreacha nua ó Ó Conaire i ndiaidh teacht. Mura raibh a fhios aige go raibh Caitlín bhocht ar shlí na fírinne, ba ar Mary féin a thitfeadh sé de chrann scéala a báis a insint dó. Lig Mary osna is dhruid an tarraiceán go prap. Ba mhithid di díriú ar a hobair oifigiúil.

Bhí Mary gnóthach i rith na maidine. Ba bheag seans a bhí aici an oifig a fhágáil. Thug Gertrude isteach ceapaire agus cupán caife di ag am lóin. D'alp sí siar an ceapaire. Ansin, d'éirigh Mary ina seasamh, an cupán i láimh amháin aici agus toitín lasta sa láimh eile, shiúil sall chuig an fhuinneog agus d'fhan seal ag amharc anuas ar ghriothalán íochtar Manhattan. Taobh le hÁras Woolworth, bhí creatlach an tí spéire nua réidh, na cruachfheisteoirí Mohawk bailithe leo go dtí an chéad ardtionscnamh eile, agus na ceardaithe, pluiméirí, pláistéirí is péintéirí ag obair taobh istigh. Ar feadh bomaite, nuair a smaoinigh sí ar na hIndiaigh chéanna, tháinig éad de chineál ar Mary. In ainneoin na gcontúirtí a bhain lena gceird, bhídís amuigh faoin aer murab ionann is í féin nach raibh tógáil a cinn ó pháipéarachas agus ó dheasc aici.

Bhreathnaigh Mary ar an chlog balla agus chuir strainc uirthi féin. Níorbh am aislingeachta é. Bhí uirthi a bheith thíos ag Sráid Chambers le haghaidh cruinniú faoina haon a chlog. Chríochnaigh sí an caife go beo, bhain an smailc dheiridh as a toitín, chuir uirthi a cóta is a hata, is bhuail amach chuig oifig Gertrude gur bhailigh an comhad cáipéisí a bheadh de dhíth uirthi le haghaidh an chruinnithe.

Mar a rinne Mary ar an tsraith ardaitheoirí, choinnigh sí súil ar Uimhir a Deich, an t-ardaitheoir ar a mbíodh Max ag obair go hiondúil. Ní raibh Max feicthe aici ó arú inné ó tharla go raibh sé ar shiúl ag obair sa cheap árasán i Long Island. Ní thagadh sé isteach go Manhattan in aon chor ag deireadh a sheala oibre ach imeacht abhaile go díreach go Brooklyn. Ach bhí sé le bheith ar ais ar diúité in Áras Woolworth inniu. Mhoillig Mary sa dorchla láimh leis na hardaitheoirí. Chuir sí gothaí oibre uirthi féin nuair a tháinig na hardaitheoirí eile aníos ar a seal agus thug gliúc orthu ar fhaitíos go mbeadh Max ar aon cheann acu. Faoi dheireadh, tháinig Uimhir a Deich aníos agus stop . . . Níorbh é Max a bhí ina bhun. Ní fhéadfadh Mary moilliú níos faide nó bheadh sí mall don chruinniú. Chuaigh sí ar bord. B'fhearr léi gan ceist a chur ar an ghiolla eile cá raibh Max. Cibé ar bith, ba dhócha gurbh é a am sosa é. Ar theacht amach ar an bhunurlár do Mary, choinnigh sí súil amach ach ní fhaca sí Max ansin ach oiread.

Mura raibh sí toilteanach smaoineamh air mórán roimhe sin, thuig Mary, agus í ag siúl i dtreo Shráid Chambers, gur mhó idir a stádas ard féin is ionad Max in impireacht Woolworth. Bhíodh an bheirt acu san fhoirgneamh céanna— nuair a stopadh Ardaitheoir a Deich ar urlár Mary, bhídís níos lú ná leathchéad slat óna chéile—ach níorbh fhéidir leo bualadh le chéile le haghaidh an lóin mar gheall ar chúrsaí gairme is aicme. Ní bhíodh acu ach cúpla bomaite anois is arís. Bhí proinnteach príobháideach na bhfeidhmeannach thuas ar an 57ú hurlár, ainneoin gur beag seans a bhí ag Mary ar na mallaibh dul suas chuige. Bhí bialann na ngnáthoibrithe féin thíos san íoslach. Ar bhealach, ba mheasa go mór Max a bheith ag obair san fhoirgneamh céanna agus gan cead acu a bheith le chéile ná é a bheith ag obair i Long Island go lánaimseartha. Ní den chéad uair le cúpla seachtain anuas, rith sé le Mary gurbh fhéidir gurbh ionmholta do dhuine acu post nua a fháil . . . Ar ndóigh, b'fhusa do Max teacht ar jab eile . . . Cibé ar bith, bhí sé léite ag Mary sa *New York Times* nárbh fhada uathu an lá go mbeadh ardaitheoirí ann nach mbeadh i dtaobh le giolla chun na doirse a oscailt is a dhruidim toisc nach mbeadh le déanamh ag an té a bhí istigh ann ach cnaipí a bhrú. B'fhearr do Max gan fanacht rófhada ar eagla go gcaillfeadh sé a phost . . . ach . . . Den chéad uair ó chuir sí suas den tairiscint ar phost i mBostún, rith sé le Mary nuair a bhí sí ag dul an doras isteach ag an chomhlacht dlí ar Shráid Chambers gurbh fhéidir go ndéanfadh post nua agus dúshlán úr sochar mór di féin . . . Ar ndóigh, b'ann do réiteach eile fosta: thiocfadh léi deireadh a chur lena cairdeas le Max . . .

Diomailt ama a bhí sa chruinniú. Níor tharla a dhath ná níor socraíodh a dhath ann nach bhféadfaí a dhéanamh ar an teileafón. Ach, arsa Mary léi féin nuair a bhí sí ag brostú ar ais i dtreo na hoifige, bheadh leithscéal aici cúpla bomaite a chaitheamh le Max. Ar bhaint amach fhorhalla Áras Woolworth di, bhí Ardaitheoir a Deich ar an bhunurlár, dheifrigh sí anonn chuige, agus gáire leathan ar a béal . . . Ach níorbh é Max ach giolla eile, Neil Denner, a bhí ina bhun.

Ar an bhealach suas, bhí Mary ag cur is ag cúiteamh léi féin ar cheart di ceist a chur ar Neil cá raibh Max. Tháinig corrdhuine isteach is d'imigh corrdhuine eile de réir mar a stopadh an t-ardaitheoir ag urláir éagsúla. Bhíodar ag druidim leis an 53ú hurlár agus ní raibh ar bord ach sean-Taylor ó Rannóg na hInnealtóireachta Sibhialta, fear a bhí chomh bodhar le slis, nuair a labhair Mary leis an ghiolla faoi dheireadh.

"Cá bhfuil Max? . . . Tá a fhios agat, Max Doyle?"

D'fhéach sí le labhairt ar nós na réidhe, ach chuala sí féin an faobhar imníoch ar a guth. "De ghnáth, is é Max a bhíonn ar an Ardaitheoir seo."

"Níor tháinig sé isteach chuig an obair inniu . . . Bíodh lá deas agat, Miss."

Ba den ádh é go raibh an t-ardaitheoir stoptha ag a hurlár féin nó ní thiocfadh le Mary an imní a bhí uirthi a cheilt. Rinne sí ar a hoifig go beo. Níor thúisce istigh í gur chnag Gertrude ar an doras.

"Seo an comhad a bheidh de dhíth ort," ar sise. Bhí Gertrude ar tí imeacht nuair a thug sí faoi deara go raibh Mary ag féachaint uirthi amhail is nár thuig sí cad a bhí ráite ag an rúnaí.

"An tUasal Meyer ó Rannóg na gCuntasóirí ar Urlár 47. . . Cruinniú ar a trí a chlog. Ghlaoigh sé bomaite ó shin le rá go bhfuil sé ar a bhealach aníos."

Bhí dearmad glan déanta ag Mary ar an choinne sin.

"Tig liom insint dó gur cuireadh moill ort thíos ag Sráid Chambers," arsa Gertrude. "Nó tig liom an cruinniú a chur go hathlá . . ."

"Tabhair dom cúig bhomaite," arsa Mary, agus thug aoibh fhann do Gertrude le cur in iúl di a bhuíche is a bhí sí den rúnaí. "Tá glao gutháin amháin le déanamh agam. Seol an tUasal Meyer isteach chugam ansin."

-II-

Thuirling Mary den traein de chuid an LIRR ag Long Beach ar Long Island is d'fhostaigh tacsaí chun í a thabhairt go dtí an ceap árasán. Léim a croí ina béal nuair a chonaic sí gluaisteán de chuid na bpóilíní páirceáilte os comhar phríomhdhoras na n-árasán.

Fós, ba dhoiligh di adhmad a bhaint as a raibh cloiste

aici. Ar imeacht amach as an oifig do Gertrude, bhí Mary i ndiaidh iarracht a dhéanamh teagmháil a dhéanamh le Max. Ní raibh teileafón aige ina árasán. An t-aon uimhir theileafóin a bhí aici dó an ceann don cheap árasán i Long Beach. Níor dhócha go mbeadh sé ann go fóill dá mbeadh sé tinn ach cad eile a d'fhéadfadh sí a dhéanamh roimh dheireadh an lae oibre nuair a thabharfadh sí aghaidh ar árasán Max. Ar a laghad, bheadh a fhios ag feitheoir an fhoirgnimh an raibh Max breoite aréir. Thóg Mary a mála dubh is d'aimsigh an píosa páipéir. D'ardaigh sí an glacadóir teileafóin agus d'iarr ar an oibritheoir an uimhir i Long Beach a dhiailiú.

"Haileo, Island Towers," arsa guth domhain ar an taobh eile den líne.

"Tá mé ag iarraidh labhairt leis an ghiolla ardaitheora, Max Doyle," ar sise.

"Le cén duine?" arsa an guth.

"Le Max Doyle . . . bíonn sé ag obair ann mar ghiolla ardaitheora cúpla lá sa tseachtain."

"Fan soicind, le do thoil."

Ag ceann eile na líne, bhí Mary in ann cúpla guth a chluinstin amhail is go raibh comhrá ar siúl. Faoin taca sin, bhí Gertrude i ndiaidh cnagadh ar an doras go héadrom mar chomhartha go raibh an tUasal Meyer amuigh. Ba le mífhoighde a d'fhan Mary le freagra ón ghuth. Thuigfeadh Gertrude ón dóigh nár chroith Mary isteach iad gur ghá di an cuairteoir a mhoilliú go fóillín . . . Bomaite . . . dhá bhomaite . . . Ní fhéadfadh sí a bheith ar an líne a thuilleadh . . . Bhí Mary ar shéala an glacadóir a chur síos nuair a labhair glór eile léi ar an ghuthán.

"Tá tú ar lorg Max Doyle?"

"Tá."

"Agus cé thusa?"

"Mary Morrison is ainm dom."

"An duine gaoil le Max Doyle thú?"

"Is . . ." B'fheidir gurbh í an imní a bhí uirthi go mbeadh an t-oibritheoir i malartán teileafóin Woolworth ag cúléisteacht leis an chomhrá, nó go dteipfeadh ar Gertrude an tUasal Meyer a choimeád ar shiúl a thuilleadh, nó go raibh a hoiliúint is a taithí phroifisiúnta i ndiaidh cur ina luí uirthi go raibh rud éigin contráilte ann. Stop Mary.

"Is aturnae mé," ar sise faoi dheireadh.

"Bhuel . . . bhuel . . . bhuel," a d'fhreagair an glór. "Níor chuir seisean mórán ama amú ag fostú aturnae. Is mise an Captaen Bill Welsh ó Phóilíní Long Island. Mholfainn go láidir do do chliant teacht isteach chugainn gan mhoill."

-III-

"Ní chreidim é seo. Ní féidir leis a bheith fíor. Caithfidh go bhfuil míniú eile ar an scéal."

"Bhuel, má tá, níor fhan do chliant thart sách fada chun é a mhíniú dúinn."

Bhí éirim an scéil soiléir go leor tar éis di bualadh leis an Chaptaen Welsh. Ach ba dheacair do Mary an scéal féin a thuiscint go baileach go fóill. Maraíodh seanbhean dhall Ghiúdach sa cheap árasán an oíche roimhe sin, arsa an Captaen, nuair a dingeadh í idir ardaitheoir is balla an tsloic thuas ar an tríú hurlár. Ar an chéad amharc, ní raibh aon choir i gceist ach gur fágadh geata iarainn infhillte an ardaitheora ar oscailt de thaisme mhí-ámharach agus gur leagadh an tseanbhean as a seasamh nuair a bhí an t-ardaitheoir ar tí stopadh. De réir cosúlachta, b'iomaí uair a chuidigh an giolla céanna sin, Doyle, leis an tseanbhean. Ach féach go raibh an giolla i ndiaidh bailiú leis ar an phointe agus go raibh sé ar iarraidh ó shin agus gan teacht air ag a áit chónaithe. Bhuel, b'fhéidir go raibh rud éigin amhrasach ag roinnt leis an eachtra sin i ndeireadh thiar thall agus bhí na póilíní i ndiaidh árasán na seanmhná a chuardach féachaint ar goideadh a dhath ann agus bhíodar ag ceistiú áitreabhaigh na n-árasán le fáil amach an raibh a dhath mírialta ag baint le cumann na díse.

"Má insíonn tú dúinn cá bhfuil do chliant, cuirfimid carr amach chun é a fháil," arsa an Captaen le Mary.

"Níl a fhios agam cá bhfuil sé," a d'fhreagair sí go hionraic.

"Bhuel, is dósan is measa mura dtugann sé é féin suas gan mhoill. Gheobhaimid é luath nó mall."

Bhí an Captaen ar hob imeacht nuair a stop sé is chas chuig Mary.

"Morrison do shloinne, a deir tú. Morrison? An gaol le Pat Morrison atá ina cheann ar na póilíní i New London, Connecticut, thú? Chuala mé go raibh iníon leis i ndiaidh dul leis an dlí."

"Sin m'athair."

"Tá do chomhlacht féin agat, is dócha, agus tú i dtaobh le leithéid Doyle le do shlí bheatha a shaothrú? Cá mbeidh teacht ortsa nuair a bhéarfaimid air?"

Ba le drogall a thóg Mary amach ceann dá cártaí gnó is a shín chuig an Chaptaen é.

Chroith seisean a cheann go mall.

"Ní thuigim é seo," ar seisean. "Cad chuige a mbeadh suim ag aturnae de chuid mhórchomhlacht Woolworth i Doyle?"

"Oibríonn sé in Áras Woolworth fosta," arsa Mary go cúramach.

Bhain an Captaen de a chaipín, thochais a chloigeann agus stán idir an dá shúil ar Mary.

"Agus chuir sé glao gutháin ort? . . . Tá an cás seo ag éirí níos casta de réir a chéile."

De réir mar a lean sé de bheith ag stánadh uirthi, bhraith Mary luisne ar a leicne.

"Chuala mé go bhfuair do mháthair bás cúpla bliain ó shin. Abair le Pat go raibh mé ag cur a thuairisce," arsa an Captaen sular imigh sé faoi dheireadh.

-IV-

I gcaitheamh na seachtaine ina dhiaidh sin, ní bhfuair Mary scéala ó Max. Bhí sí i mbarr a céille ag an tost. Is ar éigean a bhí sí in ann díriú ar a cuid oibre. Ní chodlaíodh sí san oíche. Ní raibh sí ag tabhairt aire mhaith di féin. Cheana, bhí Gertrude i ndiaidh claontagairtí a dhéanamh do na sprochaillí faoina súile agus dá ceannaithe tarraingthe agus do na ceapairí oifige nár críochnaíodh.

"Tá tú ag caitheamh barraíocht toitíní," ar sise le Mary faoi dheireadh. "Ar éirigh idir tú is Oliver? Is fada ó chonaic mé é. An é sin é nó ar tharla rud éigin eile?" Cuireadh ba ea é sin do Mary cúis a buartha a ligean lena rúnaí. Cuireadh é gur chuir sí suas de.

"Barraíocht oibre atá ag teacht idir mé agus codladh na hoíche," a d'fhreagair sí, ag cur clabhsúir ar an chomhrá.

Ina ionad sin, dhéanadh Mary suaitheadh ar an scéal ina haigne. B'fhéidir go raibh Max marbh nó gortaithe go dona nó ina luí in ospidéal agus é gan aithne gan urlabhra? Mar cad chuige nach mbeadh sé i ndiaidh teagmháil a dhéanamh léi . . . le hinsint di go raibh sé i gceart agus . . . in ainneoin gach rud ní thiocfadh léi dearmad a dhéanamh ar a gairm . . . le hinsint di cad a tharla an lá sin amuigh in Long Island? Caithfidh nach raibh sé in ann a bheith i dteagmháil léi.

Chiallaigh sé sin go raibh sé . . . Gan aon fhreagra ar a ceisteanna aici, bhraitheadh Mary scaoll ag teacht uirthi gur athdhírigh ar a cuid oibre.

Ní raibh a fhios aici cad a d'fhéadfadh sí a dhéanamh. Gach maidin agus gach tráthnóna bhreathnaíodh sí ar na nuachtáin féachaint ar gabhadh é, ar thángthas ar a chorp, nó an raibh caint ar fhear gortaithe in aon cheann de na hospidéil, fear a raibh a chuimhne caillte aige. Faoi dheireadh, chuir sí glao ar an Chaptaen Welsh. Ní raibh a dhath nua cluinte aige.

"Is gnách liomsa a bheith ag cur glaonna ar aturnaetha le fáil amach cá bhfuil a gcuid cliant," ar seisean. "Seo an chéad uair gur chuir aturnae glao orm ar lorg a chliaint a theith lena anam."

Agus Mary ag labhairt leis an Chaptaen, fuair a gairmiúlacht lámh in uachtar ar an chrá croí. Cad a bhí faighte amach ag na póilíní faoi bhás na seanmhná? . . . Bhí a fhios aici nach scaoilfeadh an Captaen ach ar fhóir sé dó a insint di.

"Bhuel, tig leat insint do do chliant go mbeidh an t-ádh dearg air mura gcuirtear ach an dúnorgain ina leith. Gheobhaidh sé tréimhse phríosúnachta deich mbliana ar a laghad."

Ba shólás do Mary an méid sin. Dhearbhaigh sé nár chreid na póilíní féin go raibh aon choir i gceist. Timpiste a bhí ann. An t-aon chúis a chuirfí an dúnorgain i leith Max ná go raibh sé i ndiaidh olc a chur ar na póilíní is cur lena gcuid páipéarachais nuair a ghread sé leis. Níor bhuail sí le póilín riamh, agus a hathair san áireamh, a raibh dúil aige i bhfoirmeacha a líonadh is i dtuairiscí a scríobh. Thabharfadh Mary an leabhar go dtarraingeofaí siar aon chúiseamh i bhfad sula mbeadh aon triail ann. Fad is go dtabharfadh Max é féin suas.

Thug an comhrá sin ardú misnigh do Mary. Chuaigh sí le labhairt leis na giollaí ardaitheora eile, agus Neil Denner ina measc. Ach ní raibh a fhios acu cá raibh Max nó cad a bhí i ndiaidh tarlú dó. Más amhlaidh go raibh iontas orthu go raibh sise ag iarraidh teacht air, ní dúirt siad a dhath suas lena béal cé gur léir do Mary an dreach fiosrach ar Neil.

Tráthnóna amháin i rith na seachtaine, chuaigh sí sall go Brooklyn ar an traein is rinne ar árasán Max. Ba é sin an chéad uair di a bheith ann agus thóg sé tamall uirthi teacht ar an fhoirgneamh trí urlár. Turas in aisce a bhí ann sa dóigh nár fhoghlaim sí aon rud nua. Labhair sí leis an fheitheoir. Is ea, ní raibh Max feicthe aige ar feadh seachtaine nó mar sin. Bhí na póilíní i ndiaidh teacht ar a lorg cúpla uair cheana agus chuardaigh siad an t-árasán. Ní raibh a fhios aige cad a bhí uathu, arsa an feisteoir, ach ní raibh aon trioblóid uaidh féin, go háirithe dá mba rud é gur coirpeach an Doyle sin. Lena chois sin, bheadh an cíos le híoc aige faoi cheann seachtaine. Mura dtiocfadh sé ar ais go luath, chuirfí as seilbh é is díolfaí a chuid acraí tí chun na fiacha a ghlanadh . . . Scríobh Mary seic chun an cíos a chlúdach go ceann míosa eile, bhreac a huimhir theileafóin bhaile ar a cárta gnó agus thug don fheisteoir é. Níor mhór dó glaoch uirthi go práinneach dá bhfillfeadh an tUasal Doyle. Chuir sí béim ar an dá fhocal sin "an tUasal."

"Ach nach ceart dom glao a chur ar na póilíní i dtosach?" arsa an feisteoir.

"Is ceart, ar ndóigh," arsa Mary go deifreach. Chaithfeadh sí a bheith cúramach cad a déarfadh sí. "Cuir glao orm fosta."

Ag teacht amach as an fhoirgneamh di, bhuail Mary le Neil Denner. Luigh sé leis an loighic go mbeadh fostaithe eile de chuid Áras Woolworth ag cur fúthu ann ach ba é an feall gurbh é Neil é agus go mbuailfeadh sí leis an iarraidh seo. Bheannaigh Mary dó ach níor stop le labhairt leis. Níorbh fhada go mbeadh ráflaí á reic fúithi féin agus faoi Max. Níorbh fhada go gcloisfeadh na boic mhóra thuas ar an 58ú hurlár an béadán céanna.

-V-

Bhí deich lá eile i ndiaidh sleamhnú thart gan scéal ar bith ag Mary ó Max nó faoi. Bhí deireadh dúile bainte aici de go gcloisfeadh sí a dhath choíche.

Ar theacht ar ais ón obair go mall tráthnóna di, bhailigh Mary a cuid poist óna bosca trasna ón staighre. A thúisce is a luigh a súil ar an chlúdach litreach, bhí a fhios aici cad a bhí istigh ann.

Stróic sí an clúdach den litir agus léigh.

Mary, a chroí,

Tabharfaidh tú faoi deara ó na stampaí is ón phostmharc ar an chlúdach go bhfuil mé ar ais i dTalamh an Éisc. Is fearr gan insint duit cén áit go baileach a bhfuil mé nó mo sheoladh féin a thabhairt duit.

Tá mé cinnte gur chuala tú faoin am seo faoin taisme a tharla amuigh ag an cheap árasán ag Long Island. Bíodh a fhios agat gur timpiste ghlan a bhí ann ach nach ndearna mé a dhath as an tslí. Chaith Bean Stein go maith liom i gcónaí. Is údar doilís dom é a bheidh le hiompar agam go deo go raibh lámh agam i mbás na mná uaisle sin.

Nuair a tharla an timpiste, is í an chéad instinn a bhí agam fóirithint a dhéanamh ar an bhean bhocht. Ach a thúisce is a thuig mé go raibh sí marbh, bhuail scaoll mé. Chuaigh an oiread sin smaointe trí m'aigne . . . glaoch ar na póilíní . . . glaoch ort . . . Bhí mé ar tí d'uimhir a thabhairt don oibritheoir nuair a stad mé. Bhí a fhios agam go gcuideofá liom. Ach dá mba rud é go gcuirfí dúnorgain i mo leith . . . Aisteach go leor, níor rith sé liom ag an am go raibh baol ann go gcuirfí an dúnmharú i mo leith. Níl mé róchinnte faoi sin anois ó tharla go bhfuil mé ar mo choimeád. Cibé ar bith, dá ndaorfaí mé as an dúnorgain, ní raibh mé ag iarraidh an crá croí sin a thabhairt duit. An réiteach ab fhearr ar an scéal san am filleadh ar Thalamh an Éisc ar an chéad long amach ó Nua-Eabhrac. Nuair a bhain mé na duganna amach, fuair mé amach go mbeadh long ag imeacht an oíche dár gcionn. Bhí a fhios agam nach bhféadfainn gabháil ar ais go dtí m'árasán agus dá rachainn chugat go dtabharfá orm m'aigne a athrú is gabháil chuig na póilíní. D'íoc mé as seomra ar cíos i dteach ósta saor cois na nduganna ionas nach gcuirfí isteach nó amach orm an lá dár gcionn, agus an tráthnóna ina dhiaidh sin, thug mé aghaidh ar an long, shiúil thart leis na bleachtairí a bhí ag crochadh thart ar an Ché. Tháinig cearthaí orm i dtosach ar eagla go stopfaidís mé. Thuig mé fosta gur beag seans a bhí ann go mbeidís ar mo lorg ansin ó tharla nach raibh a fhios ag aon duine amuigh ar Long Island diomaite de Bhean Stein gurbh as Talamh an Éisc dom. Chuaigh mé ar bord is thug aghaidh ar St. John's is gan orm ach an feisteas oibre is gan agam i mo phócaí ach cúpla dollar tar éis dom íoc as an phasáiste.

Is iomaí uair a dúirt mé liom féin ó shin go ndearna mé an rud contráilte. Rómhall atá sé breith ar m'aiféala. Ní thig liom filleadh ar Mheiriceá. Ba chuma faoi sin ach nach bhfuil mé cinnte cén uair a fheicfidh mé thú arís.

Beidh mé i dteagmháil leat arís nuair a bheidh rudaí níos socaire anseo.

Le grá i gcónaí,
MD.

B'iomaí uair a léigh Mary an litir chéanna an lá céanna, sna hoícheanta, sna seachtainí ina dhiaidh sin. B'iomaí mothúchán a théadh trína haigne. Ó thrua do Max (bhí uirthi a admháil nár smaoinigh sí ar Bhean Stein bhocht mórán). Go féintrua. Ón fhrustrachas gairmiúil nach raibh Max i ndiaidh teagmháil a dhéanamh léi sular theith sé go Talamh an Éisc ionas go bhféadfadh sí fios feasa an scéil a fhiosrú. Go fearg leis toisc nárbh fhéidir léi a bheith cinnte nach raibh Max i ndiaidh an timpiste seo a úsáid le deireadh a chur leis an chumann. Ba leannáin iad seal ach an dtiocfadh léi a rá go fírinneach go raibh aithne mhaith aici air? Gan mórán ar eolas aici faoina raibh ag tarlú go cinnte, níorbh ionadh é go samhlaíodh sí uaireanta go raibh Max ar ais lena chailín i dTalamh an Éisc cheana.

Agus í gafa le cora a saoil féin, ní dhéanadh Mary mórán machnaimh ar Chaitlín. Ach lá nuair a bhí sí ina suí ag a deasc ina hoifig agus í i ndiaidh litir Max a athléamh arís eile, rith sé le Mary gurbh éard a bhí ina scéal féin insint eile ar scéal Chaitlín is Phádraic Uí Chonaire. Beirt bhan ghairmiúla sna fichidí déanacha agus sna tríochaidí déanacha faoi seach í féin agus Caitlín, beirt a bhí i ndiaidh titim i ngrá le fir agus gan aon rath a bheith ar na cumainn sin. Níorbh ionann na mionsonraí, ar ndóigh. In ainneoin na heagla a bhí uirthi, níor chreid sí go raibh Max i ndiaidh loiceadh uirthi faoi mar a d'fheall an Conaireach ar Chaitlín. Ach ba é an toradh míshona céanna a bhí ar an dá scéal i ndeireadh na dála.

Nuair a léigh sí cuntas Chaitlín, a chéad freagairt is a príomhinstinn ná nár thuig sí cad chuige a mbeadh Caitlín sásta aon bhaint chollaíochta a bheith aici le hÓ Conaire. San am ba dhoiligh di friotal a chur ar a smaointe faoina raibh léite aici. Meascán mearaí a bhí ann. B'ann don mhoráltacht, nó do theagasc na hEaglaise faoin gheanmnaíocht is faoi pheacaí marfacha, cibé ar bith. Bean mhór Chaitliceach ba ea Caitlín, ach nár thug sí a droim leis na haithní agus nár chleacht sí an . . . an drúis? Focal é sin "drúis" a shamhlaíodh Mary le cás-staidéir shuaracha chúirte faoin dúnmharú is faoin adhaltranas is faoin cholscaradh a phléidís ina rang dlí ar an ollscoil nó a léifeadh sí fúthu sna nuachtáin. Aon uair a dtagadh comhad faoina bráid in Áras Woolworth, comhad a bhaineadh le himeachtaí mírialta i measc fhoireann an chomhlachta, bhainfí earraíocht as códfhocal nuair a bhí cúiseamh ann faoi chúrsaí collaíochta. "Gadaíocht" ba ea an ghadaíocht. "Mí-iompar" ba ea aon rud a raibh boladh agus blas na drúise air. Ar leibhéal eile, nárbh ábhar imní do Chaitlín é go bhfaigheadh a fostóir amach agus go mbeadh a dea-ainm millte dá dheasca agus í briste as a post? Nárbh ann don bhuairt shíoraí, in ainneoin a díchill, go bhfágfaí ag iompar clainne í agus a saol scriosta dá réir? Nár léir do Chaitlín go raibh deighilt mhór idir í féin agus Ó Conaire? Is ea, ba scríbhneoirí araon iad ach ba mhór idir measúlacht agus míneadas Chaitlín is Ó Conaire, fear a bhí ina réice, fear nach raibh ach ag iarraidh é féin a shásamh beag beann ar gach duine eile, a bhean agus a chlann san áireamh. Cuir carbhat Chaitlín air ach bheadh cuma na scríbe air i gcónaí. In ainneoin clú agus cáil a bheith air mar scríbhneoir Gaeilge, spreasán gan mhaith a bhí ann.

Is ea, arsa Mary agus í ag a deasc ina hoifig go fóill, meascán mearaí a bhí ina cuid smaointe faoi chumann Chaitlín is an Chonairigh. Ach thuig sí anois gurbh iad an drochbharúil a bhí aici don Chonaireach agus—ghoill sé uirthi é seo a admháil—a creideamh nach raibh Caitlín saor ó cháineadh faoin chinneadh a bhí déanta aici—gurbh iad sin a dearcadh fírinneach ar an scéal. Sin agus an easpa bá leis na leannáin. Bhriseadar nósmhaireacht an phobail agus foirceadal Dé agus cad chuige a gceapaidís go bhfoighdeodh aon duine leo? B'in bun agus barr an scéil.

Ach amháin go raibh sí féin, Mary Morrison, i ndiaidh dul ar an bhóthar céanna is tarraingt ar a haimhleas féin. Agus cé a thabharfadh breithiúnas míthrócaireach uirthi as an drúis a chleachtadh? Cé a chaithfeadh an chéad chloch léi?

Chuir Mary litir Max síos ar a deasc. Ní fhéadfadh sí leanúint ar aghaidh mar seo. Ba chall di smacht a chur uirthi féin is teannadh lena cúram oifigiúil. Ní thiocfadh léi a bheith ag déanamh faillí ina cuid oibre is a bheith i gcleith le Gertrude chun í a shábháil ar chruinnithe is ar ghlaonna teileafóin. Ba den riachtanas é go ndíreodh sí ar a freagrachtaí ar an phointe. Bhí rudaí práinneacha ann a gcaithfeadh sí déileáil leo roimh shaoire na Nollag. D'oscail sí tarraiceán na deisce is sháigh litir Max isteach sa chúl sular dhruid sí an tarraiceán. D'oscail sí é arís. Thóg sé leathnóiméad uirthi teacht ar a raibh uaithi, mar atá, an clúdach litreach ina raibh seic an Chonairigh. Ar feadh soicind, smaoinigh sí ar an seic a stróiceadh. Bhí a fhios aici ina croí istigh nach bhféadfadh sí an chéim sin a thógáil. Coilleadh a móide mar aturnae a bheadh ann. Ní ba thábhachtaí ná sin, b'ionann sin is cuimhne is oineach Chaitlín a smálú. D'fhág Mary an seic ar an deasc os a comhair, d'éirigh ina seasamh le glao ar Gertrude san oifig amuigh. Ba mhithid litir a dhréachtú, an seic a chur sa phost chuig an Chonaireach agus a bheith réidh leis an chúram damanta sin.

Ar bhualadh le Gertrude di ag an doras, thug Mary faoi deara an dreach buartha ar aghaidh a rúnaí.

"Fuair mé glao gutháin anois díreach, Mary. Táthar ag iarraidh labhairt leat thuas ar an 58ú hurlár. Go práinneach."

Caibidil a Trí

-I-

"Tá fáilte is fiche romhat. Tar isteach."

Mhoilligh Mary ar thairseach an árasáin. D'aithin Lauretta ar an toirt cad ba chionsiocair leis sin.

"Tá Cornelia ag an chlochar sa Bhronx Thuaidh. Tá ordú faighte aici do línéadach altóra. Tá Robert ag an obair . . . agus . . . tá Alfie . . . amuigh." Lig Lauretta osna. "Ach tá eolas na slí ar ais anseo aigesean. Fillfidh sé nuair nach mbeidh aon airgead aige . . . Orm féin atá cuid mhaith den mhilleán, agus mé i ndiaidh caitheamh leis amhail is nach bhfuil ann ach gasúr beag. Fear mór é." Stad Lauretta den chaint amhail is gur thuig sí go raibh sí i mbun liodánachta. Tháinig aoibh fhann ar a haghaidh. "Isteach leat, a chailín. Níl anseo ach mé féin. Is aoibhinn liom tú a fheiceáil."

Bhain Mary di a forbhróga sneachta is d'fhág ar mhata taobh amuigh den doras iad. Ar theacht isteach sa seomra di, rug sí barróg mhór ar Lauretta. An chéad rud a rith léi ná an chuma sheanchaite a bhí i ndiaidh a theacht ar an bhean eile. Cuma í a chuir Caitlín sa bhliain dheireanach sin i gcuimhne do Mary. Ba dhócha nach raibh ann ach go raibh Lauretta tuirseach. Bhí súil ag Mary nach raibh sí tinn.

"Tabhair dom do chóta agus hata, buail fút ar an tolg ansin agus déan tú féin a ghoradh os comhair na tine. Caithfidh go bhfuil tú préachta. Is fuath liom mí Feabhra i gcónaí. Mothaím nach stopfaidh an sneachta is an fuacht go deo."

"Bhí rún agam siúl anseo ón stáisiún traenach ach fuair mé tacsaí. Róshleamhain a bhí an cosán."

"Caithfidh tú a bheith cúramach amuigh ansin fosta agus tú ag siúl. Tá an ceantar seo ag athrú go beo agus níos mó daoine gorma ag aistriú isteach ann. Tá méadú ar líon is ar mhinice na gcoireanna." Rinne Lauretta gáire beag leithscéalach. "Dá mbeadh Katie anseo, thabharfadh sí léasadh béil dom. 'Má tá méadú ar an choiriúlacht,' a déarfadh sí, 'ní hé sin toisc go bhfuil níos mó daoine gorma ann ach toisc go bhfuil níos mó daoine bochta ann.' Bheadh an ceart aici, ar ndóigh." Stop Lauretta. "Katie bhocht féin. Agus ós ag caint uirthi atá mé, bhí mé ag gabháil don bháicéireacht ar maidin. Beidh bairín breac againn ar ball beag agus cupán tae ina theannta. Bhí an bairín breac agat an uair dheireanach dá raibh tú féin agus Katie ag obair anseo le chéile."

"Beidh sin ar dóigh." Cheana, bhí Mary ag glacadh a suaimhnis de bharr fháilte chroíúil na mná eile. Agus as siocair nach mbeadh uirthi Cornelia a fheiceáil ach oiread. "Tá súil agam nár choinnigh mé sa bhaile thú inniu. Nuair nár chuir tú teileagram chugam chun an coinne a chur ar ceal, bhí a fhios agam go mbeifeá anseo."

"Ná bíodh imní ort faoi sin. Is fusa domsa mo chuid ama a eagrú. Caithfidh gur deacair duit éalú ón obair i rith na seachtaine."

"Is ea . . ." Ba í sin an deis chun an casadh úr ina saol a thabhairt isteach sa scéal. Ní fhéadfadh Mary gan é a lua luath nó mall. D'fhanfadh sí tamall eile sula dtarraingeodh sí aníos an t-ábhar frithir sin.

"Caithfidh go raibh an Nollaig agus an Bhliain Úr an-dian oraibh. Tá súil agam go bhfuair sibh mo chárta. Tá aiféala orm nár éirigh liom teacht ar cuairt aimsir na Nollag ach chuaigh mé abhaile go New London le seachtain a chaitheamh le m'athair." Thuig Mary, agus í ag gabháil a leithscéil, nár mhínigh sé sin cén fáth nach raibh sí anseo ón lá gur dhóigh Cornelia na cáipéisí is gur thug Lauretta cín lae Chaitlín di. Is ea, bhí sí tar éis a bheith gafa le dála a saoil féin, ach bhí an neamart a bhí déanta aici i dteaghlach Chaitlín—bhuel, i Lauretta, cibé ar bith—ina eiseamláir ar an dóigh ina ngluaiseann daoine agus an saol ar aghaidh in ainneoin chroí an chéad duine eile a bheith briste brúite. Nó, arsa Mary léi féin anois, ar an dóigh ina leanann comhlacht mór ar nós Woolworth ar aghaidh in ainneoin í a bheith ar scor. B'ann don ghéilleadh is don ghoilliúnacht de dheasca a cuid iompair féin. B'ann don tseirbhe is don fhearg fosta mar gheall ar an tslí ina raibh na fir thuas ar an 58ú hurlár i ndiaidh caitheamh léi.

"Bhí an fhéile ciúin go leor. Sin mar a bhíonn nuair nach mbíonn páistí ann . . . bhuel, bhí Cornelia agus Alfie ann. Thugamar cuairt ar uaigh Katie."

Rud nach raibh déanta aici féin, a mheabhraigh Mary di féin gur phrioc dairt chiontachta a coinsias.

"Ba mhaith linn leac cuimhneacháin a chur ar uaigh Katie amach anseo," arsa Lauretta. "Níl a fhios agam cá bhfaighimid an t-airgead . . . Ar aon nós, ní gá dúinn a bheith buartha faoi sin go dtiocfaidh an t-earrach is go leáfaidh an sneachta."

Bhuail dairt eile coinsias Mary. B'fhearr léi gan insint do Lauretta go raibh an t-airgead ag na Géanna Fiáine le haghaidh leac uaighe ach gurbh ise, Mary, ba mhó a thathantaigh ar na comhaltaí an t-airgead a sheoladh chuig Pádraic Ó Conaire. Agus í ag smaoineamh air sin ó shin, b'fhéidir gurbh ionmholta an comhréiteach san am, comhréiteach trí airgead na nGéanna Fiáine a roinnt ina dhá chuid, $300 don Chonaireach is $300 do leac Chaitlín. Aisteach go leor, níor mhol aon duine san eagraíocht a leithéid aimsir an chruinnithe. Cibé ar bith, agus fíoch troda agus racht stuacánachta ar Oliver, ní bheadh seisean sásta géilleadh. Ná ise ach oiread, a d'admhaigh Mary. Má bhraith sí faoin taca sin gur mhór an trua ar bhealach nár úsáideadh an tsuim iomlán le leac a chur ar uaigh Chaitlín, ní fhéadfadh sí a rá go hionraic cad ba chúis leis an mhothú sin: Lauretta a bheith ina suí taobh léi anois nó aiféala a bheith uirthi faoinar tharla idir í agus Oliver nó í bheith rud beag neirbhíseach faoina raibh sí ar tí a dhéanamh. Meascán ceart de na cúiseanna faoi deara an mothú, ba dhócha. Dá mbeadh breith ar a haiféala aici . . . Ní raibh agus ní bheadh. Lig Mary amach anáil dhomhain. Ba mhithid di fáth a cuairte a mhíniú.

-II-

"Tá tú ag gabháil go hÉirinn? I gcionn coicíse? Agus tá ag éirí leat saoire mhíosa a thógáil ón obair? Nach méanar duit é sin!"

Bhí Lauretta i ndiaidh tráidire a thabhairt isteach ar a raibh an tae agus an bairín breac. Tar éis di steall tae a dhoirteadh dóibh beirt is an bhearna bhruite den bhairín breac a thabhairt do Mary, bhain Mary an ceann dá scéal faoi dheireadh.

"Tá mé i ndiaidh éirí as mo phost. Is fada mé a rá liom féin gur mhaith liom triail a bhaint as dúshlán úr. Níl a dhath socair agam faoi phost nua go fóill ach tá méid áirithe airgid curtha ar leataobh agam le cúpla bliain anuas, go leor le híoc as an turas agus cuid bheag eile chun mé a choimeád beo ar fhilleadh ar ais anseo dom go dtí go bhfaighidh mé post . . . Ach níl mé cinnte go bhfuil mé ag iarraidh fanacht i gcathair Nua-Eabhraic."

Stop Mary. Bhí sí féin ag brath air go mbeadh an bhean eile róbhéasach chun an bhearna mhór shofheicthe sin sa chuntas a chur ar a súile di, mar atá, cad chuige a n-éireodh sí as post gan ceann úr a bheith socair aici roimh ré? Ní raibh Mary réidh—níor chreid sí go mbeadh sí réidh choíche—le hinsint d'aon duine go raibh lucht stiúrtha Woolworth tar éis an bata agus an bóthar a thabhairt di. Bhí na boic mhóra thuas ar an 58ú hUrlár i ndiaidh na ráflaí a chloisteáil faoi "mhí-iompar" Mary i bpáirt le Max Doyle. Ba chuma an ar ghaoth an fhiosraithe ó na póilíní i Long Island nó ar na hardaitheoirí suas agus anuas a chuala siad iad. Ba chuma nach raibh Max ina fhostaí acu go fóill. B'ann don drochshampla agus d'íocfadh Mary go daor as sin.

Ní fhéadfaí na mionsonraí a réiteach roimh bhriseadh na Nollag, ach níor thúisce Mary ar ais sa bhliain úr, tar éis di seachtain chráite a chaitheamh in Connecticut, gur thángthas ar shocrú trína n-éireodh Mary as a post dá deoin féin, mar dhea, agus go bhfaigheadh sí pá scoir is glac teistiméireachtaí á ndearbhú d'aon fhostóir gurbh oibrí dícheallach dílis í Mary Morrison, aturnae, a d'fhág impireacht Woolworth gan smál ar a carachtar is ar a hoineach. Shínigh Mary an cháipéis scoir is thug do Jeffrey Taylor é. Lánchinnte a bhí sí go bhfaca sí aoibh mhailíseach an gháire ar aghaidh a comhaturnae. Eisean a gheobhadh a post is a hoifig. San am bhí Mary chomh croite sin go ndeachaigh íoróin bheag amháin amú uirthi. Cáipéis í siúd a bhí dréachtaithe aici féin don chomhlacht dhá bhliain roimhe sin. Ní raibh a fhios ag Mary cad a bhí cluinte ag Gertrude ach ba dhoiligh a shamhlú nár leath na luaidreáin i measc na rúnaithe. Bhris a gol ar Gertrude nuair a d'inis Mary di go mbeadh sí ag imeacht ag deireadh na seachtaine.

Cheana, bhí an rúnaí ag dearbhú nach bhfanfadh sise le dul ag obair le haghaidh na piteoige poimpéisí sin . . .

D'fhág Mary an oifig go luath an Aoine dheireanach sin. B'fhearr léi an plód daoine a sheachaint. Ar dhul síos ar Ardaitheoir a Deich don uair dheiridh di, bhí na deora i gceann a súl agus thabharfadh sí an leabhar go raibh Neil Denner ag stánadh uirthi is é idir dhá chomhairle ar chóir dó a dhath a rá. Ba chuma léi ag an bhomaite áirithe sin, fiú dá ndéarfadh sé léi go raibh Max ar a bhealach ar ais go Nua-Eabhrac. An t-aon rud a bhí ó Mary ná a bheith taobh amuigh den fhoirgneamh sin.

"An bhfuil tú ag dul i d'aonar? Níl d'fhear óg ag taisteal leat?"

Bhris ceisteanna Lauretta isteach ar smaointe Mary.

"Ní thig leis . . . Beidh sé ag teagasc ag an am . . ." Lean sí de ruthag cainte agus fios aici gur las a haghaidh. "Ar an drochuair, nílimid rómhór le chéile faoi láthair." Arís, bhí Mary ag brath air go mbeadh Lauretta róchásmhar i mothúcháin Mary chun a thuilleadh ceisteanna a chur.

"Cad a dhéanfaidh tú in Éirinn, mar sin? Tá gaolta agat ansin, nach bhfuil? Is cuimhin liom Katie ag rá gurb as an tseantír ó dhúchas do do thuismitheoirí."

Ghabh Mary buíochas ó chroí ina haigne le Lauretta. Ní hé amháin go raibh sí ar thalamh slán anois ach go ligfeadh an casadh seo sa chomhrá di tagairt a dhéanamh d'aidhm na cuairte.

"Is ea, tá mé le deireadh seachtaine a chaitheamh thuas i gContae an Chabháin . . . ach beidh cúpla lá agam i mBaile Átha Cliath fosta . . . Bhí mé ag smaoineamh ar iarracht a dhéanamh bualadh le seanchara Chaitlín, Pádraic Ó Conaire." Ní déarfadh sí a dhath faoin airgead le Lauretta.

"Léigh tú cín lae Chaitlín?"

"Léigh." Ar eagla go bhfiafródh Lauretta di cén tuairim

a bhí aici ar scéal na leannán, lean Mary di go réchúiseach, mar dhea. "Dála an scéil, ní dócha gur tháinig aon litreacha ó Ó Conaire ó shin? Tá mé ag féachaint lena sheoladh a fháil. Bhí ceann ar an litir a bhí istigh leis an chín lae. Scríobh mé chuige ansin ach seoladh mo litir ar ais chugam. Níl cónaí air ansin a thuilleadh." Ní hé amháin gur tháinig an litir ar ais ach bhí nóta gonta ar chúl an chlúdaigh: "*Níl teacht ar an chunús anseo.*"

"Go bhfios dom, níor tháinig aon cheann eile . . . Ach ní fhéadfainn a bheith cinnte . . . Cornelia, tá a fhios agat . . .," a d'fhreagair Lauretta go leithscéalach. D'éirigh sí, chuaigh ag ransú cófra gur fhill ar Mary.

"Ráinig liom na leabhair seo a choimeád as raon láimhe Cornelia," arsa Lauretta, agus shín sí beartán leabhar chuig Mary a d'amharc ar na teidil. Saothair leis an Chonaireach iad. "Tá mé cinnte gur mhaith le Katie iad a bheith agat."

Bhreathnaigh Mary ar a raibh scríofa ag an Chonaireach ar an leathanach teidil in *Nóra Mharcuis Bhig*, *Deoraidheacht*, agus *An Sgoláire Bocht*. An dáta céanna a bhí ar na trí leabhar sin. Chuir sí sonrú san inscríbhinn in *An Chéad Chloch*: "*Do Chaitlín chóir. Ó Phádraic, An Cháisg, 1915.*" Ní raibh *Seacht mBuaidh an Eirghe-Amach* sínithe ag an Chonaireach. 1918 bliain a fhoilsithe. Faoin am sin, bhí Caitlín ar ais i Meiriceá Thuaidh.

"Má bhuaileann tú le hÓ Conaire, abair leis . . ." Stad Lauretta. "Is iomaí uair a dúirt mé liom féin gur mhaith liom íde béil a thabhairt dó as caitheamh chomh gránna sin le mo dheirfiúr. Ach cad is fiú é sin faoin taca seo, agus Katie ar shlí na fírinne? Cibé ar bith, bhí sise ceanúil air i gcónaí cé gur ghortaigh sé í." Stad Lauretta arís sular labhair. "Má chastar ort é, abair leis go gcuirim . . . go gcuireann muintir Katie a mbeannacht chuige. Anois, ar mhaith leat cupán eile tae?"

Ag ól a thuilleadh tae a bhí Mary nuair a chas Lauretta chuici.

"Tharla gur chuir mo sheanchara i dTalamh an Éisc, Stella, litir chugam aimsir na Nollag. Tá a fhios agat . . . Stella Doyle a bhíodh ag obair liom san ospidéal in Ottawa na cianta cairbreacha ó shin. Bhí scéala báis Katie cloiste aici . . . Cibé ar bith, luaigh Stella go bhfuil col cúigir léi a bhí i ndiaidh teacht abhaile ó Nua-Eabhrac le pósadh aimsir na Cásca. Cad is ainm do do chara deas a bhí anseo leat? Max, nach é sin é? Níl a fhios agam an eisean a bhí i gceist aici?"

Dóbair gur lig Mary dá cupán titim. Thuig sí go raibh Lauretta ag féachaint uirthi go géar amhail is gur aithin sí go raibh corrabhuais ar an bhean eile.

"B'fhéidir gur col cúigir eile léi a bhí á mhaíomh ag Stella," arsa Lauretta go leithscéalach agus í ag breith ar chupán Mary.

D'éirigh Mary. Bhí uirthi déanamh ar an seomra folctha, ar sise. Is ar éigean a bhain sí an seomra folctha amach gur chaith sí aníos sa bháisín. D'fhan sí ann fada go leor chun an báisín a ghlanadh is gur mhothaigh sí staidéartha ar a cosa. Níor mhór di imeacht, ar sise le Lauretta, ar theacht amach di gan a dhath a mhíniú. D'fhág sí an t-árasán go deifreach agus na leabhair is bairín breac de chuid Lauretta faoina hascaill aici. Bhí sneachta mór air, ar sise léi féin agus í ag breathnú ar spéir liath an Bhronx. Gheobhadh sí tacsaí ar ais chuig an stáisiún traenach agus bheadh sí sa bhaile i Manhattan sula dtosódh an stoirm.

Agus í ag fanacht le tacsaí ar an Grand Concourse, d'fhéach Mary le hord a chur ar a cuid smaointe suaite. Cad ba chóir di a chreidbheáil? B'fhéidir gur chol cúigir eile le Stella é? B'fhéidir gurbh é Max é? Gan an dara litir faighte aici ó Max, ní fhéadfadh sise a dhath a rá go cinnte. Nár

chomhartha beag féin é nárbh ann don dara litir sin? . . .
Chuaigh creathán fuachta trí Mary.

Bhí sí ag feitheamh le tacsaí go fóill, bhí an sneachta tosaithe nuair a chonaic sí Cornelia Hughes ag teacht ina treo. Tharraing Mary duilleog a hata síos go teann ar a cloigeann is tharraing aníos coiléar fionnaidh a cóta ar eagla go n-aithneodh an bhean eile í. De réir mar a chuaigh deirfiúr Chaitlín thart léi, chuala Mary monabhar cainte uaithi amhail is go raibh Cornelia in iomarbhá léi féin. Dheamhan ciall a rinne Mary den ghibiris chainte. Ba leor spléachadh ar cheannaithe Cornelia le fionnaitheacht a chur ar Mary. Bhí gnúis rinneach uirthi chomh fuar cealgach leis an chnoc oighir a chuir an *Titanic* go tóin poill. Meafar cruinn é, dar le Mary—ach níorbh é an ceann ba chompordaí is ab fhóirsteanaí ag an té a bhí ar hob imeacht ar aistear trasna an Aigéin Atlantaigh é. Nó ag bean a bhí i ndiaidh a fhoghlaim go ndearnadh feall uirthi. Ghabh creathán eile trí Mary. Tharraing sí aníos a coiléar a thuilleadh.

-III-

Chaith Mary ceithre lá tigh a hathar i New London an tseachtain ina dhiaidh sin. Más amhlaidh gurbh é an chéad smaoineamh a bhí aici ná a chinntiú go mbeadh a hathair i gceart le linn di a bheith thar sáile, bhuail smaoineamh eile í sular fhág sí Manhattan le dul abhaile go Connecticut. De réir mar a bhí dáta a himeachta go hÉirinn ag druidim léi ag deireadh mhí Feabhra, bhí sí rud beag neirbhíseach faoi dhul ina haonar. Mar sin, nár mhaith an tseift é cuireadh a thabhairt dá hathair teacht ar an turas léi? Bheadh cuideachta aici. Thabharfadh sé deis dó bualadh lena mhuintir sa bhaile, lena leathchúpla, Uncail Ned, go háirithe. Ba bhreá an ní é an t-am sin a bheith ag athair is ag iníon le chéile. Ní bheadh uirthi a bheith buartha nach mbeadh sí i láthair dá dtarlódh a dhath dó le linn di a bheith ar shiúl.

"Gabháil ar ais go hÉirinn? Há, an bhfuil tú ag magadh fúm, a chailín? B'fhearr liom ruathar aonair a dhéanamh ar uachais Al Capone is a gheaing is gan i mo láimh agam ach smíste maide ná dul go hÉirinn," a d'fhógair Pat Morrison. "Féach ar an phraiseach atá déanta acu den áit . . . iad i ngreim scornaí ina chéile . . . Níos mó daoine curtha chun báis acu ná mar a rinne na Sasanaigh riamh. Ár náiriú os comhair an domhain mhóir agus ag tabhairt le fios do chách go raibh an ceart ag na Sasanaigh nuair a mhaídís nach raibh na hÉireannaigh réidh chun a dtír féin a rialú. In ainm Chroim, cad chuige a mbeinn ag iarraidh gabháil ar ais ansin?"

Bhuel, b'in sin.

Bhí an méid seo sóláis ag Mary. Lig an cuireadh dá hathair a bheith ag tabhairt amach agus ag comhairliú di gan a bheith ag súil leis na flaithis a fháil ar thalamh glas na hÉireann.

"An dream fuinniúil fiontrach a d'imigh, tá a fhios agat, níor fhan ach an seandream is cúil le rath nach mairfeadh seachtain fhliuch ar shráideanna Mheiriceá," a dúirt sé.

Bhain sé sin aire a hathar ó nuacht Mary faoina himeacht óna post agus faoina tslí nach raibh sí féin agus Oliver ag siúl amach le chéile a thuilleadh. Ghlac sé leis an leagan sin den scéal a bhí snoite mínithe aici ó labhair sí le Lauretta.

"Tá a fhios agam nach mbíonn daoine óga chomh sásta sin socrú síos na laethanta seo," ar seisean. "Tá súil agam go ndéanfaidh sibh mórtachas le chéile arís. Fear breá é Oliver . . . Post maith seasmhach aige . . . agus níl tusa ag éirí aon phioc níos óige, a chailín."

Chuir Mary cár uirthi féin lena hathair. Níor inis sí dó go raibh an Captaen Welsh ar Long Island ag cur a thuairisce. Dhéileálfadh sí leis an chor sin dá mbuailfeadh an bheirt phóilíní lena chéile amach anseo.

Lena chois sin, ní raibh Mary cinnte gur ghá di a bheith róbhuartha faoina hathair feasta. I rith shaoire na Nollag, bhí a deartháir John ann cuid den am. Thagadh is d'imíodh na comharsana. Seanchairde lena muintir cuid acu. Dream a bhog isteach sa cheantar ó d'imigh Mary an chuid eile. Ba dheas a fheiceáil nach raibh a hathair scoite amach ó dhaoine. Ach toisc go raibh Mary féin ciaptha ag an imní faoi chúrsaí oibre, níor bhac sí mórán leis na cuairteoirí seachas caife a dhéanamh réidh is sólaistí na Nollag a sholáthar dóibh. Ach i mí Feabhra, thug sé faoi deara gurbh ann do bhean amháin a thagadh go rialta, a thug píóg úll dá hathair lá amháin is a raibh a stocaí deisithe aige an chéad lá eile, agus a raibh cur amach aici ar an áit cheart a raibh gach giuirléid i gcistin an tí . . . Chroith Mary a cloigeann. Ní fhéadfadh sí a bheith ag súil leis gur mhaith lena hathair fanacht leis féin, go háirithe ó bhí a bhean chéile—mo mháthair, arsa Mary léi féin go pusach—marbh le breis is dhá bhliain anuas. Cibé ar bith, bhí an chuma ar an scéal gur dhuine lách í Josephine Malley, bean shingil mheánaosta, múinteoir sa chlochar áitiúil agus comhalta gníomhach de choistí éagsúla de chuid an pharóiste. Nár cheart go mbeadh deis aici is ag a hathair cuideachta a choinneáil le chéile is sult a bhaint as an saol? Nárbh aisteach an ní é, a dúirt Mary léi féin go diomúch, gurbh fhéidir le seandaoine—bhuel, daoine meánaosta—a gcúrsaí a réiteach fad is nach raibh aon rath uirthi féin i gcúrsaí grá?

"Bean an-deas í Josephine, a Dhaid," arsa Mary go bog. "Déarfainn go bhfuil sí ceanúil ortsa."

Bhí iníon agus athair ag siúl ar ais chuig an charrchlós tar éis dóibh cuairt a thabhairt ar an reilig Chaitliceach i New London is glac bláthanna a chur ar uaigh Nóra Morrison. Stad Pat is chas chuig Mary. Bhí eagla uirthi go raibh sé le tabhairt amach di gur rud mí-ómósach dá máthair é Josephine a tharraingt isteach sa scéal ag an am sin agus ag an áit sin. Ach bhí an ócáid sin roghnaithe aici d'aon oghaim le cuireadh a thabhairt dó labhairt léi faoi Josephine, le cur in iúl dó nach raibh sí le cur i gcoinne na mná eile.

"Ní dhéanfaidh mé dearmad ar do mháthair," arsa Pat Morrison de ghuth caoin. D'aithin Mary gur chúis faoisimh dósan go raibh cead cainte tugtha ag a iníon dó. "Cad é mar is féidir liom sin a dhéanamh nuair a bhronn sí clann ionúin orm agus nuair a thug sí na blianta ab fhearr dá saol dom go grámhar dílis." Rug sé greim láimhe ar Mary. "Ach . . . ach níl tusa nó do dheartháir anseo agus níl mé ag iarraidh a bheith liom féin. Ní thig liom a bheith liom féin. Is ea, is bean bhreá í Josephine agus . . . táimid ceanúil ar a chéile."

"Mar sin, tá a fhios agat cad tá le déanamh agat." Ar feadh meandair, mhothaigh Mary gurbh ise an tuismitheoir agus gurbh é a hathair an páiste. Ansin, agus na deora lena grua, theann sí isteach leis gur chuach sé lena ucht í, faoi mar a dhéanadh sé nuair a bhíodh sí ina girseach bheag.

An mhaidin dár gcionn, thug a hathair síob do Mary chuig an stáisiún traenach i New London.

"Ná bac le cuid mhaith de na rudaí a dúirt mé faoi Éirinn," ar seisean le Mary agus iad ina seasamh ar an ardán. "Níl mé ach ag iarraidh a chinntiú nach mbeidh díomá ort."

"Tá a fhios agam," ar sise. "Ach is mian liom féin an seanfhód a fheiceáil. Imigh . . . beidh mé i gceart. Déarfainn go bhfuil Josephine ag fanacht leat. Caithfidh mé dul ar bord, ar scor ar bith."

"Fanfaidh mé." D'fhan sé mar a dhéanadh sé i gcónaí

nuair a bhíodh sí ag imeacht ar ais chun na hollscoile nó go Nua-Eabhrac.

Shnaidhm siad iad féin ina chéile gur scar le chéile.

Nuair a bhí a suíochan aimsithe ag Mary, d'oscail sí fuinneog an charráiste. Bhí an fheadóg séidte ag stiúrthóir na traenach. Cúpla soicind eile, agus bheidís ar shiúl.

"Cuirfidh mé sreangscéal chugat nuair a bhainfidh mé Baile Átha Cliath amach," a ghlaoigh sí.

"Agus ná déan dearmad ar a ndúirt mé faoi Oliver . . . faoi mar a dúirt aturnae mór le rá liom tráth, 'Tá a fhios agat cad tá le déanamh agat.'"

Chuir Mary púic uirthi féin lena hathair. Ansin rinne sí meangadh beag gáire.

"Ná déan . . ." Bháigh múscailt inneall na traenach caint a hathar. D'ardaigh Mary a lámh le slán a fhágáil aige is sheas ag an fhuinneog go raibh ardán an stáisiúin fágtha ina diaidh aici agus gan radharc ar a hathair aici a thuilleadh.

-IV-

"Beidh lasta úr ag teacht isteach ó dheisceart California le haghaidh na Cásca," a dúirt an bláthadóir le Mary. "Tig liom a bheith i dteagmháil leat nuair a thagann siad isteach."

Ghabh Mary buíochas leis an bhean gan a mhíniú di gur bheag an mhaitheas di an mhoill sin. Cheannaigh sí lusanna an chromchinn. Mura raibh lilí an earraigh ar fáil, dhéanfadh bláth ar bith cúis.

D'fhill Mary ar a hárasán go beo agus d'aimsigh ribín trídhathach de chuid Phoblacht na hÉireann. Bhí an t-aistear ar ais chuig an árasán i ndiaidh moill a chur uirthi, ach dá mbuailfeadh sí an bóthar ar an toirt, bheadh go leor ama aici faoi choinne an tsuipéir sula dtabharfadh sí aghaidh ar na duganna. Ba é an feall go raibh deifir agus driopás uirthi ach bhí an aimsir tar éis a bheith chomh hainnis sin le tamall de laethanta gur leor di fanacht sa bhaile is a cuid bagáiste a ullmhú is téisclim a dhéanamh le haghaidh an phasáiste mara.

Bhí an sneachta mór i ndiaidh moill a chur ar thraenacha. Uair go leith a thóg sé ar Mary a slí a dhéanamh chuig Reilig San Réamonn. Bhí faitíos uirthi go mbeadh an reilig féin druidte ach bhí na príomhbhóithre tríd an reilig glanta cheana. Níor dhoiligh di an chearn sin den reilig ina raibh uaigh Chaitlín a aimsiú ach ansin . . . Ní raibh sí róchinnte go raibh an rae cheart aici. Bhí sraitheanna uaigheanna úra ann ón samhradh agus bhí na bóithríní idir na sraitheanna agus na huaigheanna féin clúdaithe le sneachta. Ba é an trua nach raibh Lauretta léi, nó nach raibh sí tar éis comhartha suntasach, ar nós cloiche cinn feiceálaí, a chur de ghlanmheabhair. Ach ba bheag cloch chinn nó cros a bhí ar na huaigheanna sa chearn úr sin den reilig go fóill, diomaite de chorrchros adhmaid a bhí ag gobadh aníos tríd an sneachta. Chuaigh dairt bheag uamhain trí Mary, agus í ina seasamh ansin, a mála ina raibh na bláthanna ar an talamh, agus gan ar gach taobh di ach sraith i ndiaidh sraithe agus cosán i ndiaidh cosáin. Ní ar Chaitlín agus ar a huaigh a bhí sí ag smaoineamh ach ar a máthair. Cad a tharlódh dá dtabharfadh sí cuairt ar an reilig i New London ach nach mbeadh sí in ann uaigh a máthar féin a aimsiú? Bhrúigh Mary an pictiúr ina haigne faoi chois. Níorbh é seo an t-am le ligean dá samhlaíocht imirt uirthi. Theann sí a gialla, rug ar a mála, thug buille faoi thuairim cá raibh uaigh Chaitlín, bhuail chun cinn trí shneachta gur stop ag uaigh agus leag na bláthanna síos. Níor dhócha gurbh í an uaigh cheart í. B'fhéidir nárbh í an tsraith cheart féin í. B'fhéidir go raibh Iodálach éigin curtha ann agus go mbeadh corrabhuais ar a mhuintir go raibh bláthanna ar a raibh trídhathach Phoblacht na hÉireann seachas trídhathach Ríocht na hIodáile agus armas Rítheaghlach na Saváí ar an uaigh. B'fhéidir go raibh Státaire féin adhlactha ann. B'fhéidir go scuabfadh gaoth fheanntach mhí Feabhra na bláthanna agus an ribín léi. Ní mhairfeadh lusanna an chromchinn i bhfad sa ghaoth nimhneach sin. Ba chuma. Ba leor go dtuigfeadh Caitlín nach ndearnadh dearmad uirthi. Chuir Mary paidir bheag lena hanam sular threabh sí a slí anall tríd an sneachta arís.

-V-

"Haileo, Mary."

Bhain an guth aithnidiúil bíog aisti gur chas Mary thart. Thóg sé roinnt soicindí uirthi a aghaidh a phiocadh amach i measc na tranglála daoine sa halla imeachta, idir iad siúd a bhí ag ullmhú le dul ar an línéar, a gcuid gaolta is cairde a bhí ann le slán a chur leo, is baill d'fhoireann na loinge a bhí ag brostú siar is aniar.

"Cad atá á dhéanamh agat anseo?" Ní raibh a fhios aici cén mothúchán ba mhó a bhí chun tosaigh ina cloigeann— an mhíchéadfa toisc gur léir di cheana aoibh bhogásach ar aghaidh Oliver amhail is go raibh sé ag baint sult as teacht aniar aduaidh uirthi, nó an faoiseamh toisc go mbeadh cara léi—nó iarchara féin—ann le slán a fhágáil léi.

"D'iarr Pat . . . d'athair . . . d'iarr sé orm teacht le slán a chur leat . . . Déarfainn go raibh eagla air go n-athrófá d'aigne is go dtiocfá ar ais chuige. Cloisim go bhfuil bean sa tóir ar an fhear bocht." Rinne Oliver gáire le cur ina luí ar Mary go raibh sé ag spochadh aisti.

"Bhuel, tig leat insint dó go bhfaca tú mé ag imeacht."

Tar éis di brostú go dtí na céanna i Hoboken i New Jersey, siar ó Manhattan, le bheith in am don línéar, ní raibh deaspíon uirthi. Mar bharr ar an donas, bhraith sí go raibh sí i ndiaidh slaghdán a tholgadh tar éis di a bheith amuigh faoin aer bioranta sin ag Reilig San Réamann.

"An bhfuil gach rud faoi réir agat?"

"Tá."

"Tá do bhagáiste seiceáilte agat?"

"Tá."

"Tá do phas agat?"

"Tá."

"Níl le déanamh agat mar sin ach dul ar bord?"

"Níl."

D'fhéach Oliver ar a uaireadóir.

"Tá uair an chloig ann go fóill, a dúirt duine den fhoireann liom, sula gcaithfidh gach duine a bheith ar bord. Ar mhaith leat cupán caife?"

"Níor mhaith . . ."

"An bhfuil tú cinnte?"

"Tá . . . Níl." Bhí Mary róthuirseach le troid leis a thuilleadh. Ar scor ar bith, ina hainneoin féin, bhí sí buíoch d'Oliver go raibh sé i ndiaidh an dua a chur air féin teacht an bealach ar fad go Hoboken.

Ba bheag spás a bhí sa bhialann sa halla imeachta. Bhí a ndóthain slí ag tábla amháin gur bhuail Mary agus Oliver fúthu ag ceann amháin den bhord. Ar an drochuair, bhí lánúin Shasanach ag an cheann eile cheana i mbun argóna le chéile. "Sprionlóir" eisean. "Crá croí" ise ar cheart di a slí féin a dhéanamh abhaile go Southampton. De réir dealraimh, ní raibh an cineál cábáin a bhí uaithi curtha in áirithe aigesean. De réir dealraimh, bhí daoine eile i ndiaidh an tábla céanna a sheachaint mar gheall ar an tsiosarnach fhíochmhar ón lánúin.

"Caithfidh go bhfuil sceitimíní ort agus tú ag tabhairt cuairte ar Éirinn . . .," arsa Oliver nuair a bhí siad ag ól caife. Bhí sé i ndiaidh a chúl a thiontú leis an bheirt eile ionas go mbeadh cead cainte aige is ag Mary.

"Tá . . . ar ndóigh . . ." D'aithin Mary féin an phatuaire ina guth. "Tá. Beidh sé go hiontach," ar sise de ghlór róchinnte.

"Ba í mian mo chroí í go rachaimis ann le chéile." Den chéad uair, níorbh ann don tiúin mhagúil.

Agus den chéad uair, thug Mary faoi deara go raibh ribí liatha i bhfolt donn Oliver.

"Cheap mé riamh go mbeifeá ag teacht liom . . . Athraíonn an saol, athraíonn daoine. Sin mar atá." Sméid Mary a ceann ar an bheirt trasna uathu, beirt a bhí ag sáraíocht ar a chéile i gcónaí. "Is mar sin a bhí cúrsaí eadrainn sa deireadh."

"Tá a fhios agam. Tuigim go raibh cuid den mhilleán orm féin . . . go raibh mé in éad le Caitlín mar gheall ar an mhéid ama a chaiteá léi . . . Ach creidim nach raibh an locht ar fad ormsa . . . Roghnaigh tusa gan mórán ama a chaitheamh liom . . . Ansin thosaigh rudaí eile ag titim amach nár thuig mé, nach dtuigim go fóill . . . Gurbh fhearr leat a bheith i mbun báicéireachta leis an ghiolla ardaitheora sin ná a bheith liom . . . Nuair a ghlaoigh Pat orm, ní raibh mé ag iarraidh teacht anseo. Ní toisc nach raibh mé ag iarraidh tú a fheiceáil . . . ach toisc go raibh eagla mo chraicinn ormsa nach mbeifeá ag imeacht i d'aonar . . ."

"I m'aonar atá mé . . . diomaite den bhuachaill báire sin atá i dtaisce agam i mo thrunc ar bord." Ba dhoiligh do Mary gan an deis mhagaidh a thapú mar chúiteamh ar spochadh Oliver. Thug sí faoi deara go raibh an lánúin i ndiaidh cluas le héisteacht a chur orthu féin tar éis dóibh an tagairt don bhuachaill báire a chluinstin. "Seo, caithfidh mé imeacht . . . siúil liom go dtí an geata imeachta." D'éirigh sí is d'fhág a caife gan chríochnú.

"Tá a fhios agam gur éirigh tú as do phost in Áras Woolworth," arsa Oliver le Mary nuair a bhí siad ag siúl. "Gertrude, tá a fhios agat. . .," ar seisean go leithscéalach amhail is go raibh eagla air go raibh sé i ndiaidh olc a chur ar Mary as a bheith chomh fiosrach sin.

"Faoi mar a dúirt mé, athraíonn an saol . . ." Cibé rud faoi ligean d'Oliver cur isteach ar a cuid cruinnithe, bhí Mary cinnte go mbeadh Getrude discréideach dúnárasach faoi na cúinsí faoinar fhág Mary an comhlacht.

"B'iomaí uair a smaoinigh mé ar ghlao gutháin a chur ort. Nó teacht thart go dtí d'árasán. Ach bhuel, ní raibh mé ag iarraidh . . ." Stop Oliver amhail is nach raibh uaidh tagairt don uair dheiridh dá raibh sé ann. "Bhuail mé sall an tseachtain seo caite . . . Ach bhí tú i New London."

Bhí an geata imeachta sroiste acu. Chas Mary chuig Oliver.

"Go raibh maith agat as teacht anseo, Oliver." Thuig Mary gurbh é sin an chéad rud dearfach a bhí ráite aici leis.

"Bain sult as an turas, Mary. Go dtuga Dia slán go ceann cúrsa thú . . . agus abhaile ina dhiaidh sin."

"Tabhair aire duit féin, Oliver."

"Cuir sreangscéal chugam sula mbaineann an línéar Nua-Eabhrac amach agus tiocfaidh mé i d'araicis . . . Más mian leat sin, tá mé á rá." Chas sé le himeacht.

"Níl tú le fanacht go n-imeoidh mé?"

"Níl, Mary. Buailfidh mé bóthar anois. Slán."

Stán Mary ar a dhroim de réir mar a ghluais Oliver i dtreo dhoirse móra an halla. Theastaigh uaithi glaoch air is tathant air filleadh is a chasadh leis nach raibh sé i ndiaidh rud a dhéanamh ar a hathair. Ina croí istigh, thuig sí go raibh Oliver ag cur abhaile uirthi gur fúithi féin a bheadh an chéad chéim eile ina gcumann dá mba ann dó feasta agus, murarbh ionann is a hathair, nárbh é an grá gan choinníoll a bhí aige di. Ba go mall a d'iompaigh Mary thart is shiúil go tromchosach i dtreo an gheata imeachta.

Caibidil a Ceathair

-I-

Sé lá a thóg sé ar an *RMS Aquitania* a slí a threabhadh trasna na farraige móire ó Nua-Eabhrac go Southampton. Ba sa roinn dara grád den línéar a thaistil Mary. Ba bheag teagmháil a bhí aici ná ag a leithéid leis na paisinéirí gustalacha sa chéad ghrád nó leis an dream sa tríú grád. Bhí a mbialann, a dtolglann agus a seomraí tobac ag muintir an dara grád. Cibé difríochtaí a bhí idir an tseirbhís sna trí ghrád—bhí Mary lánchinnte go bhfaigheadh lucht an rachmais luach a n-airgid sa chéad ghrád—b'fhollas di rud amháin. Bhí formhór na bhfear ar bord i bhfách leis an díth póite a d'fhulaing siad i Meiriceá a leigheas. Sasanaigh ba ea tromlach na bpaisinéirí sa dara grád. Thóg sé tamall ar Mary dul i dtaithí na mblasanna éagsúla, ón chosmhuintir Chocnaí go meánaicme oilte a chuir caint Jeffrey Taylor i gcuimhne di. D'aithin sí teangacha eile á labhairt ag paisinéirí eile, an Fhraincis, an Ghearmáinis is an Ghiúdais ina measc. Ar an chéad mhaidin ar bord ag am bricfeasta, chuir Mary púic uirthi féin nuair a chonaic sí an lánúin Shasanach ón halla imeachta. Bhí siad ag sáraíocht ar a chéile i gcónaí.

Ní raibh an aimsir ródhona. Bhí an t-aigéan ina chalm téigle. Cibé imní a bhí ar Mary faoin turas farraige is faoin tinneas mara, níorbh fhada gur mhothaigh sí suaimhneach sábháilte go leor. Ba dhoiligh a shamhlú go gcuirfeadh a dhath isteach ar línéar chomh téagartha staidéartha leis an *Aquitania*, gona hinnill chumhachtacha gona ceithre shimléar. Fad is nár theip ar an innealra, ar ndóigh. Fad is . . . b'fhearr léi gan smaoineamh ar an *Titanic* . . . De réir dealraimh, bhí sé de gheasa ar an fhoireann gan tagairt di. Ar an dara tráthnóna, chuala Mary duine dá comhphaisinéirí ag labhairt le ball den fhoireann.

"An bhfeicfimid cnoic oighir?" arsa an paisinéir.

Rinne an freastalaí gáire, gáire pas dóite, dar le Mary.

"Ná bíodh lá imní ort, a dhuine uasail. Róluath san earrach atá sé le haghaidh cnoc oighir sa limistéar mara seo. Cibé ar bith, bímid san airdeall de ló agus d'oíche. Anois, an féidir liom deoch úr a fháil duit?"

Bhí orduithe ag an fhoireann deochanna a scaoileadh amach go fial chun an t-ábhar comhrá a athrú, arsa Mary léi féin. Ach ba é an chéad rud eile a dúirt an freastalaí leis an phaisinéir a bhain geit as Mary.

"An t-aon rud atá amuigh os ár gcomhair ná carraig mhór sceirdiúil arbh ainm di Talamh an Éisc."

"Chuala mé go bhfuil sé go hálainn mar oileán . . ."

"B'fhéidir é, a dhuine uasail, ach . . ." D'fhéach an freastalaí thart le cinntiú nach raibh aon bhall sinsearach den fhoireann thart. ". . . b'fhearr liom go mbuailfimis cnoc oighir ná go rachaimis i ngiorracht scread bonnáin de Thalamh an Éisc. Muintir na háite, tá a fhios agat, is dream fiáin iad. Seo, lig dom do ghloine a líonadh arís, a dhuine uasail."

"Tabhair dom deoch fosta," arsa Mary go caolghlórach leis an fhreastalaí. "Branda, le do thoil."

"Ar ndóigh, a bhean uasal. Tá súil agam nár chuir mé scanradh ort agus mé ag caint ar . . . tá a fhios agat. Níl ann ach caint," a d'fhreagair an freastalaí a raibh cuma na himní air go bhfaigheadh an captaen amach cé chomh béalscaoilte is a bhí sé.

"Níor chuir tú scanradh orm," ar sise leis nuair a shín sé gloine chuici.

"Buailfear an clog le haghaidh an tsuipéir gan mhoill," a mhaígh an freastalaí, agus aoibh an fhaoisimh ar a aghaidh. "Ar mhaith leis an bhean uasal go dtreoróinn chuig tábla í?"

"Tá mé i gceart," a d'fhreagair Mary. "Tiocfaidh mé i gcionn bomaite."

Mhoilligh sí gur imigh an freastalaí leis. Ansin rinne sí a slí amach ar an deic ar an taobh tuathail den línéar. Fuar feanntach a bhí sé amuigh ansin cé go raibh an spéir glan agus loinnir san fharraige fúithi. Sheas Mary siar ó na ráillí, a gloine ina ciotóg agus toitín lasta ina deasóg aici, agus a rosc dírithe ar fhíor na spéire ó thuaidh féachaint an bhfeicfeadh sí solas ar bith. Cheana, bhí an fuacht ag dul go smior inti agus chuaigh creathanna beaga tríthi. Bheadh uirthi a bheith cúramach tharla go raibh slaghdán uirthi i gcónaí. Stán sí amach ar feadh leathnóiméid eile gan an oiread is solas amháin a thabhairt faoi deara, solas a léireodh di go raibh oileán mór amuigh ansin, oileán ar a raibh Max agus é . . . Stop sí. B'fhuath léi an maoithneachas i gcónaí. Theilg Mary bun an toitín amach thar thaobh na loinge is chas thart i dtreo dhoras an phasáiste. Shlog sí an braon deireanach den bhranda sular thug sí an ghloine don fhreastalaí a bhí ag crochadh thart gar don doras. Ón chuma imníoch a bhí airsean, cheap sé go raibh Mary ag iarraidh a chinntiú nach raibh an línéar ar tí cnoc oighir a bhualadh.

"Anois, treoraigh mé chuig an tábla sin le do thoil, tig leat mo chóta a thógáil agus tabhair dom branda eile," ar sise leis.

Diomaite de na béilí, eagraíodh imeachtaí eile chun na

paisinéirí a choimeád gníomhach. Chuirtí ranganna cróise ar siúl le haghaidh na mban. Bhíodh léachtaí ann faoin litríocht agus faoin mheasarthacht (cur amú ama amach is amach ba ea iad na cinn dheireanacha ar línéar mar sin, dar le Mary). Thaispeántaí scannáin thostacha, *The Thief of Bagdad* ina raibh Douglas Fairbanks agus *The Gold Rush* le Charlie Chaplin. Corrlá, nuair nach raibh sé rófhuar, cuireadh cluiche caidhte ar siúl ar cheann de na deiceanna amuigh. Sa tráthnóna, tar éis an dinnéir, sheinneadh ceathrairéad ceol sa seomra itheacháin agus théadh corrlánúin amach ag rince.

An dara hoíche sin, tar éis di cur suas le comhrá fadálach faoi Chonradh na Náisiún, d'fhan Mary go mífhoighdeach le héirí ón tábla. Thug sí aghaidh ar an seomra tobac. Fir amháin a bhí istigh ansin, cuid acu ag ól tobac is biotáille, agus dream eile ag imirt billéardaí. Shuigh Mary síos i gcathaoir bhog i gcúinne agus las toitín.

Níorbh fhada go raibh na faolchúnna ag cur forráin uirthi.

"Níl deoch uaim, go raibh maith agat . . ."

"Níor mhaith liom siúl amach faoin aer féachaint ar na réaltaí . . ."

"Ná féachaint an bhfuil cnoc oighir le feiceáil ach oiread . . ."

"Níl an dara toitín uaim . . ."

"Ar an drochuair, ní bheidh mé saor le haghaidh an bhricfeasta maidin amárach . . ."

"Ní bheidh mé ag stopadh i Londain, faraor géar. Beidh m'fhear céile ag bualadh liom i Southampton."

Lig Mary osna. Na bréaga a bhí le spalpadh ag bean shingil a bhí ag taisteal ina haonar. Toisc go raibh sí i ndiaidh an seomra tobac, daingean na bhfear, a thaithí, cheap siadsan gur mhaith léi taithí leosan! Nó gur cliúsaí mná í nó bean níos measa ná sin. Rith sé le Mary gur dhócha go raibh Caitlín i ndiaidh cur suas le hócáidí mar sin de réir mar a thaistealaíodh sí timpeall an domhain ar son chúis na hÉireann. Cinnte a bhí Mary nach gcúlódh a cara roimh scata fear. Bhain Mary smailc fhada as an toitín. D'fhan sí tamall eile le taispeáint dóibh nach raibh siad leis an ruaig a chur uirthi agus nach raibh mórán spéise aici iontu sular bhailigh sí léi tríd an cheo toite amach as an seomra. Mionbhua é, b'fhéidir, ach ceann beag tábhachtach é do Mary tar éis do na fir thuas ar an 58ú hurlár in Áras Woolworth í a dhíbirt.

-II-

An rud ba mhó dá ndearna sí i gcaitheamh an aistir ná a bheith ag léamh, sa tráthnóna go háirithe. Thugadh an freastalaí—Jethro a ainm, a d'inis sé di, agus bhí lámh agus focal idir é agus cailín aimsire sa chéad ghrád—thugadh seisean uisce beatha te di ina cábán tar éis an dinnéir chun cuidiú léi deascán an tslaghdáin a chur di. Agus í ag lasadh toitín eile agus í ag casachtaigh go piachánach, thug Mary an leabhar go raibh sí le ligean de na toitíní mallaithe sin faoin am a sroichfeadh sí Nua-Eabhrac arís.

I dtosach, d'athléigh sí cín lae Chaitlín ón tsanatóir. Rinne Mary a dícheall gan bacadh leis na tagairtí di féin agus d'Oliver. An rud ba mhó a bhí uaithi ná tuiscint a bheith aici ar an saghas duine a bhí sa Chonaireach. Ba dhoiligh di a chreidbheáil nár aithin a cara go raibh rud éigin amhrasach ag baint leis, go raibh rúin á gceilt aige uirthi.

Chas Mary an scríbhinn thart le hamharc ar an dráma, "The Cherry Bird," agus chuaigh ag póirseáil tríd. Bhí sí i ndiaidh é a léamh tamall roimhe sin agus san am chuir sí spéis sa scéal faoin dóigh a raibh an t-iriseoir mná, Pat Desmond, i ndiaidh a seanleannán, Dick Hamilton, a shábháil ó chrúba The Cherry Bird is athmhuintearas a dhéanamh idir é féin is a bhean chéile. Lena chois sin, chuir sí sonrú i gcúlra an scéil, é suite i Winnipeg, ach Éireannach ó dhúchas ba ea Pat, a bhí gléasta—d'aimsigh Mary an tagairt—"in a light coppery or gold-coloured satin, with Celtic embroideries in black and other colours skillfully blended, [and she] carries a black and gold fan, also of Celtic design." "By the deer"—dar fia, a thuig Mary—an nath cainte ab ansa le Pat chóir. D'aimsigh Mary sliocht a bhí marcáilte aici, agus d'athléigh os ard é, í ag cur a gutha in oiriúint do na pearsana éagsúla. Bhí súil aici nach gcloisfeadh aon duine sa chéad chábán eile í:

> **Betty Byron:** Has Dick Hamilton gone off? He appeared to be looking for someone.
> **Mrs. Cobbett:** His wife, I suppose.
> **Pat** *(To whom the news of her old lover's marriage is a distinct shock, speaks with an evident effort to make her remark sound usual)*: His wife! When was he married? I hadn't heard . . .
> **Betty Byron:** Oh, it's a year or more.
> **Pat:** And the girl? Who was she? *(Pat, who has been somewhat nervously rearranging a vase of tall red lilies near her, keeps her face turned from her friends.)*
> **Mrs. Cobbett:** I've forgotten her name. A pretty little girl off a western ranch. Only knew each other three months, I'm told. Astonished everyone.
> **Pat** *(Who has recovered her poise)*: That was the news he meant to tell me, but Palmmy intervened. *(Airly)* Think of a philanderer like Dick being actually settled.

Ní raibh a fhios ag Mary cén lámh a bhí ag an Chonaireach sa dráma. Cuid suntais é gur caitheadh le Dick Hamilton tríd síos amhail is nach raibh ann ach buachaill beag millte nach raibh in ann a aigne a dhéanamh suas faoin saghas milseáin a bhí uaidh sa siopa. Is ea, d'aimsigh Mary an líne a bhí marcáilte aici: "Dick Hamilton has always been a greedy irresponsible boy helping himself to whatever he wants no matter who suffers." I gcomparáid leis sin, cuireadh an milleán ar fad ar The Cherry Bird, amhail is gur ghadaí í a bhí tar éis an siopa céanna a robáil leis an láimh láidir. Cé faoi deara an láimhseáil sin, Caitlín nó Ó Conaire nó an bheirt acu? Lig Mary osna is bhrúigh an scríbhinn uaithi. Ba dhoiligh di a cuid ceannfháthanna féin a thuigbheáil an chéad lá riamh gan trácht ar chuid Chaitlín is an Chonairigh is a gcuid pearsan ficseanúil. Rachadh sí síos go dtí an seomra siamsa. Ar a laghad, ní chuirfeadh scannán de chuid Charlie Chaplin tinneas cinn uirthi.

An tráthnóna ina dhiaidh sin, thóg Mary amach *Seacht mBuaidh an Eirghe-Amach*. Ar nós Chaitlín ina cín lae, chuir sí sonrú sa tiomnú do *"Anna Ghordún."* D'iniúch Mary clár an leabhair féachaint an rachadh aon cheann de na teidil i gcion uirthi. Duine í Mary nach raibh mórán dúile aici i bhficsean riamh. Aturnae is iníon póilín í a chreid nach raibh samhlaíocht sách maith ag aon scríbhneoir chun na rudaí a chloisfeadh is a d'fheicfeadh aturnae nó póilín a bharraíocht. Ba ar bhonn randamach a roghnaigh Mary "Beirt Bhan Misneamhail." Níorbh fhada go raibh sí meallta ag an phlota, ag an léiriú báúil ar na mná. Scéal beag deas é, arsa Mary léi féin. An oíche chéanna, d'fhan sí ina suí go déanach agus í ag déanamh a slí trí na scéalta eile sa chnuasach . . . "Anam an Easbuic" ar scéal beag taitneamhach eile é . . . "Rún an Fhir Mhóir" . . . "Ceóltóirí" . . . "Dioghaltas" . . . "Bé an tSiopa Seandachta"

. . . dóbair gut thit sí ina codladh leath bealaigh tríd gan í a bheith cinnte an uirthi féin mar léitheoir súgach nó ar an Chonaireach mar údar falsa a bhí an milleán. Cinnte, theip ar na ceithre scéal sin breith ar a samhlaíocht. Rinne Mary méanfach, d'fhéach ar a huaireadóir. Bhí sé ag tarraingt ar a trí a chlog ar maidin. D'fhéadfadh sí fanacht sa leaba ar maidin: ní hé go raibh aon áit le dul aici agus í ar bord loinge amuigh i lár na farraige móire! Bhainfeadh sí an ceann den scéal deireanach, "M'Fhile Caol Dubh" . . . Léigh Mary ó thús deireadh é d'aon iarraidh amháin. Bhí sí ina lándúiseacht seal fada tar éis di an scéal a chríochnú, í ag dul siar ar an phlota ina haigne agus ag féachaint le ceangal a dhéanamh idir an scéal gona thriantán suthain agus "The Cherry Bird." Faoin am ar thit Mary ina codladh, bhí lucht freastail na loinge ag ullmhú do chéadphroinn na maidine.

Sna laethanta ina dhiaidh sin, léigh Mary dornán scéalta ó *Nóra Mharcuis Bhig*, ó *An Sgólaire Bocht* agus ó *An Chéad Chloch* agus bhain sí an ceann de *Deoraidheacht*. B'fhéidir gurbh é an giúmar a bhí ar Mary, agus an línéar ag éirí níos gaire don Eoraip, agus í á ceistiú féin faoi theacht ar an turas seo ina haonar é. B'fhéidir gurbh é an tobac é. Nó toisc nach raibh an oiread sin alcóil slogtha aici lena beo agus a bhí ó tháinig sí ar bord. Nó toisc go raibh barraíocht ama caite aici léi féin istigh sa chábán beag cúng sin. Mhothaigh sí go raibh míreanna as scéalta Uí Chonaire is as cín lae Chaitlín is ar ar tharla di féin le Max measctha lena chéile in aon mheall mór gruama amháin ina hinchinn. B'ann don fheall agus don díoltas agus don anbhás. B'ann do ghníomhartha nár míníodh ar aon bhealach sásúil riamh. Thar aon rud eile b'ann d'aon bhunfhíric de chuid na beatha. Ba iad na mná a bhí thíos leis na gníomhartha sin de chuid na bhfear. Ba iad na mná a tréigeadh. Is ea, téama é sin a bhí chomh hársa smolchaite le stair an chine dhaonna. Téama é a bhí chomh méaldrámata leis na húrscéalta rómánsúla saora sin a bhí dírithe ar mhná is a léadh Gertrude le fonn. Téama é nach raibh a shamhail air, a dúirt Mary léi féin, ach an saghas scéil a scríobhfadh an Conaireach. "An Bheirt Bhan Mhillte" a thabharfadh sé air. Ina chás siúd, d'agródh bean díoltas ar an fhear a rinne feall uirthi is chuirfeadh roimpi é a dhúnmharú trí philéar a scaoileadh trína shúile. Gheobhadh an dara bean bás á shábháil ar an anbhás! B'in an Conaireach, fear a bhí i gcumas scéal beag maoithneach ar nós "Beirt Bhan Misneamhail" a scríobh, fear a raibh dúil chuideachtúil is dúil chollaíochta aige sna mná, ach fear nár éirigh leis riamh fanacht socair fada go leor le haithne cheart a chur ar aon bhean mar dhuine. Anuas air sin . . . seo rud nár thuig Mary riamh, agus rud nach dtuigfeadh sí go deo. B'iúd Caitlín Ní Aodha. Murarbh ionann is aon *femme fatale* de chuid na staire nó na litríochta, ba bhean láidir sheiftiúil í a chuir roimpi post ollscoile mar scríbhneoir cónaitheach a mhaoiniú d'fhear a rinne feall uirthi! In ainm Chroim, cad é mar a d'fhéadfadh Caitlín a bheith chomh móraigeanta maiteach sin nuair nach raibh tuillte ag an Chonaireach ach piléar trína shúile féin?

Bhain Mary searradh aisti féin. Bhí uirthi an ghruamacht sin ar gheall le galar dubhach é a ruaigeadh as a haigne. Chuirfeadh sí a bailiúchán leabhar ar leataobh don chuid eile den turas agus rachadh sí amach i measc phaisinéirí na loinge le blaiseadh dá gcuideachta is dá gcaint. B'fhéidir go mbuailfeadh sí le fear deas ciúin a chuideodh léi an t-am a mheilt idir é sin agus Southampton. Fad is nár Shasanach é. Nó nárbh as Talamh an Éisc dó. Nó scríbhneoir. Nó aturnae . . . Nach ndéanfadh Francach soilbhir séimh cúis? Dhéanfadh cinnte ach b'ann d'fhear amháin agus b'fhearr léi eisean thar aon fhear eile a bheith léi ag an bhomaite sin.

B'in Oliver, fear nár loic uirthi. Ar an drochuair, ní raibh teacht air anois in am a gátair agus gan í a bheith cinnte go mbeadh sé ann di amach anseo. Ach cad a dúirt sé sular fhág sé slán léi ag Hoboken faoi theacht le bualadh léi ar fhilleadh ar Nua-Eabhrac di? Dúirt sé sin ceart go leor agus ba leor di gan dearmad a dhéanamh air. Sheas Mary suas ina cábán is tharraing uirthi a cóta. D'fhreastalódh sí ar na ranganna cróise sin leis na máithreacha mórbhrollaigh agus leis na maighdeana seasca . . .

-III-

Thóg sé dhá lá eile ar an línéar Southampton a bhaint amach. Tar éis do na húdaráis a pas a scrúdú is a stampáil is tar éis di a bagáiste a bhailiú ón lucht custaim, d'imigh Mary ar an traein go Stáisiún Victoria i Londain is fuair tacsaí chuig Teach Ósta Charing Cross. D'aon úim a bhí an lóistín sin socair aici ó tharla gurbh é seanlóistín Chaitlín é.

Chaith Mary an dá lá cheathacha ina dhiaidh sin ag siúl timpeall lár na cathrach. Ba thógáil croí di a bheith ar an talamh titim agus a bheith in ann imeacht léi i mbéal a cinn. Thug sí cuairt ar na mór-radhairc iomráiteacha. D'fhéach sí leis na hionaid a bhí luaite ag Caitlín ina cín lae a aimsiú. B'éasca teacht ar Áras Trafalgar ach ní raibh oifig ag an Agent-General of Alberta ann a thuilleadh. Sheiceáil sí na hainmchláracha ag doras mór 77 Sráid Fleet, shiúil suas agus anuas an staighre taobh istigh. Ní raibh aon rian de Chonradh na Gaeilge ann. "Gaelic wot?" arsa fear beag oifige le Mary tar éis di gabháil isteach in oifig amháin. Shiúil sí suas agus anuas Sráid Duke féachaint an dtiocfadh sí ar na seomraí ina mbíodh na céilithe is na seilgeanna. Ach ní raibh uimhir an tí féin luaite i gcín lae Chaitlín. Ní raibh ann ach caolseans go mbeadh seomraí an Chonartha san áit sin go fóill. Tréimhse dosaen bliain a bhí ann ó d'oibrigh Caitlín i Londain. Seal sách fada é sin an lá ab fhearr riamh.

Sa chás áirithe seo, bhí an domhan mór ina chíor thuathail idir an dá linn, seanimpireachtaí leagtha ag an Chogadh Mór is Conradh Síochána Versailles ina dhiaidh, Poblacht na hÉireann bunaithe is séidte san aer ó shin, agus gan fágtha ina diaidh ach stáitín neamhbhuan an Tuaiscirt agus an Saorstát. Smaoinigh Mary ar ghabháil amach chuig an teach ina mbíodh cónaí ar mhuintir Uí Chonaire. Chuir sí uaithi an nóisean sin go beo. De réir cosúlachta, ba in Éirinn ba mhó a chaitheadh an Conaireach a chuid ama. Fiú dá mbeadh an bhean is an chlann ann go fóill, ní raibh aon ghnó ag Mary díobh.

Ar mhaidin an tríú lá, thug sí aghaidh ar Stáisiún Euston chun an traein a thógáil go Holyhead. Níor thuig fear na dticéad cad chuige nach mbeadh bean Mheiriceánach, a raibh cuma an ghustail uirthi, ag iarraidh taisteal i gcarráiste den chéad rang in ionad a bheith i gcarráiste den dara rang nó den tríú rang, sa 'Pháidí-vaigín.'

"B'fhearr liom suí le mo mhuintir féin," a d'fhreagair Mary go colgach.

-IV-

Chorraigh a croí nuair a d'aithin Mary uaithi trídhathach na hÉireann ag foluain le gaoth os cionn halla fáiltithe na cé i nDún Laoghaire. Ba mhothúchánach an radharc é cinnte. Ach . . . ach, ar sise léi féin, ní raibh an bhratach sin ar crochadh le fáiltiú roimpi chuig Éirinn gan roinnt. B'ann don Saorstát, don Chríochdheighilt is do thruailliú aislinge . . .

In ainneoin fhuacht is thaise mhí an Mhárta, d'fhan

Mary ar an deic, agus í ag sú isteach an tírdhreacha—na cnoic ó dheas, caithfidh gurbh é sin Binn Éadair ó thuaidh—suíomh Dhún Laoghaire féin agus Baile Átha Cliath ag síneadh amach roimpi ar dheis. Mhoilligh sí gur dhruid an bád poist, an *RMS Cambria*, isteach taobh le balla na cé gur fheistigh baill den fhoireann í. Níorbh ann don Phoblacht go fóill, ach ba mhairg nach raibh Caitlín nó a hathair nó—nó Oliver féin, a d'admhaigh Mary—léi chun an ócáid seo, a teacht i dtír ar thalamh glas na hÉireann den chéad uair, a roinnt léi.

Ba leor an mhoill a bhí ar na paisinéirí imeacht den bhád chun cuid dá sceitimíní áthais a leá. Tar éis di teacht anuas an clord faoi dheireadh is a chinntiú go raibh a bagáiste uilig aici, d'fhruiligh Mary tacsaí a thóg go hÓstán an Royal Hibernian ar Shráid Dásain í, áit a raibh lóistín curtha in áirithe aici. Ag an chuntar sa halla fáiltithe, scríobh sí ábhar teileagraim is shocraigh le muintir an tí ósta go dtógfadh giolla go hoifig an phoist é. Bheadh a hathair buartha fúithi—cé go mbeadh Josephine ann le friotháil air. Bhí an ceart ag Oliver ansin cibé ar bith. D'ordaigh Mary go gcuirfí tae suas chuici agus thug aghaidh ar a seomra. Bheadh néal codlata aici agus ansin bheadh sí réidh le dul ag obair.

Caibidil a Cúig

-I-

Rinne Mary iontas d'Ardoifig an Phoist ar Shráid Uí
Chonaill. Ba mhinic a bhí grianghraif den chreatlach
scriosta dóite feicthe aici. Bhí an obair atógála faoi lánseol,
fir adaic ag gluaiseacht siar is aniar, fearas tógála á ardú le
hulóga, is clampar meascthóirí suiminte. Sheas Mary ar an
chosán taobh amuigh de shiopa ilranna Clerys, is bhain lán
a súl as an radharc. Mhothaigh sí tocht ina sceadamán ar
dhóigh nach mothódh sí go deo is cuma cá mhéad teach
spéire a d'fheicfeadh sí lena beo i Manhattan. Ba ar an bhall
sin a d'fhógair Pádraig Mac Piarais an Phoblacht chóir a
bheith deich mbliana roimhe sin. Forógra é agus ar lean de
a thug ar Chaitlín agus ar Mary féin ina dhiaidh sin mionn
agus móid a thabhairt go n-oibreoidís ar a mbionda chun
náisiún beo glórmhar a dhéanamh d'aisling na Poblachta.
Siombail a bhí in Ardoifig an Phoist a sheas don Phoblacht.
Leagadh go talamh í ach bhíothas á hatógáil arís. Cuireadh
an Phoblacht faoi chois faoi dhó ach mhair sí i gcroí lucht
na dílseachta agus thiocfadh an lá nuair a bheadh an
Phoblacht athréimnithe. Nuair a thiocfadh an lá sin, ba é
an chéad rud a bheadh le déanamh acu ná Túr gránna
Nelson a leagan go talamh!

Faoi dheireadh, bhog Mary ar aghaidh. Bhí a cuid ama
teoranta toisc nár chorraigh sí as an leaba an lá roimhe sin

tar éis di titim ina codladh faoi dheireadh agus go raibh sí le dul ó thuaidh go Contae an Chabháin le stopadh le hUncail Ned, leathchúpla a hathar, an mhaidin dár gcionn. Ní bhfaigheadh sí deis cuairt a thabhairt ar uaigh Harry Boland i Reilig Ghlas Naíon nó féachaint le bualadh le de Valera is a insint dó go raibh Gael-Mheiriceánaigh ann i gcónaí a sheas leis an Phoblacht . . . Cibé ar bith, más fíor do na ráflaí, bhí de Valera féin ar tí scarúint ó Shinn Féin agus a chúl a thabhairt leis an Phoblacht chéanna. Feall é sin a bhrisfeadh croí Chaitlín, dá mbeadh sí beo i gcónaí. Agus gan ann ach scoilt i ndiaidh scoilte, ba leor do Mary rud siombalach amháin a dhéanamh sula dtabharfadh sí aghaidh ar an tasc a bhí le comhlíonadh aici ar son Chaitlín is thar ceann na nGéanna Fiáine. Stopfadh sí ag an láthair mar ar maraíodh Cathal calma Brugha taobh amuigh d'Óstán Hammam ag ceann thuaidh Shráid Uí Chonaill is paidir a chur le hanamacha uaisle laochra na Poblachta.

-II-

"Pádraic Ó Conaire, a deir tú? Agus cé thusa, a deir tú?" An Fear Mór Rua a bhaist Mary air ar an phointe.

"Ní dúirt mé cé mise. Mary Morrison is ainm dom. Is ea, tá mé ag iarraidh teacht suas leis an Uasal Ó Conaire." D'fhéach Mary leis an mhífhoighde a bhí ag borradh inti a bhrú faoi chois. Thabharfadh sí buille faoi thuairim as a taithí ghairmiúil go raibh foireann ardoifig Chonradh na Gaeilge ar Chearnóg Parnell cleachta ar dhaoine a bheith sa tóir ar an Chonaireach. Mná agus fir chéile na mban a bhformhór.

"Agus is as Meiriceá thú, a deir tú? . . . Agus tháinig tú an bealach ar fad le Pádraic a fheiceáil?"

"Ní dúirt mé é sin ach oiread, ach tá an ceart agat. Is as Meiriceá mé. Níor tháinig mé an bealach ar fad chun an tUasal Ó Conaire a fheiceáil ach ó tharla go bhfuil mé in Éirinn, ba mhaith liom bualadh leis . . . faoi ghnó tábhachtach."

Thug Mary faoi deara go ndeachaigh an focal "tábhachtach" i bhfeidhm ar an Fhear Mór Rua.

"Bhuel, nach iontach an rud é sin? Tú ó Mheiriceá agus Gaeilge chomh paiteanta sin agat. Agus cad é mar atá cúrsaí thall i Meiriceá? An bhfuil sibh ag cruthú go maith?"

Dóbair gur lig Mary scread aisti. Ba mhaith léi an Fear Mór Rua sin a thachtadh. Ach ní raibh seoladh poist aici le haghaidh an Chonairigh ó tháinig an dara litir a chuir sí chuige ag an seoladh i Mullach Íde ar ais chuici gan oscailt fosta. Dá mbeadh an t-eolas ag aon dream i mBaile Átha Cliath, cheapfaí gur ag muintir an Chonartha a bheadh sé. Agus b'fhéidir go raibh, dá dtiocfadh léi é a mhealladh ón fhear mallaithe seo a raibh dúil aige i gcluiche cainte. Bhuel, dá mba ghá é, d'imreodh sise an cluiche céanna.

"Tá cúrsaí go breá i Meiriceá . . ."

Bhain sé deich mbomaite eile as Mary an comhrá a stiúradh ar ais i dtreo an Chonairigh. Faoin am sin, bhí an dara duine i ndiaidh teacht isteach san oifig.

"Seoladh Phádraic? Níl sé sin againn. An bhfuil?" arsa an Fear Mór Rua leis an Fhear Beag Buí.

"Maise, níl. Déarfainn nach bhfuil seoladh buan ag Pádraic."

"Ach tá sé anseo i mBaile Átha Cliath?" Bhí imní ag teacht ar Mary gur turas in aisce a bheadh ann.

"Baile Átha Cliath . . . agus Cill Mhantáin? Nach mbíodh tigín beag aige thíos ansin?" arsa an Fear Mór Rua leis an Fhear Beag Buí.

"Bhíodh, cinnte. Agus téann sé siar go minic freisin."

"An bhfuil a fhios agaibhse an bhfuil sé i mBaile Átha Cliath faoi láthair? An bhfeiceann sibh é ar chor ar bith?"

"Bhuel, buaileann Pádraic isteach chugainn anseo ó am go chéile."

"An raibh sé istigh ar na mallaibh?"

"Cad a déarfá? An raibh Pádraic istigh anseo ar na mallaibh?" a dúirt an Fear Mór Rua leis an Fhear Beag Buí.

"Fan go bhfeice mé? Hmm, nach raibh sé anseo an tseachtain seo caite?"

"Bhí, a dhuine. Bhí, ambaiste. Is maith is cuimhin liom é ina sheasamh ansin ag an chuntar áit a bhfuil an bhean uasal seo ó Mheiriceá anois."

"Ar ndóigh, d'fhéadfadh sé a bheith ar shiúl arís faoin am seo. Tá a fhios agat Pádraic. Fánaí cruthanta é."

"Fánaí amach is amach é. É féin agus a asal beag dubh."

"Cara le Pádraic thú, a bhean uasal?" arsa an Fear Beag Buí.

"Ara, ní dúirt sí sin ar chor ar bith," a d'fhreagair an Fear Mór Rua. "Deir an bhean uasal Mheiriceánach seo a bhfuil an Ghaeilge ar a toil aici go bhfuil gnó tábhachtach aici le Pádraic."

"Gnó tábhachtach. Bhuel, tig leat teachtaireacht a fhágáil anseo dó, más mian leat, a bhean uasal, agus tabharfaimid dó í a thúisce is a fheicimid é."

"Tá gnó tábhachtach . . . iontach tábhachtach . . . agam leis. Níl a fhios agaibh cá dtiocfainn air inniu?"

"Gnó iontach tábhachtach, a deir tú. An gcloiseann tú sin?"

"Cloisim, cinnte. Tá gnó iontach tábhachtach ag an bhean seo le Pádraic . . . Gnó iontach tábhachtach . . ."

"Gnó práinneach é i ndáiríre—a bhaineas lena chuid scríbhneoireachta." Thuig Mary gur cuma nó impí é seo. "Beidh mé ag filleadh ar Mheiriceá go luath agus caithfidh mé Mac Uí Chonaire a fheiceáil roimhe sin."

"Gnó práinneach a bhaineas lena chuid scríbh-neoireachta. Ar ndóigh, an-scríbhneoir is ea Pádraic."

"Is ea, tá ardmheas agam ar a chuid leabhar." Ar a laghad, d'fhéadfadh sí na teidil a lua gan aon stró. "Bheinn faoi chomaoin mhór agaibh dá n-inseodh sibh dom cén áit ba mhó a dtiocfainn air i mBaile Átha Cliath."

"Bhuel, thiocfadh leat triail a bhaint as an DBC ar Fhaiche Stiabhna . . ."

"Nó as Monto . . ."

"Monto? Cá bhfuil sé sin?" Bhí Mary ag iarraidh na háitainmneacha aisteacha seo a chur de ghlanmheabhair.

"Cuir uait," arsa an Fear Mór Rua leis an Fhear Beag Buí. "Ná bac leis sin, a bhean uasal. Ní áit í sin a thaitheodh Pádraic cóir choíche ar ór ná ar airgead . . . bhuel, ó thug na Gardaí ruathar rátha ar an áit mhallaithe sin anuraidh."

"Cad é?" Ó tharla nach raibh cosc ar alcól in Éirinn, faoi mar a bhí i Meiriceá, caithfidh go raibh siad ag tagairt do theach nó do cheantar meirdreachais.

"Anois, a bhean uasal," arsa an Fear Mór Rua. "Ní thig liom insint duit go cinnte cá dtiocfá ar Phádraic nó an bhfuil sé i mBaile Átha Cliath féin faoi láthair. Ach . . ." D'ardaigh sé leathlámh sular labhair an Fear Beag Buí arís. "Ach má tá an bheirt acu timpeall, beidh sé leis an Fhlaitheartach . . . Liam Ó Flaithearta, tá a fhios agat . . . Is dócha gur chuala sibh trácht ar an scabhaitéir sin i Meiriceá, a bhean uasal?"

"Agus? . . ." Bhí súil le Dia ag Mary nach dtosódh an dís seo ar *The Informer* a phlé. Ainneoin nach raibh an t-úrscéal léite aici nó ag mórán eile dá lucht aitheantais, bhí léirmheas air léite aici sa *New York Times* agus bhí sí den tuairim nach dtaitneodh an t-úrscéal ná an t-údar léi.

"Cloisim gur minic a bhíonn siad ag ól thuas i Madame Cogley's Cabaret."

"Cad é?" arsa Mary agus imir den amhras ina guth. Bhí blas meatach de chuid Pháras na Fraince air sin.

"Síbín Toto Cogley thuas ag 29 Sráid Fhearchair. Cuir ceist ar aon Gharda thall ansin agus tabharfaidh sé eolas na slí duit. Ach . . ." Chaoch an Fear Mór Rua súil ar Mary. " . . . abair leis go bhfuil tú ar lorg an Chlub Drámaíochta."

Ghabh Mary buíochas leo is chas i dtreo an dorais. Mhothaigh sé spíonta amhail is go raibh aturnaetha trialach i ndiaidh diancheastóireacht a dhéanamh uirthi. Agus í ag imeacht an doras amach, chuala sí an comhrá taobh thiar di.

"Stumpa breá í."

"Is ea, agus í an bealach ar fad ó Mheiriceá agus an Ghaeilge aici."

Ní thiocfadh léi a bheith cinnte nach ag magadh fúithi a bhí an bheirt sin agus go mbeidís ag insint scéalta dá lucht aitheantais inniu is go ceann i bhfad faoin bhean bhaoth Phoncánach a bhí sa tóir ar Phádraic Ó Conaire.

-III-

Ba mhór an trua nach mbeadh sí saor an tráthnóna sin. Bhí súil ag Mary go mbeadh ionú aici ar ghabháil chuig Amharclann na Mainistreach le hamharc ar *The Plough and the Stars* le Sean O'Casey. Ar nós *The Informer*, bhí léirmheas air léite aici sa nuachtán, faoin chonspóid nuair a thug O'Casey Poblachtaigh a raibh an Trídhathach á iompar acu le chéile i dteach tábhairne, áit a raibh striapach i mbun stocaireachta le haghaidh a gnó féin. Ar nós *The Informer*, gach seans nach dtaitneodh an saothar ná an t-údar léi ach oiread. B'fhéidir nár dhrochrud é nach mbeadh sí i láthair. Cibé ar bith, b'fhéidir go bhfeicfeadh sí seó anocht dá mbeadh dráma éigin, ceann coimhthíoch féin, ar siúl i Madame Cogley's Cabaret. Ach i ndeireadh na dála, ba é an rud ba thábhachtaí ná go bhfeicfeadh sí Ó Conaire sula dtabharfadh sí aghaidh ar Chontae an Chabháin.

Ní thiocfadh léi mórán a dhéanamh faoin Chonaireach go dtí an tráthnóna. Idir an dá linn, bheadh cúpla uair an chloig ar a toil aici. Chaith Mary seal ag siúl timpeall lár na cathrach. Cheannaigh sí hata dá hathair Tigh Clerys. D'fhill sí chun carbhat bréidín de chuid na hÉireann a cheannach. Le haghaidh Oliver, b'fhéidir. Dá n-athródh sí a haigne, gheobhadh a hathair an dara bronntanas. Rinne sí a slí síos go dtí an áit a mbíodh Halla na Saoirse. Chaith sí seal ag glinniúint ar Theach an Chustaim. Tháinig aniar is mhoilligh ar Shiúlán Bhaitsiléir sular thug sí aghaidh ar na Ceithre Cúirteanna gona gcruinneachán a bhí ina smidiríní. Loisc an scéala croí Chaitlín nuair a thiontaigh Mícheál Ó Coileáin gunnaí ordanáis Londan ar a chomh-Éireannaigh. Ach in ionad ligean don ghráin is don ghruaim an ceann ab fhearr a fháil uirthi, bhunaigh sí na Géanna Fiáine chun na Gaeil i mbaile is i gcéin a aontú le chéile is an t-athmhuintearas a chothú.

Tar éis di an lón a chaitheamh i mbialann bheag gar do Shráid an Fheistí, rinne Mary a slí siar ar na céanna ar bhruach theas na Life. Stop sí ag siopa leabhar Geo. Webb ar Ché Crampton. B'fhéidir go bhfeicfeadh sí leabhair staire a mbeadh dúil ag a deartháir iontu. Saothar faoi stair Shasana ba mhó a bhí acu sa siopa, a thug sí faoi deara. Tháinig sí ar dhornán leabhar faoi Éirinn sular luigh a súil ar sheilfeanna ar a raibh foilseacháin faoi Thiarnais de chuid Impireacht na Breataine Móire . . . an Astráil . . . an Nua-Shéalainn . . . an Afraic Theas . . . Talamh an Éisc . . . Ceanada . . . An tagairt do Cheanada a thug ar Mary an dara spléachadh a thabhairt gur leag sí a lámh ar leabhar, ar dhá leabhar, le Katherine Hughes. Thóg sí amach

Archbishop O'Brien. Man and Churchman gur léigh an inscríbhinn: *"Do mo mháistir foighdeach, Pádraic Ó Conaire, Le meas i gcónaí, ó scoláire bocht, Caitlín Ní Aodha, 6 mí na Nodlag 1913."* Níor ghá di clúdach an dara leabhar a oscailt. Bhí a fhios ag Mary cad a bheadh scríofa ag tús *Father Lacombe, The Black-Robe Voyageur.* Nár ghránna an mhaise don Chonaireach leabhair Chaitlín a dhíol, an fhreagairt fheargach a bhí ag Mary. Tar éis do Chaitlín na leabhair seo aigesean a choinneáil slán sábháilte in ainneoin a cuid taistil agus, go háirithe, tar éis do Chaitlín cur roimpi lámh chuidithe a thabhairt dó, ar sise léi féin agus í ag téamh ina craiceann. Theann Mary an dá leabhar lena croí. Rug sí iad léi go cuntar an tsiopa. Réal an ceann a thug sí orthu.

D'ith Mary a dinnéar ag an Royal Hibernian. Timpeall a hocht a chlog, d'fhruiligh sí tacsaí chun í a thabhairt go Sráid Fhearchair. Ródhorcha a bhí sé, ró-aineolach ar na sráideanna a bhí Mary, le dul de shiúl na gcos. Suas Sráid Dásain leis an tacsaí, timpeall Fhaiche Stiabhna leis chomh fada le Sráid Fhearchair gur stop sé thart le Plás Camden. Ar nós na dtithe eile sa tsráid, teach ard Seoirseach a bhí in Uimhir 29.

Mhoillligh Mary ar an chosán tar éis di táille an tacsaí a ghlanadh. Bhreathnaigh sí ar an teach os a comhair. Diomaite den uimhir ar an doras, ní raibh aon chomhartha ann gur club drámaíochta nó tábhairne Francach féin é an t-áras sin. Ní raibh aon duine eile amuigh agus ní raibh ach corrsholas lasta istigh. Bhí súil ag Mary nach raibh an pleidhce sin in oifig an Chonartha i ndiaidh an seoladh contráilte a thabhairt di. Ar feadh meandair, smaoinigh sí ar fhilleadh ar an teach ósta ach bhí an fear tacsaí i ndiaidh bailiú leis cheana agus níor shíl Mary go mbeadh sí ar a suaimhneas ag siúl ar ais sa dorchadas. Cibé ar bith, bhí cúram le cur di aici. Shiúil sí suas na céimeanna chuig an teach agus bhuail an baschrann go trom.

Searbhónta mná a d'oscail an doras tar éis an dara cnag.

"Haileo, an é seo Madame Cogley's Cabaret?" a d'fhiafraigh Mary di go stadach.

"Thíos staighre, san íoslach," a d'fhreagair an bhean de ghuth fulangach amhail is gur cuireadh an cheist chéanna is gur freagraíodh í go rómhinic cheana. Nuair nár bhog Mary, phointeáil sí i dtreo an gheata ag na ráillí thíos. "Ach níl aon dráma ar siúl ann anocht."

"Ó," arsa Mary agus idir dhíomá agus fhrustrachas ina glór. "Tá sé druidte mar sin."

"Níl aon dráma ann anocht, a deirim. Déarfainn nach gearánta do na gnáthchustaiméirí é sin. Ní chaithfidh siad cur suas leis an ealaín, mar dhea, sula mbeidh fliuchadh a mbéil acu." D'fhéach an searbhónta go grinn ar Mary. "B'fhéidir nach é an t-ionad is fearr do bhean mheasúil é," a mhaígh sí sular dhruid sí doras mór an tí.

Chas Mary thart is thug gliúc thar na ráillí. Is ea, bhí staighre iarainn ag dul síos ó leibhéal na sráide agus bhí solas le feiceáil ó fhuinneog an íoslaigh. Chroith Mary a guaillí. Mhothaigh sí go raibh sí i ndiaidh an lá ar fad a chaitheamh ag déanamh folach bíog agus í sa tóir ar an Chonaireach. Bhí súil aici go mbeadh deireadh leis an chluiche sin anois.

-IV-

"Tá aiféala orm ach tá an club drámaíochta druidte faoi láthair. Beidh seó úr ar siúl an tseachtain seo chugainn."

Chuir an bhean ard chatach a raibh gúna fada corcra is clóca dubh uirthi chun an doras a dhúnadh ach d'ardaigh Mary a ciotóg chun breith ar thaobh an dorais.

"Is tusa Madame Cogley?"

"Is mé. Madame Toto Bannard Cogley le bheith cruinn." Rinne an bhean gáire beag amhail is go raibh sí ag magadh fúithi féin. "Ach tugann gach duine Daisy orm."

"Is mise Mary Morrison agus . . ." Bhí Mary go fóill idir dhá chomhairle cad eile a déarfadh sí nuair a d'ardaigh an bhean eile a lámh.

"Is tusa an bhean Mheiriceánach atá ar lorg Phádraic Uí Chonaire . . . tar isteach. Agus ná bíodh lá iontais ort, a bhean uasal. Is é Baile Átha Cliath an sráidbhaile is mó ar dhroim an domhain!"

Agus corrabhuais uirthi, lean Mary an bhean eile isteach san íoslach go seomra mór leathan ina raibh cathaoireacha agus cúpla bord cruinn, ballaí faoi thaipéisí ar a raibh pictiúir iomráiteacha de chuid Phárais—Montmartre, La Tour Eiffel, agus Musée du Louvre na cinn a d'aithin Mary ar an phointe—agus thuas ag barr an tseomra, murarbh ionann is ardán ceart amharclainne, stáitse beag troigh ón urlár. Bhí dornán fear ina suí ag táblaí ar an stáitse, iad i mbun cainte agus óil agus an chuma orthu nárbh eol dóibh cuairteoir a bheith ina measc.

Stop Madame Cogley is chas chuig Mary nuair a bhíodar leath bealaigh trasna an tseomra.

"As siocair gur club príobháideach drámaíochta é seo, tá ceadúnas againn biotáille a dhíol lenár mbaill is lena gcuid aíonna. . . Is dócha go bhfuil sibhse thall i Meiriceá cleachta ar sheifteanna leis an cheann is fearr a fháil ar an Chosc ar Alcól."

Ní raibh a fhios ag Mary cén freagra a dhéanfadh cúis.

"Ní ball é Pádraic, faraor. Deir sé i gcónaí nach bhfuil luach na ballraíochta aige," arsa an bhean eile agus imir den mhagadh ina guth. "Mar sin, ar eagla go dtabharfadh na Gardaí cuairt orainn, déarfaimid gur tú aoi Shéamais . . . Sílim go bhfuil aithne agat air cheana."

"Séamas? Níl."

"Tá. Casadh ort é in oifig an Chonartha ar maidin."

"Ó!" Bhí ag méadú ar an chorrabhuais a bhí ar Mary.

"Tá sé ag an tábla thuas le Pádraic. Gabh i leith go gcuirfidh mé na daoine eile in aithne duit."

Lean Mary sna sála ag Madame Cogley gur bhaineadar amach an bord ar an stáitse beag. Ceathrar fear a bhí ann agus bhí comhrá bríomhar amháin ar a laghad ar siúl eatarthu. Ní fhéadfadh Mary a bheith cinnte de ach mhothaigh sí gur aithin sí an Ghaeilge, Béarla agus an Fhraincis tríd an chaint.

"A fheara," arsa bean an tí. "Tá cuairteoir againn. Mary Morrison a hainm. Aoi leatsa an bhean uasal seo, a Shéamais, bíodh a fhios agat." Ní den chéad uair an lá sin, theastaigh ó Mary an Fear Mór Rua a thachtadh, go háirithe tar éis dó beannú di amhail is gur sheanchairde iad. "Agus, a Phádraic . . ." Labhair Madame Cogley leis an fhear a raibh a dhroim le Mary. "A Phádraic, tá an bhean seo i bhfách le bualadh leatsa."

"*Qui est la femme Américaine, chère Daisy?*" Fear mór trom deargleicneach a raibh blagaid air a labhair.

"*Elle est un des amis de Pádraic.*"

"*Que veut-elle?*"

"*Elle est venue ici pour le voir.*" Chas Madame Cogley chuig Mary. "Is é seo an tOllamh Rudmose-Brown ó Choláiste na Tríonóide agus . . ." Sméid sí i dtreo ógfhir a bhí ina shuí taobh leis an ollamh. "Seo mac léinn leis . . . Gabh mo leithscéal, a dhuine uasail. Níl d'ainm ar eolas agam."

Sheas an t-ógfhear suas. Duine ard donnrua ba ea é, a raibh spéaclaí air, spéaclaí a cheil ar éigean glinniúint dhlúth a shúl.

"Samuel m'ainmse. Samuel Beckett," ar seisean go ciúin

cúthaileach gur shuigh sé síos arís ar an toirt amhail is go raibh eagla air go mbeadh air a thuilleadh a rá.

"Agus . . ." Bhí lámh Madame Cogley ar ghualainn an fhir eile. "Agus, ar ndóigh, seo an fear atá uait."

Srann a lig an Conaireach mar fhreagra.

"*Pádraic est rapidement endormi. Il est ivre mort,*" a mhaígh an t-ollamh le teann díspeagtha, agus é ag pointeáil i dtreo na mbuidéal ar an bhord.

"Ní raibh Pádraic ag baint mórán spraoi as an chluiche beag a bhí idir lámha againn," a mhínigh an Fear Mór Rua. "Bhíomar ag iarraidh a fháil amach arbh fhéidir linn scéal grinn de chuid an Bhéarla a aistriú go Gaeilge agus ansin go Fraincis gan an mianach grinn sa bhunleagan a chailliúint."

Rith sé le Mary nár mhínigh sé sin cad chuige ar thit an Conaireach ina chodladh.

"Ar ndóigh, más droch-am é seo . . ." B'fhéidir gurbh fhearr coinne eile a shocrú, arsa Mary léi féin.

"Éirigh as, Ruddy," arsa Madame Cogley agus í ag amharc ar an ollamh go crosta. "Ní raibh ach dhá bhuidéal ag Pádraic ó tháinig sé isteach. Dúisigh, a Phádraic, a chroí, tá an bhean Mheiriceánach a raibh Séamas ag caint uirthi anseo."

Mar a d'ardaigh sé a chloigeann, bhí deis ag Mary radharc ceart a fháil ar aghaidh Phádraic Uí Chonaire. Aghaidh liath chaite a chonaic sí os a comhair, amhail is go raibh an té ar leis í i ndiaidh babhta tinnis a chur de. Nó b'fhéidir nach raibh ann ach an dreach a bhíonn ar an té atá idir a chodladh is a dhúiseacht.

"A Phádraic, seo Mary Morrison, is ise an bhean ó Mheiriceá atá ag iarraidh labhairt leat."

"Is ea . . ." Chroith an Conaireach é féin agus bhain searradh as a ghuaillí. "Tá aiféala orm . . . níor chodail mé i gceart aréir. Sin agus an teas anseo." Bhain sé earraíocht mhall as a dhá lámh chun cuidiú leis seasamh suas. Ní raibh a fhios ag Mary arbh é an mheisce nó an fonn codlata nó an laige fhisiciúil faoi deara sin.

Thiontaigh an Conaireach chuig Mary.

"As Meiriceá thú?"

"Is ea."

"Agus tháinig tú anseo le mé a fheiceáil?"

"Bhuel, níor— Is ea, tháinig." Ligfeadh sí an ceann sin thairsti an iarraidh seo. "An miste leat má dhéanaimid dreas cainte le chéile . . . go príobháideach?"

"An bhfuil a fhios agat cad a dhéanfaidh mé?" arsa Madame Cogley. "Déanfaidh mé réidh cupán tae daoibh— nó an bhfuil a dhath níos láidre uaibh? Níl . . .Tá go maith." Ba go diongbháilte a bhí Mary i ndiaidh comharthú gur leor an tae. "Tig libh suí ag ceann de na táblaí thíos ar an urlár."

Rinne Mary ar an tábla agus d'fhan ag amharc ar an Chonaireach a bhí i mbun cainte leis na fir. Bhí deis aici é a mheas ar a chosúlacht. Fear measartha beag a bhí ann. Bhí dhá orlach aici air, a déarfadh sí. Bhí sé tanaí. Má bhí sé folláin lúfar lá den saol, ní thugadh sé aire dó féin ó thaobh cothaithe de agus ní bheadh mórán teacht aniar ann dá mbuailfí breoite é. Bhí a ghruaig chatach dhubh ag tanú is ag liathadh. Níor dhealraitheach go raibh sé i ndiaidh é féin a bhearradh ar feadh roinnt laethanta. Sna daichidí deireanacha a bhí sé, a thuig Mary, ach ba gheall le duine sna caogaidí é. Gnáthéadaí agus gnáthbhróga tairní an fhir oibre a bhí á gcaitheamh aige. Ar an chéad amharc, ba dhoiligh a shamhlú gur scríbhneoir mór Gaeilge é sin. Ar an dara hamharc, ba dhoiligh do Mary a shamhlú gurbh é sin an fear a raibh grá ag Caitlín dó.

"Is minic a mhaígh mé go mba mhaith liom dul go Meiriceá," a dúirt an Conaireach le Mary ar theacht anuas chuig an tábla dó.

Dóbair gur fhreagair sí go raibh a fhios aici sin cheana.

"Cén áit i Meiriceá arbh as duit?"

"Connecticut . . . ach cónaím i gcathair Nua-Eabhraic."

D'iniúch Mary go géar é féachaint cad é mar a rachadh an tagairt do sheanáit chónaithe Chaitlín i gcion air. Ba aniar aduaidh uirthi a tháinig freagairt chiúin an Chonairigh amhail is nár chuala sé an tagairt.

"Ba go Meiriceá a d'imigh m'athair nuair nach raibh mé ach i mo ghasúr. Cailleadh thall é. I mBostún."

Ar feadh soicind, mheas Mary go bhfaca sí an tsoghontacht a shamhlódh sí le páiste tréigthe in aghaidh an Chonairigh. Mhothaigh sí í féin ag téamh leis, ach ar leagan na súl, rinne seisean gáire beag is d'fhógair go haerach.

"Ba bhreá liom maidin bhreá ghréine a chaitheamh i mo sheasamh ag cúinne i lár Manhattan, ag breathnú ar dhaoine de gach cine agus de gach dath ag brostú thart agus ag smaoineamh ar na scéalta a bheadh le hinsint ag gach mac máthar acu. Tá leabhar mór le scríobh ina mbeadh scéal ann faoin Éireannach, an dara ceann faoin nGiúdach, ceann eile faoin nGearmánach is a thuilleadh faoi na ciníocha eile. Sheasfadh gach scéal leis féin. Ach ina n-iomláine, d'inseoidís stair Mheiriceá agus stair an chine dhaonna."

Ina hainneoin féin, bhí Mary faoi dhraíocht ag glór meallacach an Chonairigh. B'in rud a luaigh Caitlín fosta . . . Rug Mary ar a ciall ar an toirt. Fear mór scéalta ba ea an Conaireach. Fear é a raibh sé de bhua aige go n-éistfeadh daoine leis. Fear é fosta a thuig gurbh fhéidir leis teacht i dtír ar an bhá a bheadh ag daoine leis agus ar an trua a bheadh acu dó. Níor mhór dóibh, níor mhór di, cuimhneamh ar bhunfhíric amháin. Níorbh é athair Uí Chonaire an t-aon fhear a thréig a mhuirear. Bhí an mac tar éis an peaca ceannann céanna a dhéanamh.

Faoin am sin, bhí Madame Cogley i ndiaidh teacht is tráidire tae a chur ar an tábla. Dhoirt Mary cupán tae an duine di féin is don Chonaireach. Thug sí faoi deara an crith beag i lámha an Chonairigh de réir mar a rug sé greim ar an chupán.

"Cara leat ó Mheiriceá faoi deara dom a bheith anseo," arsa Mary faoi dheireadh.

"Cara liom . . .?"

"Is ea, seanchara leat. Caitlín Ní Aodha."

"Ó, Caitlín! Mo sheanchara Ceanadach! Agus cén chaoi a bhfuil sí?"

D'éirigh Mary bán sa ghnúis.

"Tá sí ar shl— Fuair Caitlín bhocht bás den ailse tamall de mhíonna ó shin."

Dhoirt an Conaireach cuid den tae nuair a d'ísligh sé a chupán ar an tábla go prap. Athuair, chuir Mary sonrú sa chrith ina lámha.

"Níor airigh mé an scéala sin. Go ndéana Dia trócaire uirthi."

"Níl a fhios agam an bhfuair scéala a báis mórán poiblíochta sna nuachtáin anseo . . . is dócha, go mbraitheann sé ar na cinn a léann duine . . . ar thaobh amháin nó ar an taobh eile . . ." Stop Mary. Ní raibh sí ag iarraidh an pholaitíocht a tharraingt isteach sa scéal.

"Bhíomar i dteagmháil lena chéile anuraidh . . . agus gheall sí go mbeadh dea-scéala aici dom. Bhí ionadh orm nár airigh mé tada uaithi. Ach . . ." D'ardaigh Ó Conaire a lámh le comharthú do Madame Cogley teacht. " . . . níl seoladh buan agam faoi láthair." Chas sé chuig bean an tí. "Daisy, a chroí, an dtabharfá buidéal pórtair dom . . . agus cibé rud atá ón mbean seo. Cuir ar an scláta iad, le do thoil." Stop Madame Cogley agus an chuma uirthi go raibh sí ar tí rud éigin a rá. Faoin scláta céanna, a mheas Mary.

"Dlúthchara liom a fuair bás i Meiriceá le déanaí . . . Angheit a bhain an drochscéala asam . . . agus . . . Anois, déan rud orm mar a dhéanfadh bean mhaith."

Dhearbhaigh Mary nach raibh a dhath uaithi gur chúlaigh Madame Cogley. Lena ciotóg, tharraing sí a mála ina raibh an seic níos gaire di. Ní bheadh aon teacht thairis aici go fóill.

"Cogar." Theann an Conaireach isteach le Mary beagán gur bholaigh sí a dhrochanáil. "Dúirt tú gurbh í Caitlín faoi deara duit a bheith anseo. Ní mé ar thug sí teachtaireacht duit . . . faoin bpost ar an ollscoil i nGaillimh? Ar éirigh léi an t-airgead a bhailiú faoi dheireadh? Diabhal scéal cinnte a bhí ag Tomás Ó Máille agus mé ag labhairt leis thiar cúpla seachtain ó shin."

Ba í sin uair na faille. Ní raibh le déanamh ag Mary ach breith ar an fhaill tríd an chlúdach donn a thógáil amach as a mála, a mhíniú don Chonaireach i mbeagán focal cad a bhí ann agus bailiú léi as an chlub seo. Ach b'fhollas di gur chuma leis an Chonaireach arbh ann nó as do Chaitlín. An t-aon rud a bhí ag dó na geirbe aige ná ar ráinig léi airgead a fháil dósan sular éag sí. Ní raibh cineáltas Chaitlín tuillte aige. Ba chóir di siúl amach as an síbín sin gan an t-airgead a bhronnadh air. Ba chóir, cinnte . . . Lig Mary osna. Bhí a thuilleadh ama ag teastáil uaithi lena haigne a dhéanamh suas cad ba chóir di a dhéanamh.

"Sula bhfuair sí bás, thug Caitlín beartán dom le tabhairt duit," ar sise faoi dheireadh gan amharc sna súile ar an Chonaireach. "Níl sé agam anseo, faraor. Ní raibh mé cinnte go mbeifeá anseo anocht. Ba mhaith liom coinne a shocrú leat . . . an mbeidh tú anseo i mBaile Átha Cliath Dé Domhnaigh?" Mura mbeadh sé ar fáil, bheadh uirthi ligean uirthi go raibh an clúdach aici an t-am ar fad. "An féidir linn bualadh le chéile . . . le haghaidh cupán tae?" Ní raibh sí ag iarraidh áit oirise ar nós an chlub seo nó tí tábhairne a roghnú, dá mbeadh cead isteach ann ag mná fiú.

"Cupán tae?" Chuir an Conaireach púic ar a mhalaí agus shlog bolgam as a chupán.

"Is ea, sa DBC ar Fhaiche Stiabhna." Thaitin sé le Mary go bhféadfadh sí tarraingt ar an stór eolais a bhí cnuasaithe aici cheana.

"Ní bheidh mé i mBaile Átha Cliath Dé Domhnaigh. . . Ach tráthúil go leor, tá cuireadh agam chuig an tae amuigh i Mullach Íde. Buail amach ansin agus beidh dreas comhrá againn—agus tae, ar ndóigh."

"Ach cén áit . . .?"

"Blue Bird Cottage ar Bhóthar Bhaile Átha Cliath i Mullach Íde, ar a trí."

"Ach . . ." Cibé rud faoi chur isteach ar a pleananna trí bhualadh leis an Chonaireach arís, ní raibh sí ag iarraidh dul chuig teach strainséartha amuigh faoin tuath. Lena chois sin, nárbh é sin an teach céanna gur chuir sí litreacha chuige cheana – agus gur seoladh ar ais chuici iad?

"Déarfaidh mé le Ruddy thall go mbeidh tú ag teacht," arsa an Conaireach agus é ag pointeáil i dtreo an ollaimh ag an tábla eile.

Thosaigh Mary ar éirí óna cathaoir nuair a leag an Conaireach a lámh ar chaol a láimhe gur chuimil í go bog.

"Anois, tá cúrsaí gnó socair," ar seisean. "Níl suim agam i gcluichí cainte an dreama sin." Sméid sé ar an triúr ar an stáitse. "Céard faoin mbeirt againn éalú linn le taitneamh a bhaint as iontais Bhaile Átha Cliath? Ní féidir leat teacht an bealach ar fad ó Mheiriceá gan oíche mhór scléipe a bheith agat anseo."

"Dé Domhnaigh ar a trí," arsa Mary go giorraisc gairgeach agus í ag tarraingt siar a láimhe.

"Seo an tairiscint is fearr a gheobhaidh tú anocht, bíodh

a fhios agat. Beidh tú in ann insint do mhuintir Mheiriceá gur bhlais tú de scríbhneoir Éireannach mór le rá."

Bhí Mary ar tí tabhairt faoi as smál a chaitheamh ar chuimhne Chaitlín, agus as faillí a dhéanamh ina bhean agus ina chlann. Bhí a fhios aici dá dtosódh sí air go gcaithfeadh sí peacaí marfacha de gach cineál leis. Ar ámharaí an tsaoil, b'fhéidir, ba ag an bhomaite sin a tháinig Madame Cogley agus deoch an Chonairigh aici. Mhoilligh Mary fada go leor le slán a fhágáil ag bean an tí gur thug sí aghaidh ar an doras agus ar an staighre iarainn suas.

Caibidil a Sé

-I-

Rinne Mary méanfach, bhain searradh as a guaillí, agus d'fhéach le cluas a thabhairt don seanmóirí ar aifreann an mheán lae sa Leas-Ardeaglais ar Shráid Mhaoilbhríde. Traochta tuirseach a bhí sí i ndiaidh an taistil uilig. Dhá lá ghnóthacha a bhí caite aici thuas tigh a hUncail Ned ar an taobh thiar theas de Bhéal Tairbirt i gContae an Chabháin. I ndáiríre, dhá lá ghnóthacha is dhá oíche ghníomhacha a bhí ann. Ó bhailigh leathchúpla a hathar í ag an stáisiún traenach i gCluain Eois gur thóg ar na cúlbhóithre chuig an teach feirme í, bhí sí i ndiaidh bualadh le daoine muinteartha léi ó chol ceathracha go col ochtair léi. Gan trácht ar gan a bheith in ann cuimhneamh ar leathchuid de na hainmneacha, ba dheacair di gréasán na ngaolta a leanúint. Bhí an Tom seo pósta ar Joan. Ó, is ea, tuigim. Joan. An Joan sin. Ní hea, a bhean chóir, an Joan eile, an leathchúpla thall, tá a fhios agat. Níorbh fhada go raibh mearbhall i gceann Mary. Ach nárbh iadsan a chaith go fáilteach léi, iad ag locadh bia uirthi, ag cur thuairisc a hathar is a dearthár, ag insint scéalta faoina máthair nuair a bhí sí óg, agus ar lorg eolais faoi chúrsaí i Meiriceá. Ba chuma nó tórramh Meiriceánach an chuairt sa teach, idir chaint, cheol is rince an dara hoíche sular thionlaic Uncail Ned is scaifte gaolta Mary ar ais chuig an stáisiún traenach roimh bhreacadh an lae féin le breith ar thraein na hadhmhaidine. Ba le hualach mór bronntanas a d'fhill sí ar Bhaile Átha Cliath, rud a chuir náire uirthi ó tharla nár thóg sise ó thuaidh léi ach dornán féiríní beaga le haghaidh theaghlach a huncail. Dá gcuirfidís lena bhfocal, bheadh dream mór ón Chabhán ag triall ar Connecticut amach anseo.

Is ea, bhí am ar dóigh ag Mary i seandúiche a muintire. Ach in ainneoin na fáilte is na féile, bhí cuimhne ghéar amháin neadaithe ina ceann. Theastaigh uaithi dul trasna na Teorann isteach sna Sé Chontae go hInis Ceithleann i gContae Fhear Manach. Nár chuid dhlisteanach d'Éirinn é? Ní raibh a huncail ag iarraidh í a thógáil ann agus bhí ar Mary a bheith sásta dul chomh fada leis an Teorainn féin ar bhóthar casta neamhcheadaithe a bhí greagnaithe le poill. Stop leathchúpla a hathar an gluaisteán cúpla céad slat ar an taobh theas.

"An bhfeiceann tú an baile beag sin thíos ar dheis? Ar an taobh eile de na locháin sin? An bhfeiceann tú an bheairic? Áit a bhfuil an *Union Jack* ar crochadh? Bhuel, sin an Baile Nua i bhFear Manach," ar seisean. Bhraith Mary fíoch ag teacht uirthi. "Breathnaigh ar an taobh deis den bhóthar in aice leis an teach bánaithe sin. An bhfeiceann tú iad? Na fir sin a bhfuil éide dhubh orthu? Is ea, is iad sin na *B-Specials* agus iad ag coinneáil súile ar cé atá ag teacht is ag imeacht. Anois, is cóir dúinn imeacht linn gan a thuilleadh airde a tharraingt orainn féin."

Agus í ag caint lena gaolta ina dhiaidh sin, ba é an rud ba nimhní a chuaigh i gcion ar Mary ná, in ionad fearg a bheith orthu mar gheall ar an Chríochdheighilt, gurbh ionann is nárbh ann do na Sé Chontae ar chor ar bith. De réir dealraimh, b'fhusa dóibh dearmad a dhéanamh ar an stáitín ó thuaidh ná troid ina choinne. B'ann do mheon na Críochdheighilte cheana.

Rinne Mary méanfach eile. Thitfeadh sí ina codladh mura gcríochnódh an sagart a dhreas cainte go luath. In ionad a bheith saor le tionnúr a bheith aici ar ais sa teach ósta ar ball beag, bheadh uirthi dul amach go Mullach mallaithe Íde. Dá mbeadh greim ar a haiféala aici, bheadh sí i ndiaidh fáil réidh leis an seic tráthnóna Déardaoin. Anois bheadh uirthi turas fillte eile a dhéanamh inniu, dul isteach i dteach strainséartha agus gan a fhios aici nach ndéanfadh an Conaireach iarracht chiotach eile le cluain Chonnachtach a chur uirthi . . . A bhuí le Dia na glóire, bhí an tseanmóir thart agus cead acu dul ar a nglúine. Dá ndéanfadh sí cluiche de bheith ag cur bhlas Laidine an tsagairt i gcomparáid le cuid na sagart sa bhaile, seans go bhfanfadh sí ina dúiseacht . . .

Tar éis an aifrinn, d'ith Mary an lón i gcaife trasna ó Amharclann na Mainistreach sular thug sí a haghaidh ar Stáisiún Amiens le haghaidh traein 2:05 i.n. B'in an t-aon traein go Mullach Íde ar iarnóin Dé Domhnaigh. Ar a laghad, ní bheadh uirthi moill rófhada a dhéanamh tigh an ollaimh léannta. Bheadh an t-aon traein ag filleadh ar 4:55 i.n. Thabharfadh sí sin uair go leith di chun an beart a dhéanamh.

Is ar éigean a bhí an carráiste traenach leathlán. Baile beag cois farraige é Mullach Íde a raibh tarraingt na dturasóirí lae ann sa samhradh, de réir dealraimh, ach ní dócha go mbeadh mórán fámairí ann ar lá fuar ceathach earraigh mar seo. Níor thúisce Mary ar an traein agus í ar tí suíochán fuinneoige a roghnú nuair a d'aithin sí an t-ógfhear ina shuí leis féin. Robert . . . William . . . Sydney . . . ainm Protastúnach éigin . . . Samuel . . . Sin é! Ní thiocfadh léi cuimhneamh ar a shloinne ar airgead ná ar ór. Caithfidh go raibh a thriall ar theach an ollaimh fosta. Níor mhiste di í féin a chur in aithne dó arís.

"Samuel? Haileo, is mise Mary Morrison. Bhuail mé leat

an oíche faoi dheireadh i gclub Madame Cogley . . . bhí mé
ann le labhairt le Pádraic Ó Conaire. An miste leat má
shuím taobh leat?"

Níorbh eol do Mary an raibh sí i ndiaidh briseadh isteach
ar aislingeacht an fhir óig, nó nach raibh ann ach an
chúthaileacht, nó nach raibh aon chuideachta uaidh. Bhog
a bheola i bhfreagra de shórt neamhchinnte. Tharla go raibh
sé rómhall tarraingt siar, shuigh Mary síos ar an suíochán
trasna uaidh sa dóigh go raibh siad ar aghaidh a chéile
amach. Thairg sí toitín dó. Níor ghlac sé leis. Las sí ceann
di féin. Nuair a d'fhan an t-ógfhear ina thost, bhraith Mary
go raibh sé de dhualgas uirthi comhrá a choinneáil leis ó
tharla gurbh ise an stocaire.

Is ea, bhí sé ag imeacht amach go teach an Ollaimh
Rudmose-Brown.

Is ea, ba as Baile Átha Cliath dó féin.

Ní hea, ba as an taobh theas den chathair dó.

Is ea, ag déanamh staidéir ar an Fhraincis a bhí sé.

Is ea, bhí a fhios aige cá raibh Blue Bird Cottage.

Ní hea, ní go rórialta a bhíodh na hócáidí sin ar siúl tigh
an Ollaimh Rudmose-Brown ach—ní raibh Mary ag súil leis
an aguisín—ba mhinic a bhí cóisirí ag an ollamh ina
sheomraí i gColáiste na Tríonóide.

B'in deireadh leis an chomhrá, dar le Mary. Shuigh sí siar
le hamharc amach ar chúlsráideanna, ar chúlghairdíní, agus
ar chlósanna tí Bhaile Átha Cliath ag sciorradh thart.
Dóbair go raibh dearmad déanta aici ar an ógfhear, nuair a
labhair sé de chogar stadach.

"Cara . . . Ca . . . Cara le Pádraic Ó Conaire thú?"

"Is ea." Níorbh é sin an t-am le bheith róbheacht.

"An leannáin sibh?"

Shlog Mary puth dheataigh óna toitín a chuir ag
casachtaigh í.

"Ní hea . . . ní hea, in aon chor." Is ar éigean a bhí sí in ann na focail a tharraingt amach as a béal. "Cara le seanchara liom is ea an Conaireach."

"Bhuel, más leannáin . . . sibh . . ."

"Ní leannáin muide," arsa Mary go giorraisc. Bhí an Samuel seo á cur go bun na foighde.

Bhí tost míshuaimhneach ann ar feadh leathbhomaite sular labhair an t-ógfhear arís.

"Dá mba leannáin sibh . . . b'fhéidir gur mhaith an rud é fios a bheith agat roimh ré gur . . . gur seanleannán leis an Chonaireach í bean an Ollaimh Rudmose-Brown."

"Cad é?" Chuir Mary a toitín uaithi ar eagla go slogfadh sí an dara puth dheataigh. "An bhfuil a fhios ag an fhear céile faoi?"

"Tá, ar ndóigh. Ach tá an cumann thart."

"Ach tá fáilte roimh an Chonaireach tigh seo acusan le haghaidh an tae?" arsa Mary go hamhrasach, agus í ag smaoineamh ar na litreacha sin a cuireadh ar ais chuici agus a raibh scríofa ar chlúdach an chéad chinn.

"Lánúin . . . lánúin oscailte iad an tOllamh Rudmose-Brown is a bhean. Ní hannamh leannáin acu beirt. Ansin déanann siad athmhuintearas le chéile."

"Ach duine de na leannáin a thabhairt isteach sa teach mar aoi ina dhiaidh sin . . ." Níorbh eol do Mary cén rud ba mhó a bhí ag cur as di: an easpa moráltachta nó an sárú béasaíochta.

"Deirtear gur thiomnaigh Ó Conaire leabhar di."

"Cén leabhar?"

Ní raibh an t-eolas sin ag Samuel.

"Seachas Bean Rudmose-Brown, cén t-ainm atá uirthi?"

"'Furry' a thugann Ruddy uirthi."

"Is ea, is ea . . .," arsa Mary go mífhoighdeach. "Ach cad é a hainm ceart?"

"Anne Gordon Shirrefs-Gordon é."

"Anna Ghordún!" Bhí a fhios ag Mary anois cérbh í an bhean ar thíolaic Pádraic Ó Conaire *Seacht mBuaidh an Eirghe-Amach* di.

Bhí ag moilliú ar luas na traenach nuair a labhair Samuel arís.

"Níl ann ach go bhfuil mé ag iarraidh tú a chur ar an eolas . . . tá a fhios agat . . . más leannáin sibh . . ."

-II-

Ainm álainn rómánsúil é a shamhlófaí le teach beag tuaithe, teach clúdaithe le heidhneán is timpeallaithe ag balla íseal agus sceacha, teach ag a raibh gairdín lán le rósanna, le ródaideandróin is bláthanna ildaite eile, gairdín ina raibh éanlaith gheal gona ceiliúr binn ceolmhar.

Ní mar sin a bhí sé.

Teach mór dhá urlár gar do lár an tsráidbhaile a bhí in Blue Bird Cottage. Bhí corrlus an chromchinn agus paiste beag tiúilipí sa ghairdín ach níorbh ann don bhalla, do na sceacha, don eidhneán is don éanlaith, diomaite de chorrfhaoileán. Ina n-ionad, bhí an gairdín lán le huirlisí oibre, ar nós measctóir suiminte is barra rotha, a thug le fios go raibh obair thógála ar siúl sa teach.

Bhí cúpla mótar páirceáilte taobh amuigh ar an bhóthar nuair a bhain Mary agus Samuel an teach amach. Searbhónta a d'oscail an doras. Chuaigh Samuel isteach gan fanacht le Mary. Bhí sise ag baint di a cóta nuair a chonaic sí an tOllamh Rudmose-Brown ag déanamh uirthi.

"*Oui, la femme américaine! Vous êtes l'accueil ici.*"

"Tá súil agam nach miste libh mé a bheith anseo." Agus a raibh ar eolas aici anois, ní raibh a fhios ag Mary ar chóir di an Conaireach a lua.

"Furry, tar anseo go mbuailfidh tú leis an aoi úr." Chas Rudmose-Brown thart le labhairt le bean ard rua a bhí thuas sna daichidí, a déarfadh Mary, a bhí i ndiaidh siúl amach as ceann de na seomraí. Ansin thiontaigh sé thart chuig Mary. "Cuir i gcuimhne dom, *ma chère dame*, cad is ainm duit."

"Mary Morrison."

"Cara le Pádraic is ea an bhean uasal Mheiriceánach seo, Mary Morrison. Mary, seo mo bhean chéile, Annie."

"Mary Morrison," arsa Anna Ghordún a raibh blas láidir Albanach ar a cuid cainte. "Is iomaí duine den sloinne sin a bhí i gceantar Obar Dheathain, ar theacht in inmhe dom."

"Is as Contae an Chabháin do mo mhuintir."

Lánchinnte a bhí Mary go raibh Anna Ghordún á scrúdú ó bhaithis go bonn. A Thiarna, arsa Mary léi féin, ceapann sí gur mise leannán an Chonairigh. Ba mhithid do Mary fáil réidh lena dualgas agus bailiú léi amach as an teach seo.

"Is deas liom a bheith anseo," ar sise go milis, mar dhea. "An bhfuil an tUasal Ó Conaire timpeall go fóill?" Ní raibh a fhios aici cad a dhéanfadh sí mura raibh sé i ndiaidh teacht.

"Bhí mé ag labhairt leis cúpla nóiméad ó shin," a d'fhreagair Rudmose-Brown. "Tar isteach agus gheobhaidh tú é i gceann de na seomraí istigh . . . Maith dúinn an chaoi atá ar an áit agus obair thógála ar siúl againn faoi láthair. Há! *Les belles dames de TCD sont arrivées!*" Chas sé thart le fáilte a chur roimh ghrúpa ógbhan ardghlórach a bhí i ndiaidh tuirlingt de mhótar amuigh.

"Tá súil agam go mbeidh deis againn labhairt le chéile ar ball," arsa Anna Ghordún le Mary. D'amharc an bhean Albanach idir an dá shúil uirthi, sular lean sí a fear céile.

Le scéalta faoin Chonaireach a mhalartú ar a chéile, níorbh fholáir, arsa Mary léi féin. Chuaigh ríog chreatha tríthi le teann déistine. Ag an nóiméad sin, murach go raibh

Ruddy agus Furry taobh thiar di ag an doras mór, chaolódh sí amach as an teach seo. Cheal rogha ar bith eile, d'imigh sí isteach sa chéad seomra ar clé.

Bhí dornán daoine ina suí ann, mionchomhrá ar siúl eatarthu agus tae agus ceapairí cúcumair á slogadh acu. Lucht Choláiste na Tríonóide idir mhic léinn agus ollúna a bhformhór, a déarfadh Mary, bunaithe ar thiúin Ghallda a gcainte. Chonaic sí Samuel thall sa chúinne leis féin, toitín lasta ina láimh aige, agus an chuma air go raibh sé ag fanacht le . . . Ag Dia féin atá a fhios. B'ait an mac é siúd cinnte! Chonaic sí fear meánaosta ag doirteadh steall as fleasc póca airgid ar a chuid tae. Ní raibh an Conaireach sa seomra. Chúlaigh Mary go beo ar eagla go dtabharfaí cuireadh di suí leo.

Bhuail sí le *les belles dames* ó Choláiste na Tríonóide is le hAnna Ghordún sa halla amuigh. Gnóthach a bhí bean an tí leo is chuaigh Mary síos an halla go dtí an chéad seomra eile. Bhí an doras druidte ach chas sí an murlán go ndeachaigh isteach. Bhí an seomra chomh dubh le poll guail de bharr na gcuirtíní tarraingthe ach bhain an fhuaim amhail is go raibh saothar anála ar dhuine stangadh as Mary. D'ardaigh sí a deasóg chun an solas a lasadh go bhfaca sí na ballaí leathphéinteáilte, an troscán clúdaithe le seanbhraillíní bána agus lánúin leathghléasta snaidhmthe ina chéile ar an urlár, agus lánúin eile ina bpeilt ina seasamh i gcoinne an bhalla thiar, áit a raibh cosa na mná fillte timpeall an fhir. Thit an lug ar an lag ag Mary a mhúch an solas ar an phointe. Dóbair gur thit sí amach as an seomra. Ní fhéadfadh sí an leabhar a thabhairt, ach níor dhócha go raibh an Conaireach ann ach oiread.

Bhí Mary ina seasamh sa halla, í croite go fóill nuair a thug sí faoi deara go raibh an doras trasna uaithi ar faonoscailt. Ba go bog a bhrúigh sí an doras gur shiúil isteach go bhfaca Pádraic Ó Conaire ina shuí ar an leac fhuinneoige, a dhá chos sínte amach roimhe ar an leac, leabhar ina ghlac aige agus é ag léamh. Cibé iontas a bhí uirthi go raibh sé i ndiaidh teacht ar an Chonaireach faoi dheireadh agus é anseo—de réir dealraimh, ba é seo leabharlann an tí—chuir sé a sáith iontais ar Mary go raibh bearradh gruaige is smige faighte ag an Chonaireach, agus go raibh éadaí slachtmhara preasáilte agus friseáilte air, idir léine, charbhat agus sheaicéad gona phaistí uillinne. Bhí snas ar a bhróga. Ní raibh a fhios ag Mary cad ba chiall leis an chlaochlú sin murach go raibh sé ag iarraidh dul i gcion ar a sheanleannán Anna Ghordún.

Ar feadh meandair, sheas Mary ag an doras, í ag amharc ar an Chonaireach a bhí ag labhairt na bhfocal go híseal. Sula raibh deis aici briseadh isteach air, d'fhéach sé suas go bhfaca sé í, rinne meangadh gáire agus dhún an leabhar. Dhruid Mary isteach leis an Chonaireach.

"Leabhar de do chuid é?" ar sise chun an ceann a bhaint den chomhrá.

"Ní hea. Cnuasach filíochta le Ruddy é. Tá cuid de na dánta go breá cé nach dtuigim gach cor cainte Fraincise atá ann."

Shín an Conaireach an leabhar beag chuig Mary a bhreathnaigh ar an leathanach teidil: *Walled Gardens* le T. B. Rudmose-Brown. Ar an phointe ní fhéadfadh Mary gan smaoineamh ar an eachtra aisteach sin i "M'Fhile Caol Dubh," áit ar thosaigh an file ag léamh faoi fhéileacáin ionas go mbeadh sé in ann comhrá a choinneáil le fear céile a leannáin. B'fhéidir gurbh amhlaidh don Chonaireach é ar na hócáidí sóisialta sin i Madame Cogley's Cabaret nuair a bheadh an bheirt fhear le chéile . . .

Shín Mary an leabhar ar ais chuige.

"Mar a dúirt mé leat an oíche faoi dheireadh . . ." Bhí

súil aici gur chuimhin leis an Chonaireach cérbh í. ". . . tá beartán agam anseo duit ó Chaitlín . . . Caitlín Ní Aodha."

"Caitlín a thug an carbhat seo dom," arsa an Conaireach go ciúin. "D'fhreastail mé ar aifreann ar maidin le hurraim di."

"Ó." Freagra é sin a tháinig aniar aduaidh ar Mary; freagra é a mhisnigh í le labhairt leis a thuilleadh. "Taitneoidh sé le muintir Chaitlín go bhfuil daoine ann i gcónaí in Éirinn a bhfuil cuimhne mhaith acu uirthi. Dála an scéil, nuair a d'inis mé do Lauretta, deirfiúr le Caitlín, go mbeinn ag bualadh leat, d'iarr sí orm a beannacht a thabhairt duit. Bhí a fhios aici cé chomh ceanúil is a bhí Caitlín ortsa."

Nuair nach ndúirt an Conaireach a dhath, thuig Mary gur mhithid di ceist an airgid a tharraingt aníos faoi dheireadh. Ba bhaolach go dtiocfadh Anna Ghordún ar a lorg nó ar lorg an Chonairigh roimh i bhfad. B'olc an mhaise do Mary é dá gceapfadh an bhean eile gurbh oiris dála le haghaidh na leannán, mar dhea, an leabharlann seo.

"Mar is eol duit, bhí Caitlín ag obair le post mar scríbhneoir cónaitheach a bhunú duit ar an ollscoil i nGaillimh. Ar an drochuair, níor éirigh léi an t-airgead a bhailiú sular éag sí."

"Is mór liom an iarracht a rinne Caitlín ar mo shon. Iarracht í nach raibh tuillte agam tar éis an tsaoil . . ."

Cheap Mary go raibh Ó Conaire ar tí a thuilleadh a rá faoinar tharla idir é agus Caitlín. Bhí liosta fada ceisteanna aici féin . . . An ceann ba fhrithire ná an raibh sé i ngrá le Caitlín nuair a bhíodar beirt le chéile i Londain nó—agus thacódh an fhianaise i gcín lae Chaitlín leis an léamh seo ar an scéal—ar leor dó í a úsáid le haghaidh na collaíochta amháin? Ceist í sin a chuireadh an tAturnae Mary Morrison lá den saol agus gan í sásta glacadh le haon fhreagra seachantach: Freagair an cheist, a dhuine, freagair í, a deirim. Anois thuig Mary Morrison, bean a bhí i ndiaidh blaiseadh de mhílseacht an ghrá is de sheirbhe na tréigeana, nárbh ann d'aon fhreagra dubh agus bán ar aon cheist a bhain leis an nádúr daonna agus go bhféadfadh uaisleacht an ghrá is gníomhartha ísle a bheith ann ag an am céanna. Ach . . . ach . . . smaoinigh Mary siar ar a lón léitheoireachta ar an long anall, nárbh é sin an fhírinne smálaithe a bhí le cur abhaile ar an léitheoir ag Pádraic Ó Conaire, scríbhneoir? . . .

Nuair nár lean an Conaireach den chaint, chrom Mary anuas agus thóg amach beartán as a mála.

"Tá cúpla scríbhinn leat agam anseo . . . 'The Cherry Bird.' Níl a fhios agam an bhfuil sé uait. Is dócha go bhfuil cóip agat?"

"Níl anois. Tar éis do Chaitlín é a chlóscríobh, thug sí cóip carbóin dom ach chaill mé í ó shin. An miste leat é a thabhairt dom, le do thoil?"

Shín Mary an scríbhinn chuige. Cóip stionsail den bhun-chlóscríbhinn a bhí ann. Ba mhian léi cóip den dráma sin le Caitlín agus leis an Chonaireach a choinneáil. Chiallódh sé seo fosta nach mbeadh a fhios ag an Chonaireach gurbh ann do chín lae Chaitlín.

"Tá "An Fear," d'úrscéal úr, agam anseo . . . Ar an drochuair, ní bhfuair mé deis é a léamh." Thug sí an scríbhinn ar ais don Chonaireach gan fiafraí de an raibh sí uaidh. Ní raibh aon éileamh aici ar an saothar ach . . . Labhair Mary go deifreach. "Níl a fhios agam cén uair a fhoilseofar é. Mura bhfuil sé rómhall, bheinn faoi chomaoin mhór agat dá dtiomnófá an leabhar sin do Chaitlín . . . i gcuimhne uirthi? . . ."

Thug Mary mearfhéachaint chotúil ar an Chonaireach. Ní raibh sí cinnte cad é mar a d'fhreagródh sé don achainí.

Bhí seisean ag méarú na scríbhinne amhail is go raibh sé ag iarraidh a thomhas an raibh gach leathanach ann.

"Níl a fhios agam cén uair a fhoilseofar é . . . nó an bhfoilseofar é in aon chor," a mhaígh sé faoi dheireadh. "Ach is do Chaitlín a thíolacfainn é dá bhfeicfeadh an leabhar solas geal an lae choíche."

"Go raibh maith agat. Cloch ar charn Chaitlín a bheidh sa leabhar. Anois . . ." Lig Mary anáil amach. ". . . tá rud amháin eile ann."

Bhrúigh sí an clúdach litreach ina raibh an seic isteach i láimh an Chonairigh.

Nuair a d'oscail seisean an clúdach, leath a shúile air.

"Céard é seo?" ar seisean go piachánach. Faoi mar a thug Mary faoi deara an oíche sa chlub drámaíochta, bhí crith i lámha an Chonairigh de réir mar a choinnigh sé greim ar an seic.

"Seo an t-airgead a bhí bailithe ag Caitlín agus ag ár gcumann, na Géanna Fiáine. Níor leor é chun an post a mhaoiniú ach is é ár nguí gur leor é chun ligean duit a bheith ag scríobh ar do dhícheall."

"Agus níl . . . níl aon choinníollacha ag dul leis . . . lena chaitheamh?"

"Níl . . . Bhuel, is dócha gurb ann d'aon choinníoll amháin. Thiocfadh leat é a úsáid chun do chuid costaisí scríbhneoireachta a ghlanadh nó . . . chun teach beag a cheannach duit féin, cuirim i gcás. Is éard atá sa choinníoll tú a bheith ag scríobh."

Bhí deasóg an Chonairigh ar crith go fóill nuair a shín sé an seic ar ais chuig Mary.

"Más í sin an choinníoll, ní féidir liom glacadh leis an airgead sin."

"Cad é?" arsa Mary go caolghlórach. Casadh é sin nach raibh sí ag dréim leis.

"Ní féidir liom scríobh a thuilleadh." Bhí crith i nglór agus i láimh Uí Chonaire araon.

"Ach tá tú ag scríobh i gcónaí . . ."

"Mionrudaí fánacha do pháistí. Corraiste. Ní scríbhneoireacht é sin ach breacaireacht. Ní féidir liom caighdeán *Deoraidheacht* nó *An Chéad Chloch*, *An Sgoláire Bocht* nó *Seacht mBuaidh an Eirghe-Amach* féin a bharraíocht nó a bhaint amach arís."

"Ach cad faoi "An Fear"?"

"Deir tú nár léigh tú é . . . Níl sé réidh le foilsiú ná baol air."

"Ach dá bhféadfá saol rialta a chleachtadh . . . tearmann cluthar a bheith agat, cothú folláin . . . nach bhféadfá é a chríochnú nó tosú as an nua . . . ar scríbhinní eile? . . ."

"Tá mé tar éis dul i dtaithí an tsaoil mhírialta agus ní mé an féidir liom cur fúm in aon áit amháin gan a bheith corrthónach laistigh de sheachtain. Maidir leis an scríbhneoireacht, níl an spréach ionam a thuilleadh."

"Ní thuigim cad atá i gceist agat le spréach?" arsa Mary.

"An tine istigh i mo chroí is an tinfeadh i m'anam."

"Cad faoi deara an spréach sin a bheith múchta?" Ní raibh Mary cinnte gur thuig sí go baileach go fóill cad é a bhí i gceist aige.

Rinne an Conaireach gáire fann.

"Liosta le háireamh na rudaí a thiocfadh liom a lua . . . gan slí bheatha le saothrú as a bheith ag scríobh i nGaeilge . . . gan pobal léitheoireachta a bheith ann ach do leabhair scoile is do théacsleabhair . . . baois idéalach na hóige faoi athréimniú na Gaeilge a bheith leáite le blianta beaga anuas . . . gan an tsláinte a bheith agam." Sméid sé ar a lámha creathacha. "Thar aon rud eile, tá an creideamh a bhí agam sa nGaeilge, in Éirinn, agus ionam féin mar dhuine is mar scríbhneoir caillte agam."

Bhrúigh Mary aníos an tocht ina sceadamán sular labhair sí.

"Níor chaill Caitlín a creideamh sa Ghaeilge, in Éirinn nó ionatsa go háirithe riamh."

"Rómhall atá sé. Dá dtarlódh sé cúpla bliain ó shin, b'fhéidir go bhféadfainn socrú síos agus an spréach sin a athfhadú. Ach ní anois. Níl sé ionam a thuilleadh."

Ba go ciúin a labhair an Conaireach go dtí sin. I dtoibinne tháinig faobhar ar a ghuth.

"Nuair a bhí mé i mbarr mo réime, ní raibh aon scríbhneoir Gaeilge inchomórtais liom. Níl mé ag caint ar mo chuid scríbhinní amháin. Áit a raibh a bhformhór ina n-údair pháirtaimseartha is iad sásta leis na pinginí suaracha a thairgeadh Conradh na Gaeilge dóibh as píosaí a fhoilsiú ina nuachtán, bhí mise tar éis gabháil leis an scríbh-neoireacht ar bhonn proifisiúnta, mé ag plé le heagarthóirí is le bainisteoirí nuachtán Béarla, ag díol mo scéalta is m'aistí leo, agus fios a bheith agam nach n-íocfaí mé agus nach n-íosfainn an tseachtain sin mura gcríochnóinn saothar faoin spriocam. Ní hamháin sin, bhí ag éirí liom an beart a dhéanamh. Thug mé liom ó dhúchas ón dá thaobh—muintir Uí Chonaire is clann Mhic Dhonnchadha—bua an ghnó is na fiontraíochta . . ." Bhain stad don Chonaireach sular labhair arís de chogar. ". . . go dtí gur leáigh mo chreideamh is gur theip ar mo mhisneach, faoi mar a tharla do m'athair féin."

Bhí a raibh cloiste ag Mary i ndiaidh a plean a chur ó mhaith. Agus bhí sé ag éirí mall. Bhí uirthi triail amháin eile a dhéanamh sula mbeadh uirthi imeacht.

"Níl a fhios ag aon duine againn cad atá i ndán dó. B'fhéidir go n-athdhúiseofaí do chreideamh . . . b'fhéidir go scríobhfá leabhar mór eile . . . I bhfianaise a bhfuil déanta agat cheana, mar chomhartha ar an dóchas a bhí ag Caitlín asat—agus atá againn asat—ba chóir duit glacadh leis an seic."

"Le céard a dhéanamh leis?"

"Leis an tsaoirse a thabhairt duit a bheith ag scríobh, tá súil agam . . . ach má theipeann air sin, le do shaol a dhéanamh rud beag níos rialta . . . níos compordaí ná mar atá sé."

"Le mo rogha rud a dhéanamh leis, mar sin?"

D'fhéach Mary idir an dá shúil ar an Chonaireach, féachaint an raibh sé ag spochadh aisti. Ach bhí cuma dháiríre ar a aghaidh.

"Is ea, le do rogha rud a dhéanamh leis," a d'fhreagair sí go stadach.

"Le gabháil ar an drabhlás?"

"Is ea," a dúirt sí go mall, agus í ag iniúchadh a cheannaithe arís.

"Lena chaitheamh ar ól, ar cheol is ar tholladh?"

"Is ea," a d'fhreagair sí de ghlór tuirseach.

"Lena chaitheamh ar Bheití, ar Shailí is ar Neilí?"

"Lena chur amú ar Anna Ghordún féin, má thograíonn tú é sin," arsa Mary go garg.

"Le lámh chuidithe a thabhairt do Molly, d'Eibhlín, do Chaitlín—is do Phádraic Fionn féin?"

Ba é an t-ainm deireanach sin a chuir ar a súile do Mary cad a bhí á rá ag an Chonaireach.

"Is ea, le lámh chuidithe a thabhairt do do bhean is do do chlann."

"Leis an éagóir is an fhaillí a chúiteamh leo . . . agus i gcuimhne ar Mháire bhocht féin a cailleadh leis an difteir trí bliana ó shin agus gan a hathair a bheith lena taobh."

"Bheadh na Géanna Fiáine breá sásta dá gcaithfeá an t-airgead mar sin," arsa Mary agus í ag brú an tseic isteach i láimh an Chonairigh arís.

Ní dúirt ceachtar acu aon rud ar feadh nóiméid amhail is go rabhadar beirt spíonta ag an chaint. Faoi dheireadh, ina hainneoin féin, labhair Mary.

"Rachaidh tú go Londain go luath mar sin?"

"Tá mé le dul ann anocht ar an mbád poist. Nach é sin an fáth a bhfuil na balcaisí seo orm inniu?"

"Ó," arsa Mary. "Bhí plean agat dul anocht cibé ar bith . . ." Stop sí. Níorbh é sin an t-am le tosú ar an chur is ar an chúiteamh faoin chinniúint. Ba leor glacadh leis mar chomhtharlú. "Beidh mé féin ar an bhád poist anocht fosta . . . tá mé ag cromadh ar an turas ar ais go Meiriceá."

"Bhuel, feicfidh mé thú ar an mbád mar sin." Labhair an Conaireach go héadrom, amhail is go raibh sé i ndiaidh an drochspíon a bhí air a chur de go tobann. Arís, chuir Mary sonrú ina ghuth meallacach.

"Caithfidh mé imeacht le breith ar thraein Bhaile Átha Cliath . . . Níl a fhios agam an bhfuil tusa ag imeacht anois?" ar sise go cúramach ceisteach.

Chroith an Conaireach a chloigeann. D'éirigh sé ina sheasamh go mall, d'fhág an leabhar filíochta ar thábla is shiúil amach as an seomra le Mary.

"Ó tharla in áit na garaíochta mé, beidh bolgam tae agus cúpla ceapaire cúcumair agam le haghaidh an róid," ar seisean go gealgháireach. "Agus ní mór dom slán a fhágáil ag muintir an tí. Is féidir le lucht an mhótair síob a thabhairt dom chomh fada le Dún Laoghaire."

"Coimeádfaidh mé suíochán duit ar an bhád . . . más mian leat . . . a Phádraic?" Níor bhraith sí teanntásach compordach go fóill agus í ag tabhairt a ainm bhaiste air den chéad uair.

"Coimeád." Chaoch an Conaireach leathshúil ar Mary. "Déan sin, a chailín. Agus féadaim insint duit faoin am ar casadh orm bean bhreá Cheanadach a bhí ar lorg a hoidhreachta Gaelaí. Is féidir leat insint dom faoi Chaitlín sna blianta deireanacha sin i Meiriceá di . . . Is féidir leat insint dom faoi iontais Mheiriceá agus féadaim insint duit faoin am a ndeachaigh mé de shiúl na gcos go St. Petersburg na Rúise."

"Bíodh ina mhargadh," arsa Mary agus aoibh an fhaoisimh ar a haghaidh.

"Ba cheart duit gáire a dhéanamh níos minice."

"Tá a fhios agam gur cheart. Deirtear . . . deir cara liom an rud céanna i gcónaí." Dhearg aghaidh Mary ina hainneoin féin. "Feicfidh mé thú anocht. Slán, a Phádraic."

"Slán go fóill . . . Hé, cad is ainm duit arís?"

"Mary . . . Mary Morrison."

"Há, Máire chóir Ní Mhuireasáin . . . an de Ghaeil na hÉireann nó na hAlban thú?"

D'amharc Mary ar a huaireadóir is chroith a cloigeann.

"Inseoidh mé duit anocht. Mura mbrostaím, caillfidh mé an traein. Anocht, mar sin?"

Níor fhan sí le freagra. Chas sí thart is rinne ar an doras mór go gasta ar eagla go mbuailfeadh Ruddy nó Anna Ghordún bleid uirthi. Ní leomhfadh sí féachaint siar ar eagla nach raibh an Conaireach tar éis fanacht sa halla ina diaidh. Chreid sí ina croí istigh go raibh sé ann i gcónaí.

Rith Mary an bealach ar fad ar ais chuig an stáisiún, agus í ag rangú ina haigne cad a bheadh le déanamh aici fós. Bhaileodh sí a bagáiste ag an Royal Hibernian sula dtabharfadh sí aghaidh ar Dhún Laoghaire le tosú ar an aistear fada abhaile. Cíoraíonn beirt bóthar, a deirtear, agus ba é a dóchas go mbeadh compánach aici cuid den tslí. Ó, ar sise léi féin agus aoibh an gháire ar a haghaidh arís, sula bhfágfadh sí an teach ósta, bhí uirthi cúram beag deireanach eile a dhéanamh, mar atá, dhá theileagram a scríobh go seolfaí trí cháblaí faoin fharraige mhór go Meiriceá iad.

Ceann chuig a hathair. Agus an dara ceann . . . is ea, an dara ceann chuig Oliver.

In ainneoin na tuirse a bhí uirthi, mhothaigh Mary éadroime ina croí agus ina cosa den chéad uair le fada fada an lá.

An Chríoch

Míorúilt a bhí ann. Míorúilt chruthanta amach is amach. Sheas Mary taobh amuigh den doras go dtí go raibh sí cinnte nach raibh corraí astu. Ansin shiúil sí síos an staighre ar bharraicíní na gcos. D'amharc sí ar an chlog urláir sa halla. Fiche bomaite i ndiaidh a deich. Dá mbeadh an t-ádh léi, d'fhanfadh na gasúir ina suan codlata go ham lóin. Chuir Mary strainc uirthi féin. Níorbh ionann an t-am lóin seo aicise is am lóin an dreama thuas.

De ghnáth, thapaíodh sí deiseanna neamhchoitianta mar seo nuair a bheadh tionnúr ag an chúpla ag an am céanna lena scíth a dhéanamh, le néal beag a ligean chun uireasa codlata na hoíche a chúiteamh. Ach bhí Oliver i ndiaidh a rá léi sular bhuail sé bóthar ar a hocht ar maidin gur fhág sé nuachtán ar an chathaoir luascáin sa seomra suite. Bhí píosa ann a mbeadh spéis aici ann, a dúirt sé, agus é ag cromadh anuas os a cionn sa leaba chun barr a cloiginn a phógadh.

Chuir Mary cár eile uirthi féin nuair a shiúil sí isteach sa seomra. Bhí cairn bheaga póstaer i gcoinne na mballaí. Thacaigh sí go mór le feachtas uachtaránachta an Ghobharnóra Al Smith. Ní fhéadfadh sí gan tacú le duine díobh féin, an chéad Chaitliceach is fear de shliocht na hÉireann a sheas d'Uachtaránacht Mheiriceá do cheachtar den dá pháirtí mhóra. Dá mbeadh sí féin gan chúraimí teaghlaigh is tí, bheadh sí amuigh le hOliver i mbun stocaireachta ar son an Ghobharnóra. Ach b'eol do chách cheana, cé go raibh seachtain fágtha i bhfeachtas 1928, gur ag Herbert Hoover agus ag an Pháirtí Poblachtach a bheadh an lá arís. B'údar díomá é nach mbainfeadh Smith ach níorbh iontas mór é sa tír sin ina raibh traidisiún fada frith-Chaitliceach. Ar a laghad, arsa Mary léi féin, chiallódh deireadh an fheachtais go mbeadh a fear céile sa bhaile le haghaidh an dinnéir gach tráthnóna agus go bhféadfaidís caoi a chur ar an seomra seo arís.

D'imigh Mary sall chuig an chathaoir luascáin is thóg an nuachtán. Cóip den *Irish World* ó Nua-Eabhrac a bhí ann, páipéar nach bhfeiceadh Mary chomh rialta sin ó bhog siad aneas ó chathair Nua-Eabhraic go Poughkeepsie thuas ar an Hudson. Caithfidh gur thug duine de lucht aitheantais Oliver dó é aréir nuair a bhí sé amuigh.

Luigh súile Mary ar an phíosa a bhí marcáilte ag Oliver. Gheit a croí nuair a d'aithin sí cad a bhí ann. Shuigh sí síos sa chathaoir is d'fhéach ar an alt. Ceann é, a athfhoilsíodh ón *Irish Independent*, faoi shochraid Phádraic Uí Chonaire, a fuair bás i mBaile Átha Cliath an 6ú Deireadh Fómhair. Agus í croite go maith, léigh Mary is d'athléigh an cuntas ar an tsochraid i nGaillimh, ar an scaifte mór a bhí i láthair, ar na rudaí moltacha a dúradh faoin Chonaireach mar dhuine is mar scríbhneoir, agus ar an fhaisnéis scáinte faoi chúinsí a bháis san ospidéal i mBaile Átha Cliath. Níor thug an tuairisc le fios an raibh bean agus clann an Chonairigh ar an tsochraid.

Bhrúigh Mary an nuachtán uaithi. Bhí Pádraic marbh agus curtha ar feadh cúpla seachtain agus gan a dhath cluinte aici faoi go dtí sin. Ní raibh teagmháil aici leis ón oíche sin a chaith siad le chéile ar an turas go Londain.

Oíche mhór draíochta a bhí ann, oíche nach ndéanfadh sí dearmad uirthi go deo, oíche nuair a bhraith sí den chéad uair, agus é ag cur síos ar a shaol go simplí lom macánta, gan ornáid gan áibhéil, go raibh aithne curtha ar an Chonaireach aici agus gur thuig sí—b'fhéidir—cad chuige ar thit Caitlín i ngrá leis. Sular scar siad lena chéile ag Stáisiún Euston, mhoilligh siad ar an ardán ar feadh roinnt nóiméad agus iad ag gáire is ag déanamh comhrá le chéile. Go tobann, chuaigh an Conaireach ag ransú a phócaí gur tharraing amach úll beag dearg. Ba go galánta drámata a bhronn sé ar Mary é.

"Tá súil agam nach bhfuil tú ag cur cathuithe orm, a Phádraic," ar sise, agus draothadh gáire ar a haghaidh.

"Níor chaill fear an mhisnigh riamh é," a d'fhreagair sé agus bhí an diabhal idir a dhá shúil. Ansin chroith sé a cheann go héadrom. "Bíodh sé sin agat ar fhaitíos go dtiocfadh féar gortach ort, a chailín, agus tú ar an mbealach abhaile."

Ar feadh soicind, smaoinigh Mary ar fháinne Chaitlín, a bhí ar ribín timpeall a muiníl, a thabhairt dó ach . . . Theastaigh ó Chaitlín go mbeadh sé sin aici agus ní raibh Mary chomh cinnte sin anois nach mbeadh deis aici é a chur ar mhéar an fháinne lá éigin ní b'fhaide anonn . . . Ina ionad sin, rug sí barróg mhór ar an Chonaireach. Agus d'fhan sí ag breathnú air ag déanamh ar an bhealach amach go mall gur ghlan na deora óna súile . . .

Sna laethanta luatha ar ais i Meiriceá di, smaoiníodh sí ar Phádraic go rialta. Bhí súil aici go gcloisfeadh sí go raibh leabhar úr amuigh aige, gur foilsíodh "An Fear" faoi dheireadh. Ba mhinic a dúirt sí paidir bheag ar a shon sula ndeachaigh sí a chodladh, agus d'achainigh ar Mhuire go ndéanfadh sé athmhuintearas lena bhean agus lena chlann. Bhí a seoladh tugtha ag Mary dó ach ó d'aistrigh sí féin agus

Oliver go Poughkeepsie tar éis an phósta, d'fhéadfadh go raibh an Conaireach i ndiaidh fiche litir a chur chuici i Nua-Eabhrac agus gan í a bheith cinnte go bhfaigheadh sí a oiread is ceann amháin acu.

Níor scríobh sí féin chuige. Ba chuma nach raibh aon seoladh buan aige. Ní raibh le déanamh aici ach litreacha a sheoladh chuige faoi choimirce Chonradh na Gaeilge nó chuig Blue Bird Cottage. Gheobhadh sé ceann acu luath nó mall. Ba é an fhírinne nach raibh sí ag iarraidh foghlaim gur theip air dul ar bhóthar a leasa. B'fhusa a chreidbheáil gur éirigh leis. B'fhusa a chreidbheáil go raibh tairbhe ag baint leis an airgead a bhailigh Caitlín dó is a bhí bronnta ag Mary féin air dhá bhliain go leith roimhe sin. B'fhusa an ruaim is an fhabhair a fhágáil ag an Chonaireach, agus gan a bheith freagrach as a ndéanfadh sé ina ndiaidh.

Bhí sí tar éis caitheamh le muintir Chaitlín ar an dóigh chéanna, a thuig Mary. Faoin am a ndeachaigh sí suas go dtí an Grand Concourse sa Bhronx sa samhradh 1926, bhíodar i ndiaidh bogadh, go hAlbany níos faide ó thuaidh ar an Hudson, de réir dealraimh. Ní raibh a seoladh nua aici ach bhí a fhios ag Mary go bhféadfadh sí an teaghlach a aimsiú gan mórán stró, go háirithe dá mbeadh Cornelia ag déanamh is ag deisiú éidí cléire i gcónaí. Cibé rud faoi Cornelia is faoi Alfie, ba bhreá le Mary Lauretta a fheiceáil arís is a fháil amach cad é mar a bhí ag éirí léi. Ba chóir di an beart sin a dhéanamh gan mórán moille fosta mar ba dhoiligh do Mary a chreidbheáil go gcuirfeadh an teaghlach fréamhacha síos in Albany. Thabharfadh sí an leabhar go raibh siad i bhfách le héalú ó Nua-Eabhrac tar éis bhás Chaitlín. Thabharfadh sí an leabhar gur chéim í an lonnú in Albany ar a mbealach ar ais go Ceanada.

Gheit Mary. Chuir sí cluas le héisteacht uirthi féin. Bhí leathchúpla i ndiaidh corraí as a chodladh is cnead bheag a dhéanamh. Dhúiseofaí a leathchúpla. Rinne sí réidh le héirí . . . ach stop. Caithfidh go raibh an gasúr tar éis socrú síos an athuair.

D'ardaigh Mary an nuachtán is d'amharc ar an chuntas arís. Uaireanta, ba dhoiligh di a chreidbheáil gur tharla ar tharla . . . A cairdeas le Caitlín . . . an obair ar na cuimhní cinn . . . bás Chaitlín . . . racht Cornelia . . . an scarúint le hOliver . . . Max . . . a briseadh as a post . . . a turas ar Éirinn. Bhí an oiread sin brúite siar go cúl a haigne aici. Max, go háirithe. Bhí súil aici go raibh sé sona sásta, cibé áit a raibh sé, cibé bean lena raibh sé. Bhí súil aici go raibh a chuid scaireanna díolta aige, mar b'fhíor do chara le hOliver, cara ar chuntasóir é, bhí géarchéim airgeadais ar na bacáin, géarchéim a d'imreodh an diabhal ar stocmhargadh Wall Street . . .

Níor ghá dise a bheith buartha faoi scaireanna is faoi stocmhargaí. Cúraimí de chineál eile a bhí ag dó na geirbe aici le dhá bhliain anuas. An t-athmhuintearas le hOliver. A bpósadh san fhómhar 1926. A gcinneadh le himeacht—le héalú, le bheith fíreannach—ó Nua-Eabhrac, an post mar leas-phríomhoide a bhí faighte ag Oliver san ardscoil Chaitliceach in Poughkeepsie. Na cuairteanna ar a hathair agus ar Josephine, agus ar mhuintir Oliver. An nuacht a tháinig sa mhullach ar an scéal go raibh Mary ag iompar clainne gur cúpla a bheadh ann. Agus an oíche mhór sin ocht mí roimhe sin nuair a rugadh cailín beag agus a deartháirín di.

Tríd is tríd, níor ghearánta do Mary a saol teaghlaigh in Poughkeepsie is a saol úr mar "Mrs Shannon." In ainneoin tuirse a bheith uirthi de shíor, bhí sí ag baint sult as an am seo sa bhaile, cibé rud a bhí i ndán di ó thaobh na hoibre de amach anseo. Fear fónta ba ea Oliver. Céile dílis. Athair a raibh a chroí istigh sna gasúir. Is fear a thuig gurbh inmholta gan seanchairteacha a thochailt. Bhí grá aici ar d'Oliver, ní raibh amhras ar Mary faoi sin ach . . . níorbh ann riamh is ní dócha gurbh ann go deo an paisean sin a mhothaigh sí nuair a bhí sí le Max . . . Ach féach cén toradh a bhí air sin? Cibé ar bith, nár dhaingne go deo mar chlocha dúshraithe faoi phósadh an tseasmhacht is an iontaofacht is an dúthracht a bhí de dhlúth agus d'inneach in Oliver ná duthaine bhomaite an phaisin? Níor mhór di cuimhneamh air sin ar na hócáidí fánacha sin nuair a ritheadh sé léi gur dhíol sí í féin agus a saol faoina luach . . .

Lig Mary anáil amach. Níorbh aon údar alltachta é go smaoineodh sí air seo uilig tar éis di scéala báis an Chonairigh a fháil. Ach b'ann don phriocadh coinsiasa i gcónaí nach raibh cuairt tugtha aici ar uaigh Chaitlín ó d'fhill sí ar Mheiriceá. An chéad uair eile a mbeadh sí i gcathair Nua-Eabhraic, cinnte . . . B'fhéidir nach raibh ann ach ceirín a bhí curtha aici lena coinsias ach ní raibh dearmad déanta aici ar a cara ionúin, ná ar Phádraic féin. Ní ligfeadh sí i ndearmad iad choíche. Cad é mar a tharlódh a leithéid, nuair ba é an fáinne a thug Caitlín di a bhí ar a méar aici? Cad é mar a tharlódh a leithéid nuair a bhí an grianghraf sin de Chaitlín agus den Chonaireach i bhfráma aici ar bhalla an tseomra sin? Cad é mar a tharlódh a leithéid nuair a bhí an cúpla ann . . .?

Réab an caoineadh thuas staighre smaointe Mary. Bhioraigh sí a cluasa. A Thiarna Dia, níorbh aon ghlór caointe amháin é ach cór na gcaointe. Bhí an dream beag ina lándúiseacht.

D'éirigh Mary ina seasamh agus d'fhág an nuachtán ar an chathaoir. Tráthnóna, mura mbeadh sí róchaite, mura mbeadh an cúpla ina ndúiseacht, bhuailfeadh sí fúithi ar an chathaoir luascáin, lasfadh aon toitín an lae, léifeadh sí an cuntas sin arís agus . . . is ea, scéal beag leis an Chonaireach mar chomhartha ómóis dó. Agus ní scéal duairc gruama a bhí uaithi ach ceann deas spreagúil. Bhí a fhios aici cheana cén ceann a roghasa. Cad eile ach "Beirt Bhan Misneamhail"? Idir an dá linn, bhí cúpla grámhar mífhoighdeach ag fanacht léi.

"Tá mé ar mo shlí, a Chaitlín, a chroí! Tá do mhamaí ag teacht, a Phádraic, a thaisce!" a ghlaoigh Mary agus í ag déanamh ar an staighre.

Nóta faisnéise

Saothar ficsin is ea *Beirt Bhan Mhisniúla* a bhfuil bunús stairiúil leis. Pearsa fhicseanúil is ea Mary Morrison ach cairde ba ea Pádraic Ó Conaire is Katherine Hughes/ Caitlín Ní Aodha, cé nach bhfuil fianaise ar bith ann gur leannáin iad. I ndáiríre, is beag atá ar eolas againn go cinnte faoin chairdeas sin ach amháin gur scríobh an bheirt i bpáirt lena chéile dráma Béarla, "The Cherry Bird," dráma nár léiríodh nó nár foilsíodh go nuige seo; agus gur chuir Ní Aodha roimpi sna 1920í airgead a bhailiú sna Stáit Aontaithe le post mar scríbhneoir cónaitheach le haghaidh an Chonairigh a mhaoiniú i gColáiste na hOllscoile, Gaillimh. Fuair Ní Aodha bás den ailse sula raibh rath ar a plean.

Tá mé i ndiaidh tarraingt ar shaothar beathaisnéise ar an Chonaireach, leabhair Áine Ní Chnáimhín is na Siúrach Eibhlín Ní Chionnaith go háirithe, le cuntas a fháil ar an Chonaireach agus ar a bhlianta i Londain. Buntaighde atá déanta agam féin ar a beatha, ar na castaí is ar na cora ina saol eachtrúil is siúlach is ea an phríomhfhoinse eolais faoi Katherine Hughes/ Caitlín Ní Aodha. D'fhormhór, d'fhéach mé le bheith dílis don taifead stairiúil ach i ndeireadh na dála, chreid mé go raibh an tsaoirse ealaíonta is tuairimíochta agam corrdháta a athrú is mionfhíricí a chur as a riocht le freastal ar riachtanais an úrscéil. Mar shamplaí fánacha: ní thig liom a bheith cinnte cén uair a bhuail an Conaireach is Ní Aodha le chéile den chéad uair ach luíonn sé le ciall gur tharla sé sin i

Londain Shasana sa tréimhse roimh thús an Chogaidh Mhóir; agus ní féidir liom a chruthú go raibh Ní Aodha in Éirinn sa bhliain 1922 ach arís, tar éis di a bheith ag eagrú Aonach na nGaedheal i bPáras na Fraince, cheapfá go dtapódh sí an deis le cuairt a thabhairt ar Éirinn sula bhfillfeadh sí ar Mheiriceá Thuaidh. Ina theannta sin, cé go ndearna mé pearsana de mhuintir Uí Aodha, Lauretta, Cornelia agus Alfred Hughes, agus gur tharraing mé isteach Thomas Rudmose-Brown, "Anna Ghordún" is Samuel Beckett is a thuilleadh fíorphearsan, níl bunús stairiúil leis an láimhseáil fhicseanúil a dhéanaim orthu. Níl fianaise dá laghad ann gur dhóigh Cornelia Hughes páipéir de chuid a deirféar: bhí mé ag iarraidh a mhíniú cad chuige nach bhfuil mórán cáipéisí a bhaineas le ról Katherine Hughes i bpolaitíocht na hÉireann i measc a páipéar i Library and Archives Canada in Ottawa. De ráite na fírinne, sna 1950í luatha, tar éis do Lauretta bás a fháil in Ottawa, bhí Cornelia Hughes i dteagmháil leis an Taoiseach, Éamon de Valera, agus í ag caint ar leac a chur ar uaigh Chaitlín Ní Aodha i Reilig San Réamann sa Bhronx. Tá an uaigh gan leac go fóill.

—PÓS